A COLLECTION OF FRENCH STORIES

A COLLECTION OF

French

Stories

EDMOND A. MÉRAS
Professor of French and Methods
Kansas State University

FERNAND VIAL
Professor of French
and Chairman of
Department of Modern Languages
Fordham University

Harper & Row, Publishers, New York

CONTENTS

PREFACE

This collection of twenty French stories contains examples of the narrative talents of some of the leading prose writers of the nineteenth and twentieth centuries. Many of them are considered the creators of the modern short story. By studying these selections one can easily trace the changing taste of the French reading public, as well as variations in literary style and subject matter over a period of some one hundred years.

A knowledge of basic French grammar and some reading in elementary and intermediate French should precede the study of these selections. On the college level they can be used at the end of the second year for general reading or for intensive study of narrative style in any course in nineteenth- and twentieth-century French literature. If these stories are used on the secondary school level, the students should have studied French for at least two years. Each story is accompanied by exercises designed to help increase vocabulary of students, and there are also exercises to give training in oral and written composition and comprehension.

EDMOND A. MÉRAS
FERNAND VIAL

A COLLECTION OF FRENCH STORIES

LE CHIEN DE BRISQUET

CHARLES NODIER

*Charles Nodier (1783–1844) fut un des premiers romantiques.
Les membres de cette jeune école, qui comprenait alors Victor
Hugo, Vigny, Musset, etc., se réunissaient chez Nodier, à la
bibliothèque de l'Arsenal. Ce groupe est connu sous le nom de
«premier Cénacle.» Le second Cénacle devait être dirigé par
Victor Hugo lui-même qui, après la* Préface de Cromwell, *devint le chef incontesté du mouvement romantique.*

*Charles Nodier n'est pas un auteur aussi connu que certains
membres du même groupe, mais son importance est cependant
considérable. Il a écrit des romans (*Les Proscrits, *1802, Le
Peintre de Salzbourg, 1803, etc.), maintenant bien oubliés, et
des poésies. Mais sa réputation littéraire repose surtout sur ses
contes.* Le Chien de Brisquet, *publié en 1844, est un excellent
exemple du talent de Nodier et de son style qui est clair,
gracieux, simple quelquefois jusqu'à la naïveté.*

EN NOTRE forêt de Lions, vers le hameau de la Goupillière, tout
près d'un grand puits-fontaine qui appartient à la chapelle Saint-
Mathurin, il y avait un bonhomme, bûcheron de son état,[1] qui
s'appelait Brisquet, ou autrement le fendeur à la bonne hache, et
qui vivait pauvrement du produit de ses fagots, avec sa femme qui
s'appelait Brisquette. Le bon Dieu leur avait donné deux petits
enfants, un garçon de sept ans qui était brun et qui s'appelait
Biscotin, et une blondine de six ans qui s'appelait Biscotine. Outre
cela, ils avaient une chienne à poil frisé, noire par tout le corps,
si ce n'est[2] au museau qu'elle avait couleur de feu; et c'était bien 10
le meilleur chien du pays pour son attachement à ses maîtres.

[1] **de son état:** *by profession.*
[2] **si ce n'est:** *except for.*

1

On l'appelait Bichonne.

Vous vous souvenez du temps où il vint tant de loups dans la forêt de Lions. C'était dans l'année des grandes neiges, que les pauvres gens eurent si grand'peine à vivre. Ce fut une terrible désolation dans le pays.

Brisquet, qui allait toujours à sa besogne, et qui ne craignait pas les loups, à cause de sa bonne hache, dit un matin à Brisquette:

— Femme, je vous prie de ne laisser courir ni Biscotin ni Biscotine tant que le grand-louvetier ne sera pas venu. Il y aurait
10 du danger pour eux. Ils ont assez de quoi marcher[3] entre la butte et l'étang, depuis que j'ai planté des piquets le long de l'étang pour les préserver d'accident. Je vous prie aussi, Brisquette, de ne pas laisser sortir Bichonne, qui ne demande qu'à trotter.

Brisquet disait tous les matins la même chose à Brisquette. Un soir, il n'arriva pas à l'heure ordinaire. Brisquette venait sur le pas de la porte, rentrait, ressortait, et disait en se croisant les mains:

— Brisquet!

Et la Bichonne lui sautait jusqu'aux épaules, comme pour lui
20 dire:

— N'irai-je pas?

— Paix! lui dit Brisquette. Écoute, Biscotine, va jusque devers[4] la butte pour savoir si ton père ne revient pas. — Et toi, Biscotin, suis le chemin au long de l'étang, en prenant bien garde s'il n'y a pas de piquets qui manquent. Et crie fort: «Brisquet! Brisquet! . . .» — Paix! la Bichonne!

Les enfants allèrent, allèrent, et quand ils furent à l'endroit où le sentier de l'étang vient couper celui de la butte:

— Mordienne! dit Biscotin, je retrouverai notre pauvre père,
30 ou les loups m'y mangeront.

— Pardienne! dit Biscotine, il m'y mangeront bien aussi.

Pendant ce temps-là, Brisquet était revenu par le grand chemin de Puchay, en passant à la Croix-aux-Anes sur l'abbaye de Mortemer, parce qu'il avait une hottée de cotrets à fournir chez Jean Paquier.

[3] **Ils . . . marcher:** *They have a sufficiently long walk.*
[4] **jusque devers:** *in the direction of* (obsolete).

— As-tu vu nos enfants? lui dit Brisquette.

— Nos enfants? dit Brisquet. Nos enfants? Mon Dieu! sont-ils sortis?

— Je les ai envoyés à ta rencontre jusqu'à la butte et à l'étang; mais tu as pris par un autre chemin.

Brisquet ne posa pas sa bonne hache. Il se mit à courir du côté de la butte.

— Si tu menais la Bichonne? lui cria Brisquette.

La Bichonne était déjà bien loin.

Elle était si loin que Brisquet la perdit bientôt de vue. Et il 10 avait beau[5] crier: «Biscotin! Biscotin!» on ne lui répondait pas.

Alors il se prit[6] à pleurer, parce qu'il s'imagina que ses enfants étaient perdus.

Après avoir couru longtemps, longtemps, il lui sembla reconnaître la voix de la Bichonne. Il marcha droit dans le fourré, à l'endroit où il l'avait entendue, et il y entra, sa bonne hache levée.

La Bichonne était arrivée là, au moment où Biscotin et Biscotine allaient être dévorés par un gros loup; elle s'était jetée devant en aboyant, pour que ses abois avertissent Brisquet. Brisquet d'un 20 coup de sa bonne hache, renversa le loup raide mort;[7] mais il était trop tard pour la Bichonne: elle ne vivait déjà plus.

Brisquet, Biscotin et Biscotine rejoignirent Brisquette. C'était une grande joie, et cependant tout le monde pleura. Il n'y avait pas un regard qui ne cherchât la Bichonne.

Brisquet enterra la Bichonne au fond de son petit courtil sous une grosse pierre, sur laquelle le maître d'école écrivit en latin:

> C'est ici qu'est la Bichonne,
> Le pauvre chien de Brisquet.

Et c'est depuis ce temps-là qu'on dit en commun proverbe: 30 «Malheureux comme le chien à Brisquet,[8] qui n'alla qu'une fois au bois, et que le loup mangea.»

---

[5] **il . . . crier:** *no matter how much he called.*
[6] **il se prit:** *he started to.*
[7] **renversa . . . mort:** *killed the wolf instantly.*
[8] **le chien à . . . :** *the dog of* (popular).

EXERCICES

I. Répondez aux questions suivantes:

1. Quel était le métier de Brisquet?
2. De quoi vivait-il? Est-ce qu'il avait la vie facile?
3. Décrivez les enfants et la chienne de Brisquet.
4. Que craignait surtout Brisquet?
5. Pourquoi Biscotin et Biscotine ne pouvaient-ils pas courir seuls dans les bois?
6. Pourquoi Brisquette s'inquiéta-t-elle un soir?
7. Que dit-elle aux enfants?
8. Qu'était-il arrivé à Brisquet?
9. Comment retrouva-t-il ses enfants?
10. Qui les avait défendus contre le loup?

II. Après avoir lu le texte, complétez les phrases suivantes:

1. En notre forêt de Lions, il y avait . . . .
2. Le bon Dieu leur avait donné . . . .
3. Outre cela, ils avaient . . . .
4. Brisquet dit un jour à Brisquette . . . .
5. Un soir, quand son mari était en retard, Brisquette dit aux enfants . . . .
6. Quand Brisquet revint, sa femme lui demanda . . . .
7. Brisquet avait beau crier . . . .
8. Il se mit à pleurer parce qu'il . . . .
9. Brisquet d'un coup de sa bonne hache . . . .
10. Mais il était trop tard pour . . . .

III. Traduisez les phrases suivantes:

1. Brisquet was a woodcutter who lived with his wife and two children from the product of his bundles of sticks.
2. They had a black dog with curly hair called Bichonne.
3. One day Brisquet told his wife not to let the children run around because of the wolves.
4. One evening when Brisquet did not come the children went to find their father.
5. Brisquet came by the main road, and when he heard that the children were gone started running with la Bichonne toward the pond.
6. He soon lost sight of la Bichonne but soon recognized her voice.

7. He walked straight to the place and arrived as la Bichonne was being devoured by the wolf.
8. Brisquet stretched the wolf out dead with a blow of his ax.
9. La Bichonne was buried in the little courtyard.
10. La Bichonne went to the woods only once and was eaten by the wolf.

LE DIALOGUE INCONNU

ALFRED DE VIGNY

Alfred de Vigny (1797–1863), d'une famille noble, entra dans l'armée à l'âge de 17 ans dans l'espoir d'y conquérir la gloire. Sa carrière militaire lui causa des déceptions profondes que Vigny a décrites dans Servitudes et grandeurs militaires *(1835). En 1827 il démissionne pour se consacrer à la littérature où il se distingue par des romans* (Cinq-Mars, 1826; Stello, 1832), *par des pièces de théâtre* (Othello, 1829; La Maréchale d'Ancre, 1831; Chatterton, 1835), *et des poèmes. La philosophie de Vigny, influencée par les déboires de sa vie, est pessimiste: contrairement aux autres poètes romantiques il n'a pas recours aux consolations que Dieu, la nature, et l'amour offrent aux hommes. La pensée seule est noble et éternelle. Il convient donc de se réfugier dans le stoïcisme et de mépriser la souffrance et la mort* (La Mort du loup). *Le style de Vigny est intellectuel, froid, digne, et impersonnel.*

NOUS ÉTIONS à Fontainebleau.[1] Le Pape[2] venait d'arriver. L'Empereur[3] l'avait attendu impatiemment pour le sacre, et l'avait reçu en voiture, montant de chaque côté, au même instant, avec une étiquette en apparence négligée, mais profondément calculée de manière à ne céder ni prendre le pas; ruse italienne. Il revenait au château: tout y était en rumeur; j'avais laissé plusieurs officiers dans la chambre qui précédait celle de l'Empereur, et j'étais resté seul dans la sienne. — Je considérais une longue table qui

[1] **Fontainebleau:** palace built by Francis I, where Napoleon frequently resided.
[2] **le Pape:** Pope Pius VII.
[3] **l'Empereur:** Napoleon I.

6

portait, au lieu de marbre, des mosaïques romaines, et que surchargeait un amas énorme de placets. J'avais vu souvent Bonaparte rentrer et leur faire subir une étrange épreuve. Il ne les prenait ni par ordre, ni au hasard; mais quand leur nombre l'irritait, il passait sa main sur la table de gauche à droite et de droite à gauche, comme un faucheur, et les dispersait jusqu'à ce qu'il en eût réduit le nombre à cinq ou six qu'il ouvrait. Cette sorte de jeu dédaigneux m'avait ému singulièrement. Tous ces papiers de deuil et de détresse repoussés et jetés sur le parquet, enlevés comme par un vent colère, ces implorations inutiles des 10 veuves et des orphelins n'ayant pour chance de secours que la manière dont les feuilles volantes étaient balayées par le chapeau consulaire, toutes ces feuilles gémissantes, mouillées par des larmes de famille, traînant au hasard sous ses bottes et sur lesquelles il marchait comme sur ses morts du champ de bataille, me représentaient la destinée présente de la France comme une loterie sinistre, et, toute grande qu'était la main indifférente et rude qui tirait les lots, je pensais qu'il n'était pas juste de livrer ainsi au caprice de ses coups de poing tant de fortunes obscures qui eussent été peut-être un jour aussi grandes que la sienne, si 20 un point d'appui leur eût été donné. Je sentis mon cœur battre contre Bonaparte et se révolter, mais honteusement, mais en cœur d'esclave qu'il était. Je considérais ces lettres abandonnées: des cris de douleur inentendus s'élevaient de leurs plis profanés; et, les prenant pour les lire, les rejetant ensuite, moi-même je me faisais juge entre ces malheureux et le maître qu'ils s'étaient donné, et qui allait aujourd'hui s'asseoir plus solidement que jamais sur leurs têtes. Je tenais dans ma main l'une de ces pétitions méprisées, lorsque le bruit des tambours qui battaient *aux champs* m'apprit l'arrivée subite de l'Empereur. Or, vous savez 30 que, de même que l'on voit la lumière du canon avant d'entendre sa détonation, on le voyait toujours en même temps qu'on était frappé du bruit de son approche, tant ses allures étaient promptes et tant il semblait pressé de vivre et de jeter ses actions les unes, sur les autres! Quand il entrait à cheval dans la cour d'un palais, ses guides avaient peine à le suivre, et le poste n'avait pas le temps de prendre les armes, qu'il était déjà descendu de cheval

et montait l'escalier. Cette fois, il avait quitté la voiture du Pape
pour revenir seul, en avant et au galop. J'entendis ses talons
résonner en même temps que le tambour. J'eus le temps à peine
de me jeter dans l'alcôve d'un grand lit de parade qui ne servait
à personne, fortifié d'une balustrade de prince et fermé heureusement, plus qu'à demi, par des rideaux semés d'abeilles.

L'Empereur était fort agité; il marcha seul dans la chambre
comme quelqu'un qui attend avec impatience, et fit en un instant
trois fois sa longueur, puis s'avança vers la fenêtre et se mit à y
10 tambouriner une marche avec les ongles. Une voiture roula dans
la cour, il cessa de battre, frappa des pieds deux ou trois fois
comme impatienté de la vue de quelque chose qui se faisait avec
lenteur, puis il alla brusquement à la porte et l'ouvrit au Pape.

Pie VII entra seul. Bonaparte se hâta de refermer la porte
derrière lui, avec une promptitude de geôlier. Je sentis une
grande terreur, je l'avoue, en me voyant en tiers avec de telles
gens. Cependant je restai sans voix et sans mouvement, regardant
et écoutant de toute la puissance de mon esprit.

Le Pape était d'une taille élevée; il avait un visage allongé,
20 jaune, souffrant, mais plein d'une noblesse sainte et d'une bonté
sans bornes. Ses yeux noirs étaient grands et beaux, sa bouche
était entr'ouverte par un sourire bienveillant auquel son menton
avancé donnait une expression de finesse très spirituelle et très
vive, sourire qui n'avait rien de la sécheresse politique, mais tout
de la bonté chrétienne. Une calotte blanche couvrait ses cheveux
longs, noirs, mais sillonnés de larges mèches argentées. Il portait
négligemment sur ses épaules courbées un long camail de velours
rouge, et sa robe traînait sur ses pieds. Il entra lentement, avec
la démarche calme et prudente d'une femme âgée. Il vint s'asseoir,
30 les yeux baissés, sur un des grands fauteuils romains dorés et
chargés d'aigles, et attendit ce que lui allait dire l'autre Italien.

Ah! monsieur, quelle scène! quelle scène! je la vois encore.
— Ce ne fut pas le génie de l'homme qu'elle me montra, mais ce
fut son caractère; et si son vaste esprit ne s'y déroula pas, du
moins son cœur y éclata. — Bonaparte n'était pas alors ce que
vous l'avez vu depuis; il n'avait point ce ventre de financier, ce
visage joufflu et malade, ces jambes de goutteux, tout cet infirme

embonpoint que l'art a malheureusement saisi pour en faire un *type*, selon le langage actuel, et qui a laissé de lui, à la foule, je ne sais quelle forme populaire et grotesque qui le livre aux jouets d'enfants[4] et le laissera peut-être un jour fabuleux et impossible comme l'informe Polichinelle.[5] — Il n'était point ainsi alors, monsieur, mais nerveux et souple, mais leste, vif et élancé, convulsif dans ses gestes, gracieux dans quelques moments, recherché dans ses manières; la poitrine plate et rentrée entre les épaules, et tel encore que je l'avais vu à Malte, le visage mélancolique et effilé. 10

Il ne cessa point de marcher dans la chambre quand le Pape fut entré; il se mit à rôder autour du fauteuil comme un chasseur prudent et, s'arrêtant tout à coup en face de lui dans l'attitude roide et immobile d'un caporal, il reprit une suite de la conversation[6] commencée dans leur voiture, interrompue par l'arrivée, et qu'il lui tardait[7] de poursuivre.

«Je vous le répète, Saint-Père, je ne suis point un esprit fort, moi, et je n'aime pas les raisonneurs et les idéologues. Je vous assure que, malgré mes vieux républicains,[8] j'irai à la messe.»

Il jeta ces derniers mots brusquement au Pape comme un coup 20 d'encensoir lancé au visage, et s'arrêta pour en attendre l'effet, pensant que les circonstances tant soit peu impies qui avaient précédé l'entrevue devaient donner à cet aveu subit et net une valeur extraordinaire. — Le Pape baissa les yeux et posa ses deux mains sur les têtes d'aigle qui formaient les bras de son fauteuil. Il parut, par cette attitude de statue romaine, qu'il disait clairement: «Je me résigne d'avance à écouter toutes les choses profanes qu'il lui plaira de me faire entendre.»

Bonaparte fit le tour de la chambre et du fauteuil qui se trouvait au milieu, et je vis, au regard qu'il jetait de côté sur le vieux 30 pontife, qu'il n'était content ni de lui-même ni de son adversaire, et qu'il se reprochait d'avoir trop lestement débuté dans cette

---

[4] qui . . . d'enfants: *which makes of him a child's plaything.*
[5] Polichinelle: a puppet in a Punch and Judy show.
[6] il reprit . . . conversation: *he continued the conversation.*
[7] qu'il lui tardait . . . : *which he was very anxious.*
[8] malgré . . . républicains: *in spite of the old republican soldiers who surrounded Napoleon.*

reprise de conversation. Il se mit donc à parler avec plus de suite, en marchant circulairement et jetant à la dérobée des regards perçants dans les glaces de l'appartement où se réfléchissait la figure grave du Saint-Père, et le regardant en profil quand il passait près de lui, mais jamais en face, de peur de sembler trop inquiet de l'impression de ses paroles.

«Il y a quelque chose, dit-il, qui me reste sur le cœur, Saint-Père, c'est que vous consentez au sacre de la même manière que l'autre fois au concordat, comme si vous y étiez forcé. Vous avez
10 un air de martyr devant moi, vous êtes là comme résigné, comme offrant au Ciel vos douleurs. Mais, en vérité, ce n'est pas là votre situation, vous n'êtes pas prisonnier, vous êtes libre comme l'air.»

Pie VII sourit avec tristesse et le regarda en face. Il sentait ce qu'il y avait de prodigieux dans les exigences de ce caractère despotique, à qui, comme à tous les esprits de même nature, il ne suffisait pas de se faire obéir si, en obéissant, on ne semblait encore avoir désiré ardemment ce qu'il ordonnait.

«Oui, reprit Bonaparte avec plus de force, vous êtes parfaite-
20 ment libre; vous pouvez vous en retourner à Rome, la route vous est ouverte, personne ne vous retient.»

Le Pape soupira et leva sa main droite et ses yeux au ciel sans répondre; ensuite il laissa retomber très lentement son front ridé et se mit à considérer la croix d'or suspendue à son cou.

Bonaparte continua à parler en tournoyant plus lentement. Sa voix devint douce et son sourire plein de grâce.

«Saint-Père, si la gravité de votre caractère[9] ne m'en empêchait, je dirais, en vérité, que vous êtes un peu ingrat. Vous ne paraissez pas vous souvenir assez des bons services que la France vous a
30 rendus. Le conclave de Venise,[10] qui vous a élu Pape, m'a un peu l'air d'avoir été inspiré par ma campagne d'Italie[11] et par un mot que j'ai dit sur vous. L'Autriche ne vous traita pas bien

---

[9] **gravité . . . caractère:** *the dignity of your office.*
[10] The conclave which elected Pope Pius VII met in Venice in 1799 because most of the cardinals happened to be in that city.
[11] The campaign of 1796 led by Bonaparte against Piedmont and Austria; it ended with the peace treaty of Campo-Formio, April 18, 1797.

alors, et j'en fus très affligé. Votre Sainteté fut, je crois, obligée de revenir par mer à Rome, faute de pouvoir passer par[12] les terres autrichiennes.»

Il s'interrompit pour attendre la réponse du silencieux hôte qu'il s'était donné; mais Pie VII ne fit qu'une inclination de tête presque imperceptible, et demeura comme plongé dans un abattement qui l'empêchait d'écouter.

Bonaparte alors poussa du pied une chaise près du grand fauteuil du Pape. — Je tressaillis, parce qu'en venant chercher ce siège, il avait effleuré de son épaulette le rideau de l'alcôve où 10 j'étais caché.

«Ce fut, en vérité, continua-t-il, comme catholique que cela m'affligea. Je n'ai jamais eu le temps d'étudier beaucoup la théologie, moi; mais j'ajoute encore une grande foi à la puissance de l'Église;[13] elle a une vitalité prodigieuse, Saint-Père. Voltaire vous a bien un peu entamés; mais je ne l'aime pas, et je vais lâcher sur lui un vieil oratorien défroqué. Vous serez content, allez. Tenez, nous pourrions, si vous vouliez, faire bien des choses à l'avenir.»

Il prit un air d'innocence et de jeunesse très caressant.   20

«Moi, je ne sais pas; j'ai beau chercher, je ne vois pas bien, en vérité, pourquoi vous auriez de la répugnance à siéger à Paris pour toujours. Je vous laisserais, ma foi, les Tuileries, si vous vouliez. Vous y trouveriez déjà votre chambre de Monte-Cavallo qui vous attend. Moi, je n'y séjourne guère. Ne voyez-vous pas bien, *Padre*, que c'est là la vraie capitale du monde? Moi, je ferais tout ce que vous voudriez; d'abord, je suis meilleur enfant qu'on ne croit. — Pourvu que la guerre et la politique fatigante me fussent laissées, vous arrangeriez l'Église comme il vous plairait. Je serais votre soldat tout à fait. Voyez, ce serait vraiment 30 beau; nous aurions nos conciles comme Constantin et Charlemagne, je les ouvrirais et les fermerais; je vous mettrais ensuite dans la main les vraies clefs du monde, et comme Notre-Seigneur a dit: «Je suis venu avec l'épée,» je garderais l'épée, moi; je vous la rapporterais seulement à bénir après chaque succès de nos armes.»

---

[12] **faute de . . . par**: *since you were not able to go through.*
[13] **j'ajoute . . . Église**: *I still have great faith in the power of the Church.*

Il s'inclina légèrement en disant ces derniers mots.

Le Pape, qui jusque-là n'avait cessé de demeurer sans mouvement, comme une statue égyptienne, releva lentement sa tête à
demi-baissée, sourit avec mélancolie, leva ses yeux en haut et dit,
avec un soupir paisible, comme s'il eût confié sa pensée à son
ange gardien invisible:

«*Commediante!*»

Bonaparte sauta de sa chaise et bondit comme un léopard
blessé. Une vraie colère le prit; une de ses colères jaunes. Il
10 marcha d'abord sans parler, se mordant les lèvres jusqu'au sang.
Il ne tournait plus en cercle autour de sa proie avec des regards
fins et une marche cauteleuse; mais il allait droit et ferme, en
long et en large, brusquement, frappant du pied et faisant sonner
ses talons éperonnés. La chambre tressaillit; les rideaux frémirent
comme les arbres à l'approche du tonnerre; il me semblait qu'il
allait arriver quelque terrible et grande chose; mes cheveux me
firent mal[14] et j'y portai la main malgré moi. Je regardais le Pape,
il ne remua pas; seulement il serra de ses deux mains les têtes
d'aigle des bras du fauteuil.

20   La bombe éclata tout à coup.

«Comédien! Moi! Ah! je vous donnerai des comédies à vous
faire tous pleurer comme des femmes et des enfants. — Comédien!
— Ah! vous n'y êtes pas, si vous croyez qu'on puisse avec moi
faire du sang-froid insolent! Mon théâtre, c'est le monde; le
rôle que j'y joue, c'est celui de maître et d'auteur; pour comédiens,
j'ai vous tous, Pape, Rois, Peuples! et le fil par lequel je vous
remue, c'est la peur! — Comédien! Ah! il faudrait être d'une
autre taille[15] que la vôtre pour m'oser applaudir ou siffler, *signor
Chiaramonti!*[16] — Savez-vous bien que vous ne seriez qu'un
30 pauvre curé, si je le voulais? Vous et votre tiare, la France vous
rirait au nez, si je ne gardais mon air sérieux en vous saluant.

«Il y a quatre ans seulement, personne n'eût osé parler tout
haut du Christ. Qui donc eût parlé du Pape, s'il vous plaît? —

---

[14] **mes . . . mal:** *my head suddenly ached, at the roots of the hair.*
[15] **être . . . taille:** *to be of a different caliber.*
[16] **signor Chiaramonti:** family name of Pope Pius VII; Napoleon uses this
name here to remind the Pope of his humble origin.

Comédien! Ah! messieurs, vous prenez vite pied chez nous! Vous êtes de mauvaise humeur parce que je n'ai pas été assez sot pour signer, comme Louis XIV, la désapprobation des libertés gallicanes![17] Mais on ne me pipe pas ainsi. — C'est moi qui vous tiens dans mes doigts; c'est moi qui vous porte du Midi au Nord comme des marionnettes; c'est moi qui fais semblant de vous compter pour quelque chose parce que vous représentez une vieille idée que je veux ressusciter; et vous n'avez pas l'esprit de voir cela et de faire comme si vous ne vous en aperceviez pas. — Mais non! il faut tout vous dire! il faut vous mettre le nez sur 10 les choses pour que vous les compreniez. Et vous croyez bonnement que l'on a besoin de vous, et vous relevez la tête, et vous vous drapez dans vos robes de femme! — Mais sachez bien qu'elles ne m'en imposent nullement,[18] et que, si vous continuez, vous! je traiterai la vôtre comme Charles XII celle du grand vizir:[19] je la déchirerai d'un coup d'éperon.»

Il se tut. Je n'osais pas respirer. J'avançai la tête, n'entendant plus sa voix tonnante, pour voir si le pauvre vieillard était mort d'effroi. Le même calme dans l'attitude, le même calme sur le visage. Il leva une seconde fois les yeux au ciel et, après avoir 20 encore jeté un profond soupir, il sourit avec amertume et dit:

«Tragediante!»

Bonaparte, en ce moment, était au bout de la chambre, appuyé sur la cheminée de marbre aussi haute que lui. Il partit comme un trait, courant sur le vieillard; je crus qu'il l'allait tuer. Mais il s'arrêta court, prit, sur la table, un vase de porcelaine de Sèvres,[20] où le château de Saint-Ange[21] et le Capitole[22] étaient peints et, le jetant sur les chenets et le marbre, le broya sous ses pieds. Puis

---

[17] **des . . . gallicanes:** certain administrative privileges granted to the French clergy partially exempting them from papal jurisdiction.

[18] **elles . . . nullement:** *they do not impress me at all.*

[19] **Charles XII . . . grand vizir:** Mehemet Baltagi, a Turkish grand vizier who favored the Russians, enemies of Charles XII. Charles XII, having taken refuge in Turkey after his defeat in Russia, tore the robes of the grand vizier with his sword.

[20] **Sèvres:** famous porcelain factories owned by the French government.

[21] **Saint-Ange:** former papal prison at Rome.

[22] **le Capitole:** the temple of Jupiter and the citadel erected on the Capitoline, one of the seven hills of Rome.

tout d'un coup il s'assit et demeura dans un silence profond et
une immobilité formidable.

Je fus soulagé, je sentis que la pensée réfléchie lui était revenue
et que le cerveau avait repris l'empire sur les bouillonnements du
sang. Il devint triste, sa voix fut sourde et mélancolique et, dès
sa première parole, je compris qu'il était dans le vrai, et que ce
Protée,[23] dompté par deux mots, se montrait lui-même.

«Malheureuse vie!» dit-il d'abord. — Puis il rêva, déchira le
bord de son chapeau sans parler pendant une minute encore, et
10 reprit, se parlant à lui seul, au réveil:

«C'est vrai! Tragédien ou Comédien. — Tout est rôle,[24] tout
est costume pour moi depuis longtemps et pour toujours. Quelle
fatigue! quelle petitesse! Poser! toujours poser! de face pour ce
parti, de profil pour celui-là, selon leur idée. Leur paraître ce
qu'ils aiment que l'on soit, et deviner juste leurs rêves d'imbéciles.
Les placer tous entre l'espérance et la crainte. — Les éblouir par
des dates et des bulletins,[25] par des prestiges de distance et des
prestiges de nom. Être leur maître à tous et ne savoir qu'en faire.
Voilà tout, ma foi! — Et après ce tout, s'ennuyer autant que je
20 fais, c'est trop fort.[26] — Car, en vérité, poursuivit-il en se croisant
les jambes et en se couchant dans un fauteuil, je m'ennuie
énormément. — Sitôt que je m'assieds, je crève d'ennui.[27] — Je
ne chasserais pas trois jours à Fontainebleau sans périr de
langueur. — Moi, il faut que j'aille et que je fasse aller. Si je sais
où, je veux être pendu, par exemple. Je vous parle à cœur ouvert.
J'ai des plans pour la vie de quarante empereurs, j'en fais un
tous les matins et un tous les soirs; j'ai une imagination infatigable; mais je n'aurai pas le temps d'en remplir deux, que je serai
usé de corps et d'âme,[28] car notre pauvre lampe ne brûle pas
30 longtemps. Et franchement, quand tous mes plans seraient
exécutés, je ne jurerais pas que le monde s'en trouvât beaucoup
plus heureux; mais il serait plus beau, et une unité majestueuse

---

[23] **Protée:** Proteus, sea god, son of Neptune, who changed form at will.
[24] **Tout est rôle:** Everybody is playing a part.
[25] **bulletins:** war bulletins announcing Napoleon's victories.
[26] **c'est . . . fort:** *that's too much.*
[27] **je . . . d'ennui:** *I'm bored to death.*
[28] **je . . . d'âme:** *I shall be physically and mentally exhausted.*

régnerait sur lui. — Je ne suis pas un philosophe, moi, et je ne
sais que notre secrétaire de Florence[29] qui ait eu le sens commun.
Je n'entends rien à certaines théories. La vie est trop courte pour
s'arrêter. Sitôt que j'ai pensé, j'exécute. On trouvera assez
d'explications de mes actions après moi pour m'agrandir si je
réussis et me rapetisser si je tombe. Les paradoxes sont là tout
prêts, ils abondent en France; je les fais taire de mon vivant,
mais après il faudra voir. — N'importe, mon affaire est de réussir,
et je m'entends à cela. Je fais mon Iliade[30] en action, moi, et tous
les jours.»   10

Ici il se leva avec une promptitude gaie et quelque chose
d'alerte et de vivant; il était natural et vrai dans ce moment-là,
il ne songeait point à se dessiner[31] comme il fit depuis dans ses
dialogues de Sainte-Hélène;[32] il ne songeait point à s'idéaliser, et
ne composait point son personnage de manière à réaliser les plus
belles conceptions philosophiques; il était lui, lui-même mis au
dehors. — Il revint près du Saint-Père, qui n'avait pas fait un
mouvement, et marcha devant lui. Là, s'enflammant, riant à
moitié avec ironie, il débita ceci, à peu près, tout mêlé de trivial
et de grandiose, selon son usage, en parlant avec une volubilité 20
inconcevable, expression rapide de ce génie facile et prompt qui
devinait tout, à la fois, sans étude.

«La naissance est tout, dit-il; ceux qui viennent au monde
pauvres et nus sont toujours des désespérés. Cela tourne en
action ou en suicide, selon le caractère des gens. Quand ils ont
le courage, comme moi, de mettre la main à tout, ma foi! ils
font le diable. Que voulez-vous? Il faut vivre. Il faut trouver sa
place et faire son trou.[33] Moi, j'ai fait le mien comme un boulet
de canon. Tant pis pour ceux qui étaient devant moi. — Les uns
se contentent de peu, les autres n'ont jamais assez. — Qu'y faire? 30

---

[29] **notre . . . Florence:** Niccolò Machiavelli (1469–1527), secretary of the
republic of Florence and author of *The Prince*, a treatise on politics purely
opportunist and devoid of morality.
[30] **Iliade:** Homer's poems relating the adventures of Ulysses.
[31] **se dessiner:** *to draw a flattering portrait of himself.*
[32] **Sainte-Hélène:** Napoleon's words during his exile at St. Helena as
reported in the memoirs of his aides.
[33] **faire . . . trou:** *find one's place in the world.*

Chacun mange selon son appétit; moi, j'avais grand'faim!
Tenez, Saint-Père, à Toulon,[34] je n'avais pas de quoi[35] acheter
une paire d'épaulettes et, au lieu d'elles, j'avais une mère et je
ne sais combien de frères sur les épaules. Tout cela est placé à
présent, assez convenablement, j'espère. Joséphine m'avait
épousé, comme par pitié, et nous allons la couronner à la barbe
de[36] Raguideau, son notaire, qui disait que je n'avais que la cape
et l'épée. Il n'avait, ma foi! pas tort. — Manteau impérial,
couronne, qu'est-ce que tout cela? Est-ce à moi? — Costume!
10 costume d'acteur! Je vais l'endosser pour une heure, et j'en aurai
assez. Ensuite je reprendrai mon petit habit d'officier, et je
monterai à cheval; toute la vie à cheval! — Je ne serai pas assis
un jour sans courir le risque d'être jeté à bas du fauteuil. Est-ce
donc bien à envier? Hein?

«Je vous le dis, Saint-Père; il n'y a au monde que deux classes
d'hommes: ceux qui ont et ceux qui gagnent.

«Les premiers se couchent, les autres se remuent. Comme j'ai
compris cela de bonne heure et à propos, j'irai loin, voilà tout.
Il n'y en a que deux qui soient arrivés en commençant à quarante
20 ans: Cromwell et Jean-Jacques,[37] si vous aviez donné à l'un une
ferme, et à l'autre douze cents francs et sa servante, ils n'auraient
ni prêché, ni commandé, ni écrit. Il y a des ouvriers en bâtiments,
en couleurs, en formes et en phrases; moi, je suis ouvrier en
batailles.[38] C'est mon état. — A trente-cinq ans, j'en ai déjà
fabriqué dix-huit qui s'appellent: Victoires. — Il faut bien qu'on
me paye mon ouvrage. Et le payer d'un trône, ce n'est pas trop
cher. — D'ailleurs je travaillerai toujours. Vous en verrez bien
d'autres.[39] Vous verrez toutes les dynasties dater de la mienne,

[34] **Toulon:** in 1794 Bonaparte liberated the port of Toulon which was
occupied by the British and French royalists.

[35] **je . . . quoi:** *I didn't have the means.*

[36] **à la barbe de:** *in the very presence of.*

[37] **Jean-Jacques:** Jean-Jacques Rousseau, French writer of the eighteenth
century, author of *Émile, La Nouvelle-Héloise, Le Contrat Social.*

[38] **Il y a des . . . batailles:** *There are people who work in buildings, in colors
[painters], in forms [sculptors] and sentences [writers]; I, I work in battles.*

[39] **Vous . . . d'autres:** *And that's not the end of it.*

tout parvenu que je suis, et élu. Élu, comme vous, Saint-Père,
et tiré de la foule. Sur ce point nous pouvons nous donner la
main.»

Et, s'approchant, il tendit sa main blanche et brusque vers la
main décharnée et timide du bon Pape, qui, peut-être attendri
par le ton de bonhomie de ce dernier mouvement de l'Empereur,
peut-être par un retour secret sur sa propre destinée et une triste
pensée sur l'avenir des sociétés chrétiennes, lui donna doucement
le bout de ses doigts, tremblants encore, de l'air d'une grand'mère
qui se raccommode avec un enfant qu'elle avait eu le chagrin de 10
gronder trop fort. Cependant il secoua la tête avec tristesse, et je
vis rouler de ses beaux yeux une larme qui glissa rapidement sur
sa joue livide et desséchée. Elle me parut le dernier adieu du
Christianisme mourant qui abandonnait la terre à l'égoïsme et
au hasard.

Bonaparte jeta un regard furtif sur cette larme arrachée à ce
pauvre cœur, et je surpris même, d'un côté de sa bouche, un
mouvement rapide qui ressemblait à un sourire de triomphe. —
En ce moment, cette nature toute-puissante me parut moins
élevée et moins exquise que celle de son saint adversaire; cela me 20
fit rougir, sous mes rideaux,[40] de tous mes enthousiasmes passés;
je sentis une tristesse toute nouvelle en découvrant combien la
plus haute grandeur politique pouvait devenir petite dans ses
froides ruses de vanité, ses pièges misérables et ses noirceurs de
roué. Je vis qu'il n'avait rien voulu de son prisonnier, et que
c'était une joie tacite qu'il s'était donnée de n'avoir pas failli[41]
dans ce tête-à-tête et, s'étant laissé surprendre à l'émotion de la
colère, de faire fléchir le captif sous l'émotion de la fatigue, de
la crainte et de toutes les faiblesses qui amènent un attendrissement inexplicable sur la paupière d'un vieillard. — Il avait 30
voulu avoir le dernier mot et sortit, sans ajouter un mot, aussi
brusquement qu'il était entré. Je ne vis pas s'il avait salué le
Pape. Je ne le crois pas.

---

[40] **sous mes rideaux:** *from behind the heavy curtains.*
[41] **de n'avoir . . . failli:** *not to have failed.*

EXERCICES

I. Répondez aux questions suivantes:

1. Où se passe la scène décrite dans ce récit?
2. Décrivez l'attitude de l'Empereur en attendant le Pape.
3. Faites le portrait physique du Pape Pie VII.
4. Faites le portrait physique de l'Empereur.
5. Quelle est l'attitude de l'Empereur dans la première partie de son discours?
6. Que répondit le Pape?
7. Expliquez la transformation soudaine dans l'attitude de Napoléon.
8. Que savez-vous sur la famille de l'Empereur?
9. Quel effet produisit sur le Pape la colère de l'Empereur?
10. Comment se termina cette scène historique?

II. Préparez une composition libre sur un des sujets suivants:

1. La réaction du Pape aux demandes de Napoléon:
   a. Réaction physique
   b. Réaction verbale
2. Ce que Napoléon a fait pour dominer le Pape.

III. Traduisez les phrases suivantes en français:

1. Napoleon was very impatient; he threw letters on the floor with indifference.
2. A carriage rolled into the courtyard and in a few minutes Pope Pius entered the room where Bonaparte was walking, very excited.
3. The Pope was tall; he had large black eyes, a prominent chin, and a smiling mouth.
4. Bonaparte was supple, graceful, and nervous. He was very thin and melancholy.
5. Bonaparte started talking, but the Pope sat before him with the air of a martyr.
6. Bonaparte wished to be left out of war and politics and was willing to be entirely the soldier of the Pope.
7. The Pope raised his eyes and said: "Comic actor."
8. Bonaparte jumped like a leopard; he stamped with his feet; he told the Pope that he would make him cry like a woman.
9. The Pope raised his eyes to heaven, smiled and said: "Tragic actor."
10. Bonaparte admitted that posing was necessary in his life.

LA MILLE ET DEUXIÈME NUIT

THÉOPHILE GAUTIER

Comme les deux écrivains précédents, Théophile Gautier (1811–1872) appartient aussi au groupe romantique. Il débuta dans la peinture mais l'influence de Victor Hugo l'amena à la littérature. La gloire littéraire de Gautier est due surtout à son recueil de poèmes, Emaux et camées, *1852, œuvre d'une forme exquise, pleine de couleur et d'imagination, où est appliquée la fameuse théorie de l'art pour l'art. Gautier a joué un rôle important dans la «bataille d'Hernani»: il fut un des chefs des jeunes gens au gilet rouge qui assurèrent le triomphe de cette pièce alors fort contestée. Cette «bataille» est décrite dans l'*Histoire du romantisme *de Gautier avec d'autres épisodes de cette période agitée.*

IL Y AVAIT une fois dans la ville du Caire un jeune homme nommé Mahmoud-Ben-Ahmed, qui demeurait sur la place de l'Esbekick.

Son père et sa mère étaient morts depuis quelques années en lui laissant une fortune médiocre, mais suffisante pour qu'il pût vivre sans avoir recours au travail de ses mains: d'autres auraient essayé de charger un vaisseau de marchandises ou de joindre quelques chameaux chargés d'étoffes précieuses à la caravane qui va de Bagdad à la Mecque;[1] mais Mahmoud-Ben-Ahmed préférait vivre tranquille, et ses plaisirs consistaient à fumer du tombeki dans son narguilhé, en prenant des sorbets et en mangeant [10] des confitures sèches de Damas.

Quoiqu'il fût bien fait de sa personne,[2] de visage régulier et de

[1] **la Mecque:** Mecca, holy city of the Mohammedans.
[2] **il . . . personne:** *he had a fine physique.*

mine agréable, il ne cherchait pas les aventures, et avait répondu
plusieurs fois aux personnes qui le pressaient de se marier et
lui proposaient des partis riches et convenables, qu'il n'était pas
encore temps et qu'il ne se sentait nullement d'humeur à prendre
femme.[3]

Mahmoud-Ben-Ahmed avait reçu une bonne éducation: il
lisait couramment dans les livres les plus anciens, possédait une
belle écriture, savait par cœur les versets du Coran,[4] les remarques
des commentateurs, et eût récité sans se tromper d'un vers les
10 Moallakats[5] des fameux poètes affichés aux portes des mosquées;
il était un peu poète lui-même et composait volontiers des vers
assonants et rimés, qu'il déclamait sur des airs de sa façon avec
beaucoup de grâce et de charme.

A force de fumer son narguilhé et de rêver à la fraîcheur du
soir sur les dalles de marbre de sa terrasse, la tête de Mahmoud-
Ben-Ahmed s'était un peu exaltée: il avait formé le projet d'être
l'amant d'une péri ou tout au moins d'une princesse du sang
royal. Voilà le motif secret qui lui faisait recevoir avec tant
d'indifférence les propositions de mariage et refuser les offres des
20 marchands d'esclaves. La seule compagnie qu'il pût supporter
était celle de son cousin Abdul-Malek, jeune homme doux et
timide qui semblait partager la modestie de ses goûts.

Un jour, Mahmoud-Ben-Ahmed se rendait au bazar pour
acheter quelques flacons d'atar-gull et autres drogueries de
Constantinople, dont il avait besoin. Il rencontra, dans une rue
fort étroite, une litière fermée par des rideaux de velours incarnadin, portée par deux mules blanches et précédée de zebeks et
de chiaoux richement costumés. Il se rangea contre le mur pour
laisser passer le cortège; mais il ne put le faire si précipitamment
30 qu'il n'eût le temps de voir, par l'interstice des courtines, qu'une
folle bouffée d'air souleva, une fort belle dame assise sur des
coussins de brocart d'or. La dame, se fiant sur l'épaisseur des
rideaux et se croyant à l'abri de tout regard téméraire, avait
relevé son voile à cause de la chaleur. Ce ne fut qu'un éclair;

---

[3] **prendre femme:** *to get married.*
[4] **Coran:** the Koran, sacred book of the Mohammedans.
[5] **Moallakats:** name given by the Arabs to each of the seven sacred poems.

cependant cela suffit pour faire tourner la tête du pauvre
Mahmoud-Ben-Ahmed: la dame avait le teint d'une blancheur
éblouissante, des sourcils que l'on eût pu croire tracés au pinceau,
une bouche de grenade, qui en s'entr'ouvrant laissait voir une
double file de perles d'Orient plus fines et plus limpides que celles
qui forment les bracelets et le collier de la sultane favorite, un
air agréable et fier, et dans toute sa personne je ne sais quoi de
noble et de royal.

Mahmoud-Ben-Ahmed, comme ébloui de tant de perfections,
resta longtemps immobile à la même place, et, oubliant qu'il 10
était sorti pour faire des emplettes, il retourna chez lui les mains
vides, emportant dans son cœur la radieuse vision.

Toute la nuit il ne songea qu'à la belle inconnue, et dès qu'il
fut levé il se mit à composer en son honneur une longue pièce de
poésie, où les comparaisons les plus fleuries et les plus galantes
étaient prodiguées.

Ne sachant que faire, sa pièce achevée et transcrite sur une
belle feuille de papyrus avec de belles majuscules en encre rouge
et des fleurons dorés, il la mit dans sa manche et sortit pour
montrer ce morceau à son ami Abdul, pour lequel il n'avait 20
aucune pensée secrète.

En se rendant à la maison d'Abdul, il passa devant le bazar et
entra dans la boutique du marchand de parfums pour prendre
les flacons d'atar-gull. Il y trouva une belle dame enveloppée
d'un long voile blanc qui ne laissait découvert que l'œil gauche.
Mahmoud-Ben-Ahmed, sur ce seul œil gauche, reconnut incontinent la belle dame du palanquin. Son émotion fut si forte,
qu'il fut obligé de s'adosser à la muraille.

La dame au voile blanc s'aperçut du trouble de Mahmoud-
Ben-Ahmed, et lui demanda obligeamment ce qu'il avait et si, 30
par hasard, il se trouvait incommodé.

Le marchand, la dame et Mahmoud-Ben-Ahmed passèrent
dans l'arrière-boutique. Un petit nègre apporta sur un plateau
un verre d'eau de neige,[6] dont Mahmoud-Ben-Ahmed but
quelques gorgées.

---

[6] **un . . . neige:** *a glass of melted snow.*

«Pourquoi donc ma vue vous a-t-elle causé une si vive impression?» dit la dame d'un ton de voix fort doux et où perçait
un intérêt assez tendre.

Mahmoud-Ben-Ahmed lui raconta comment il l'avait vue près
de la mosquée du sultan Hassan à l'instant où les rideaux de sa
litière s'étaient un peu écartés, et que depuis cet instant il se
mourait d'amour pour elle.[7]

«Vraiment, dit la dame, votre passion est née si subitement
que cela? je ne croyais pas que l'amour vînt si vite. Je suis effec-
10 tivement la femme que vous avez rencontrée hier; je me rendais
au bain dans ma litière, et comme la chaleur était étouffante,
j'avais relevé mon voile. Mais vous m'avez mal vue, et je ne suis
pas si belle que vous le dites.»

En disant ces mots, elle écarta son voile et découvrit un visage
radieux de beauté, et si parfait, que l'envie n'aurait pu y trouver
le moindre défaut.

Vous pouvez juger quels furent les transports de Mahmoud-
Ben-Ahmed à une telle faveur; il se répandit en compliments qui
avaient le mérite, bien rare pour des compliments, d'être par-
20 faitement sincères et de n'avoir rien d'exagéré. Comme il parlait
avec beaucoup de feu et de véhémence, le papier sur lequel ses
vers étaient transcrits s'échappa de sa manche et roula sur le
plancher.

«Quel est ce papier? dit la dame, l'écriture m'en paraît fort
belle et annonce une main exercée.

— C'est, répondit le jeune homme en rougissant beaucoup,
une pièce de vers que j'ai composée cette nuit, ne pouvant
dormir. J'ai tâché d'y célébrer vos perfections; mais la copie est
bien loin de l'original, et mes vers n'ont point les brillants qu'il
30 faut pour célébrer ceux de vos yeux.»

La jeune dame lut ces vers attentivement, et dit en les mettant
dans sa ceinture:

«Quoiqu'ils contiennent beaucoup de flatteries, ils ne sont
vraiment pas mal tournés.»[8]

Puis elle ajusta son voile et sortit de la boutique en laissant

---

[7] **il . . . elle:** *he was dying for love of her.*
[8] **pas mal tournés:** *not badly composed.*

tomber avec un accent qui pénétra le cœur de Mahmoud-Ben-Ahmed :

«Je viens quelquefois, au retour du bain, acheter des essences et des boîtes de parfumerie chez Bedredin.»

Le marchand félicita Mahmoud-Ben-Ahmed de sa bonne fortune, et, l'emmenant tout au fond de sa boutique, il lui dit bien bas à l'oreille :

«Cette jeune dame n'est autre que la princesse Ayesha, fille du calife.»

Mahmoud-Ben-Ahmed rentra chez lui tout étourdi de son bonheur et n'osant y croire. Cependant, quelque modeste qu'il fût, il ne pouvait se dissimuler que la princesse Ayesha ne l'eût regardé d'un œil favorable. Le hasard, avait été au delà de ses plus audacieuses espérances. Combien il se félicita alors de ne pas avoir cédé aux suggestions de ses amis qui l'engageaient à prendre femme, et aux portraits séduisants que lui faisaient les vieilles des jeunes filles à marier qui ont toujours, comme chacun le sait, des yeux de gazelle, une figure de pleine lune, des cheveux plus longs que la queue d'Al Borack, la jument du Prophète, une bouche de jaspe rouge, avec une haleine d'ambre gris, et mille autres perfections : comme il fut heureux de se sentir dégagé de tout lien vulgaire, et libre de s'abandonner tout entier à sa nouvelle passion !

Il eut beau s'agiter et se tourner sur son divan, il ne put s'endormir ; l'image de la princesse Ayesha, étincelante comme un oiseau de flamme sur un fond de soleil couchant, passait et repassait devant ses yeux. Ne pouvant trouver de repos, il monta dans un de ces cabinets de bois de cèdre merveilleusement découpé que l'on applique, dans les villes d'Orient, aux murailles extérieures des maisons, afin d'y profiter de la fraîcheur et du courant d'air qu'une rue ne peut manquer de former ; le sommeil ne lui vint pas encore, car le sommeil est comme le bonheur, il fuit quand on le cherche ; et, pour calmer ses esprits par le spectacle d'une nuit sereine, il se rendit avec son narguilhé sur la plus haute terrasse de son habitation.

L'air frais de la nuit, la beauté du ciel plus pailleté d'or qu'une robe de péri et dans lequel la lune faisait voir ses joues d'argent,

comme une sultane pâle d'amour qui se penche aux treillis de
son kiosque, firent du bien à Mahmoud-Ben-Ahmed, car il était
poète, et ne pouvait rester insensible au magnifique spectacle
qui s'offrait à sa vue.

De cette hauteur, la ville du Caire se déployait devant lui
comme un de ces plans en relief où les giaours[9] retracent leurs
villes fortes.

Assis sur une pile de carreaux et le corps enveloppé par les
circonvolutions élastiques du tuyau de son narguilhé, Mahmoud-
10 Ben-Ahmed tâchait de démêler dans la transparente obscurité la
forme lointaine du palais où dormait la belle Ayesha. Un silence
profond régnait sur ce tableau qu'on aurait pu croire peint, car
aucun souffle, aucun murmure n'y révélaient la présence d'un
être vivant: le seul bruit appréciable était celui que faisait la
fumée du narguilhé de Mahmoud-Ben-Ahmed en traversant la
boule de cristal de roche remplie d'eau destinée à refroidir ses
blanches bouffées. Tout d'un coup, un cri aigu éclata au milieu
de ce calme, un cri de détresse suprême, comme doit en pousser,
au bord de la source, l'antilope qui sent se poser sur son cou la
20 griffe d'un lion, ou s'engloutir sa tête dans la gueule d'un crocodile. Mahmoud-Ben-Ahmed, effrayé par ce cri d'agonie et de
désespoir, se leva d'un seul bond et posa instinctivement la main
sur le pommeau de son yatagan dont il fit jouer la lame pour
s'assurer qu'elle ne tenait pas au fourreau; puis il se pencha du
côté d'où le bruit avait semblé partir.

Il démêla fort loin dans l'ombre un groupe étrange, mystérieux,
composé d'une figure blanche poursuivie par une meute de
figures noires, bizarres et monstrueuses, aux gestes frénétiques,
aux allures désordonnées. L'ombre blanche semblait voltiger sur
30 la cime des maisons, et l'intervalle qui la séparait de ses persé-
cuteurs était si peu considérable, qu'il était à craindre qu'elle ne
fût bientôt prise si sa course se prolongeait, et qu'aucun événement ne vînt à son secours. Mahmoud-Ben-Ahmed crut d'abord
que c'était une péri ayant aux trousses un essaim de goules
mâchant de la chair de mort dans leurs incisives démesurées, il

---

[9] **les giaours:** pagan term of scorn applied by Mohammedans particularly
to Christians.

se mit à réciter, comme préservatif, les quatre-vingt-dix-neuf
noms d'Allah. Il n'était pas au vingtième, qu'il s'arrêta. Ce
n'était pas une péri, un être surnaturel qui fuyait ainsi en sautant
d'une terrasse à l'autre et en franchissant les rues de quatre ou
cinq pieds de large qui coupent le bloc compact des villes
orientales, mais bien une femme.

Deux ou trois terrasses et une rue séparaient encore la fugitive
de la plate-forme où se tenait Mahmoud-Ben-Ahmed, mais ses
forces semblaient la trahir; elle retourna convulsivement la tête
sur l'épaule, et, comme un cheval épuisé dont l'éperon ouvre le 10
flanc, voyant si près d'elle le groupe hideux qui la poursuivait,
elle mit la rue entre elle et ses ennemis d'un bond désespéré.

Elle frôla dans son élan Mahmoud-Ben-Ahmed qu'elle
n'aperçut pas, car la lune s'était voilée, et courut à l'extrêmité
de la terrasse qui donnait de ce côté-là sur une seconde rue plus
large que la première. Désespérant de la pouvoir sauter, elle eut
l'air de chercher des yeux quelque coin où se blottir, et, avisant
un grand vase de marbre, elle se cacha dedans comme le génie
qui rentre dans la coupe d'un lis.

La troupe furibonde envahit la terrasse avec l'impétuosité d'un 20
vol de démons. Leurs faces cuivrées ou noires à longues moustaches, ou hideusement imberbes, leurs yeux étincelants, leurs
mains crispées agitant des damas et des kandjars, la fureur
empreinte sur leurs physionomies basses et féroces, causèrent un
mouvement d'effroi à Mahmoud-Ben-Ahmed, quoiqu'il fût
brave de sa personne et habile au maniement des armes. Ils
parcoururent de l'œil la terrasse vide, et n'y voyant pas la fugitive,
ils pensèrent sans doute qu'elle avait franchi la seconde rue, et
ils continuèrent leur poursuite sans faire autrement attention à
Mahmoud-Ben-Ahmed.   30

Quand le cliquetis de leurs armes et le bruit de leurs babouches
sur les dalles des terrasses se fut éteint dans l'éloignement, la
fugitive commença à lever par-dessus les bords du vase sa jolie
tête pâle, et promena autour d'elle des regards d'antilope effrayée,[10]
puis elle sortit ses épaules et se mit debout, charmant pistil de

---

[10] **promena . . . effrayée:** *looked around her like a frightened antelope.*

cette grande fleur de marbre; n'apercevant plus que Mahmoud-
Ben-Ahmed qui lui souriait et lui faisait signe qu'elle n'avait rien
à craindre, elle s'élança hors du vase et vint vers le jeune homme
avec une attitude humble et des bras suppliants.

«Par grâce, par pitié, seigneur, sauvez-moi, cachez-moi dans
le coin le plus obscur de votre maison, dérobez-moi à ces démons
qui me poursuivent.»

Mahmoud-Ben-Ahmed la prit par la main, la conduisit à
l'escalier de la terrasse dont il ferma la trappe avec soin, et la
10 mena dans sa chambre. Quand il eut allumé la lampe, il vit que
la fugitive était jeune, il l'avait déjà deviné au timbre argentin de
sa voix, et fort jolie, ce qui ne l'étonna pas; car à la lueur des
étoiles, il avait distingué sa taille élégante. Elle paraissait avoir
quinze ans tout au plus. Son extrême pâleur faisait ressortir ses
grands yeux noirs en amande, dont les coins se prolongeaient
jusqu'aux tempes; son nez mince et délicat donnait beaucoup de
noblesse à son profil, qui aurait pu faire envie aux plus belles
filles de Chio ou de Chypre,[11] et rivaliser avec la beauté de marbre
des idoles adorées par les vieux païens grecs. Son cou était
20 charmant et d'une blancheur parfaite; seulement, sur sa nuque,
on voyait une légère raie de pourpre mince comme un cheveu
ou comme le plus délié fil de soie, quelques petites gouttelettes
de sang sortaient de cette ligne rouge. Ses vêtements étaient
simples et se composaient d'une veste passementée de soie, de
pantalons de mousseline et d'une ceinture bariolée; sa poitrine
se levait et s'abaissait sous sa tunique de gaze rayée, car elle
était encore hors d'haleine et à peine remise de son effroi.

Lorsqu'elle fut un peu reposée et rassurée, elle s'agenouilla
devant Mahmoud-Ben-Ahmed et lui raconta son histoire en fort
30 bons termes: «J'étais esclave dans le sérail du riche Abu-Becker,
et j'ai commis la faute de remettre à la sultane favorite un sélam
ou lettre de fleurs envoyée par un jeune émir de la plus belle
mine. Abu-Becker, ayant surpris le sélam, est entré dans une
fureur horrible, a fait enfermer sa sultane favorite dans un sac
de cuir avec deux chats, l'a fait jeter à l'eau et m'a condamnée à

---

[11] **Chio ou de Chypre:** two islands in the Aegean Sea.

avoir la tête tranchée. Le Kislar-agassi fut chargé de cette exécution; mais, profitant de l'effroi et du désordre qu'avait causé dans
le sérail le châtiment terrible infligé à la pauvre Nourmahal, et
trouvant ouverte la trappe de la terrasse, je me sauvai. Ma fuite
fut aperçue, et bientôt les serviteurs noirs, les zebecs et les
Albanais au service de mon maître se mirent à ma poursuite.
L'un d'eux, Mesrour, dont j'ai toujours repoussé les prétentions,
m'a talonné de si près avec son damas brandi, qu'il a bien
manqué de m'atteindre;[12] une fois même j'ai senti le fil de son
sabre effleurer ma peau, et c'est alors que j'ai poussé ce cri terrible 10
que vous avez dû entendre, car je vous avoue que j'ai cru que
ma dernière heure était arrivée; mais Dieu est Dieu et Mahomet
est son prophète,[13] l'ange Asraël n'était pas encore prêt à m'emporter vers le pont d'Alsirat. Maintenant je n'ai plus d'espoir
qu'en vous. Abu-Becker est puissant, il me fera chercher, et s'il
peut me reprendre, Mesrour aurait cette fois la main plus sûre,
et son damas ne se contenterait pas de m'effleurer le cou, dit-elle
en souriant, et en passant la main sur l'imperceptible raie rose
tracée par le sabre du zebec. Acceptez-moi pour votre esclave, je
vous consacrerai une vie que je vous dois. Vous trouverez 20
toujours mon épaule pour appuyer votre coude, et ma chevelure
pour essuyer la poudre de vos sandales.»

Mahmoud-Ben-Ahmed était fort compatissant de sa nature,
comme tous les gens qui ont étudié les lettres et la poésie. Leila,
tel était le nom de l'esclave fugitive, s'exprimait en termes
choisis; elle était jeune, belle, et n'eût-elle été rien de tout cela,
l'humanité eût défendu de la renvoyer. Mahmoud-Ben-Ahmed
montra à la jeune esclave un tapis de Perse, des carreaux de soie
dans l'angle de la chambre, et sur le rebord de l'estrade une
petite collation de dattes, de cédrats confits et de conserves de 30
roses de Constantinople, à laquelle, distrait par ses pensées, il
n'avait pas touché lui-même, et de plus, deux pots à rafraîchir
l'eau, en terre poreuse de Thèbes, posés dans des soucoupes de
porcelaine de Japon et couverts d'une transpiration perlée. Ayant

---

[12] **qu'il a . . . m'atteindre:** *that he almost caught me.*
[13] **mais . . . prophète:** religious phrase taken from the Koran and used
frequently by the Mohammedans.

ainsi provisoirement installé Leila, il remonta sur sa terrasse pour achever son narguilhé et trouver la dernière assonance du ghazel qu'il composait en l'honneur de la princesse Ayesha, ghazel où les lis d'Iran, les fleurs du Gulistan, les étoiles et toutes les constellations célestes se disputaient pour entrer.

Le lendemain, ayant à peine pris le temps de faire ses ablutions et de réciter sa prière en se tournant du côté de l'orient, Mahmoud-Ben-Ahmed sortit de sa maison après avoir recopié sa poésie et l'avoir mise dans sa manche comme la première fois, non pas 10 dans l'intention de la montrer à son ami Abdul, mais pour la remettre à la princesse Ayesha en personne, dans le cas où il la rencontrerait au bazar, dans la boutique de Bedredin. Le muezzin, perché sur le balcon du minaret, annonçait seulement la cinquième heure ; il n'y avait dans les rues que les fellahs, poussant devant eux leurs ânes chargés de pastèques, de régimes de dattes, de poules liées par les pattes, et de moitiés de moutons qu'ils portaient au marché. Il fut dans le quartier où était situé le palais d'Ayesha, mais il ne vit rien que des murailles crénelées et blanchies à la chaux. Rien ne paraissait aux trois ou quatre 20 petites fenêtres obstruées de treillis de bois à mailles étroites, qui permettaient aux gens de la maison de voir ce qui se passait dans la rue, mais ne laissaient aucun espoir aux regards indiscrets et aux curieux du dehors. Les palais orientaux, à l'envers des palais du Franguistan, réservent leurs magnificences pour l'intérieur et tournent, pour ainsi dire, le dos au passant. Mahmoud-Ben-Ahmed ne retira donc pas grand fruit de ses investigations. Il vit entrer et sortir deux ou trois esclaves noirs, richement habillés, et dont la mine insolente et fière prouvait la conscience d'appartenir à une maison considérable et à une personne de la plus 30 haute qualité. Notre amoureux, en regardant ces épaisses murailles, fit de vains efforts pour découvrir de quel côté se trouvaient les appartements d'Ayesha. Il ne put y parvenir : la grande porte, formée par un arc découpé en cœur, était murée au fond, ne donnait accès dans la cour que par une porte latérale, et ne permettait pas au regard d'y pénétrer. Mahmoud-Ben-Ahmed fut obligé de se retirer sans avoir fait aucune découverte ; l'heure s'avançait et il aurait pu être remarqué. Il se rendit donc chez

Bedredin, auquel il fit, pour se le rendre favorable, des emplettes assez considérables d'objets dont il n'avait aucun besoin. Il s'assit dans la boutique, questionna le marchand, s'enquit de son commerce, s'il s'était heureusement défait des soieries et des tapis apportés par la dernière caravane d'Alep, si ses vaisseaux étaient arrivés au port sans avaries; bref, il fit toutes les lâchetés habituelles aux amoureux; il espérait toujours voir paraître Ayesha; mais il fut trompé dans son attente:[14] elle ne vint pas ce jour-là. Il s'en retourna chez lui, le cœur gros, l'appelant déjà cruelle et perfide, comme si effectivement elle lui eût promis de se trouver chez Bedredin et qu'elle lui eût manqué de parole.

En rentrant dans sa chambre, il mit ses babouches dans la niche de marbre sculpté, creusée à côté de la porte pour cet usage; il ôta le caftan d'étoffe précieuse qu'il avait endossé dans l'idée de rehausser sa bonne mine et de paraître avec tous ses avantages aux yeux d'Ayesha, et s'étendit sur son divan dans un affaissement voisin du désespoir. Il lui semblait que tout était perdu, que le monde allait finir, et il se plaignait amèrement de la fatalité; le tout, pour ne pas avoir rencontré, ainsi qu'il l'espérait, une femme qu'il ne connaissait pas deux jours auparavant.   20

Comme il avait fermé les yeux de son corps pour mieux voir le rêve de son âme, il sentit un vent léger lui rafraîchir le front; il souleva ses paupières, et vit, assise à côté de lui, par terre, Leila qui agitait un de ces petits pavillons d'écorce de palmier, qui servent, en Orient, d'éventail et de chasse-mouche. Il l'avait complètement oubliée.

«Qu'avez-vous, mon cher seigneur? dit-elle d'une voix perlée et mélodieuse comme de la musique. Vous ne paraissez pas jouir de votre tranquillité d'esprit; quelque souci vous tourmente. S'il était au pouvoir de votre esclave de dissiper ce nuage de tristesse qui voile votre front, elle s'estimerait la plus heureuse femme du monde, et ne porterait pas envie à la sultane Ayesha elle-même, quelque belle et quelque riche qu'elle soit.»

Ce nom fit tressaillir Mahmoud-Ben-Ahmed sur son divan, comme un malade dont on touche la plaie par hasard; il se

---

[14] **mais** . . . **attente:** *but his hopes were disappointed.*

souleva un peu et jeta un regard inquisiteur sur Leila, dont la
physionomie était la plus calme du monde et n'exprimait rien
autre chose qu'une tendre sollicitude. Il rougit cependant comme
s'il avait été surpris dans le secret de sa passion. Leila, sans faire
attention à cette rougeur délatrice et significative, continua à
offrir ses consolations à son nouveau maître:

«Que puis-je faire pour éloigner de votre esprit les sombres
idées qui l'obsèdent? un peu de musique dissiperait peut-être
cette mélancolie. Une vieille esclave m'a appris les secrets de la
10 composition; je puis improviser des vers et m'accompagner de
la guzla.»

En disant ces mots, elle détacha du mur la guzla au ventre de
citronnier, côtelé d'ivoire, au manche incrusté de nacre, de
burgau et d'ébène, et joua d'abord avec une rare perfection la
tarabuca et quelques autres airs arabes.

La justesse de la voix et la douceur de la musique eussent, en
toute autre occasion, réjoui Mahmoud-Ben-Ahmed, qui était
fort sensible aux agréments des vers et de l'harmonie; mais il
avait le cerveau et le cœur si préoccupés de la dame qu'il avait
20 vue chez Bedredin, qu'il ne fit aucune attention aux chansons de
Leila.

Le lendemain, plus heureux que la veille, il rencontra Ayesha
dans la boutique de Bedredin. Vous décrire sa joie serait une
entreprise impossible; ceux qui ont été amoureux peuvent seuls
la comprendre. Il resta un moment sans voix, sans haleine, un
nuage dans les yeux. Ayesha, qui vit son émotion, lui en sut gré[15]
et lui adressa la parole avec beaucoup d'affabilité; car rien ne
flatte les personnes de haute naissance comme le trouble qu'elles
inspirent. Mahmoud-Ben-Ahmed, revenu à lui, fit tous ses efforts
30 pour être agréable, et comme il était jeune, de belle apparence,
qu'il avait étudié la poésie et s'exprimait dans les termes les plus
élégants, il crut s'apercevoir qu'il ne déplaisait point, et il
s'enhardit à demander un rendez-vous à la princesse dans un lieu
plus propice et plus sûr que la boutique de Bedredin.

«Je sais, lui dit-il, que je suis tout au plus bon pour être la

---

[15] **lui en sut gré**: *was grateful to him.*

poussière de votre chemin, que la distance de vous à moi ne
pourrait être parcourue en mille ans par un cheval de la race du
prophète toujours lancé au galop; mais l'amour rend audacieux,
et la chenille éprise de la rose ne saurait s'empêcher d'avouer
son amour.»

Ayesha écouta tout cela sans le moindre signe de courroux, et,
fixant sur Mahmoud-Ben-Ahmed des yeux chargés de langueur,
elle lui dit:

«Trouvez-vous demain à l'heure de la prière dans la mosquée
du sultan Hassan, sous la troisième lampe; vous y rencontrerez 10
un esclave noir vêtu de damas jaune. Il marchera devant vous, et
vous le suivrez.»

Cela dit, elle ramena son voile sur sa figure et sortit.

Notre amoureux n'eut garde de manquer au rendez-vous: il se
planta sous la troisième lampe, n'osant s'en écarter de peur de
ne pas être trouvé par l'esclave noir, qui n'était pas encore à son
poste. Il est vrai que Mahmoud-Ben-Ahmed avait devancé de
deux heures le moment indiqué. Enfin il vit paraître le nègre
vêtu de damas jaune; il vint droit au pilier contre lequel
Mahmoud-Ben-Ahmed se tenait debout. L'esclave l'ayant 20
regardé attentivement, lui fit un signe imperceptible pour l'engager
à le suivre. Ils sortirent tous deux de la mosquée. Le noir marchait
d'un pas rapide, et fit faire à Mahmoud-Ben-Ahmed une infinité
de détours à travers l'écheveau embrouillé et compliqué des rues
du Caire. Notre jeune homme une fois voulut adresser la parole
à son guide; mais celui-ci, ouvrant sa large bouche meublée de
dents aiguës et blanches, lui fit voir que sa langue avait été coupée
jusqu'aux racines. Ainsi il lui eût été difficile de commettre des
indiscrétions.

Enfin ils arrivèrent dans un endroit de la ville tout à fait désert 30
et que Mahmoud-Ben-Ahmed ne connaissait pas quoiqu'il fût
natif du Caire et qu'il crût en connaître tous les quartiers: le
muet s'arrêta devant un mur blanchi à la chaux, où il n'y avait
pas apparence de porte. Il compta six pas à partir de l'angle du
mur, et chercha avec beaucoup d'attention un ressort sans doute
caché dans l'interstice des pierres. L'ayant trouvé, il pressa la
détente, une colonne tourna sur elle-même, et laissa voir un

passage sombre, étroit, où le muet s'engagea, suivi de Mahmoud-
Ben-Ahmed. Ils descendirent d'abord plus de cent marches, et
suivirent ensuite un corridor obscur d'une longueur interminable.
Mahmoud-Ben-Ahmed, en tâtant les murs, reconnut qu'ils
étaient de roche vive,[16] sculptés d'hiéroglyphes en creux et
comprit qu'il était dans les couloirs souterrains d'une ancienne
nécropole égyptienne, dont on avait profité pour établir cette
issue secrète. Au bout du corridor, dans un grand éloignement,
scintillaient quelques lueurs de jour bleuâtre. Ce jour passait à
10 travers des dentelles d'une sculpture évidée faisant partie de la
salle où le corridor aboutissait. Le muet poussa un autre ressort,
et Mahmoud-Ben-Ahmed se trouva dans une salle dallée de
marbre blanc, avec un bassin et un jet d'eau au milieu, des
colonnes d'albâtre, des murs revêtus de mosaïques de verre, de
sentences du Coran entremêlées de fleurs et d'ornements, et
couverte par une voûte sculptée, fouillée, travaillée comme
l'intérieur d'une ruche ou d'une grotte à stalactites; d'énormes
pivoines écarlates posées dans d'énormes vases mauresques de
porcelaine blanche et bleue complétaient la décoration. Sur une
20 estrade garnie de coussins, espèce d'alcôve pratiquée dans
l'épaisseur du mur, était assise la princesse Ayesha, sans voile,
radieuse, et surpassant en beauté les houris du quatrième ciel.

«Eh bien! Mahmoud-Ben-Ahmed, avez-vous fait d'autres vers
en mon honneur?» lui dit-elle du ton le plus gracieux en lui
faisant signe de s'asseoir.

Mahmoud-Ben-Ahmed se jeta aux genoux d'Ayesha et tira
son papyrus de sa manche, et lui récita son ghazel du ton le plus
passionné; c'était vraiment un remarquable morceau de poésie.
Pendant qu'il lisait, les joues de la princesse s'éclairaient et se
30 coloraient comme une lampe d'albâtre que l'on vient d'allumer.
Ses yeux étoilaient et lançaient des rayons d'une clarté extraordinaire, sur ses épaules frémissantes s'ébauchaient vaguement
des ailes de papillon. Malheureusement Mahmoud-Ben-Ahmed,
trop occupé de la lecture de sa pièce de vers, ne leva pas les
yeux et ne s'aperçut pas de la métamorphose qui s'était opérée.

[16] **de roche vive:** *cut out of the rock.*

Quand il eut achevé, il n'avait plus devant lui que la princesse Ayesha qui le regardait en souriant d'un air ironique.

Comme tous les poètes, trop occupés de leurs propres créations, Mahmoud-Ben-Ahmed avait oublié que les plus beaux vers ne valent pas une parole sincère, un regard illuminé par la clarté de l'amour.

«Vraiment, Mahmoud-Ben-Ahmed, vous avez un talent de poète des plus rares, et vos vers méritent d'être affichés à la porte des mosquées, écrits en lettres d'or, à côté des plus célèbres productions de Ferdoussi,[17] de Saâdi,[18] et d'Ibnn-Ben-Omaz.[19] C'est dommage qu'absorbé par la perfection de vos rimes allitérées,[20] vous ne m'avez pas regardée tout à l'heure, vous auriez vu . . . ce que vous ne reverrez peut-être jamais plus. Votre vœu le plus cher s'est accompli devant vous sans que vous vous en soyez aperçu. Adieu, Mahmoud-Ben-Ahmed, qui ne vouliez aimer qu'une péri.»

Là-dessus Ayesha se leva d'un air tout à fait majestueux, souleva une portière de brocart d'or et disparut.

Le muet vint reprendre Mahmoud-Ben-Ahmed, et le reconduisit par le même chemin jusqu'à l'endroit où il l'avait pris. Mahmoud-Ben-Ahmed, affligé et surpris d'avoir été ainsi congédié, ne savait que penser et se perdait dans ses réflexions, sans pouvoir trouver de motif à la brusque sortie de la princesse: il finit par l'attribuer à un caprice de femme qui changerait à la première occasion; mais il eut beau aller chez Bedredin acheter du benjoin, il ne rencontra plus la princesse Ayesha; il fit un nombre infini de stations près du troisième pilier de la mosquée du sultan Hassan, il ne vit plus reparaître le noir vêtu de damas jaune, ce qui le jeta dans une noire et profonde mélancolie.

Leila s'ingéniait à mille inventions pour le distraire: elle lui

---

[17] **Ferdoussi:** the most celebrated Persian poet (931–1021), author of the Book of Kings.

[18] **Saâdi:** one of the outstanding poets of Persia (1184–1291), author of the Garden of Roses.

[19] **Ibnn-Ben-Omaz:** great Arabic poet (1181–1235), author of mystic poems; also called Ibnn Farid.

[20] **allitérées:** in poetry, repetition of the same letters or same syllables in a verse.

jouait de la guzla; elle lui récitait des histoires merveilleuses;
ornait sa chambre de bouquets dont les couleurs étaient si bien
mariées et diversifiées, que la vue en était aussi réjouie que
l'odorat; quelquefois même elle dansait devant lui avec autant
de souplesse et de grâce que l'almée la plus habile; tout autre
que Mahmoud-Ben-Ahmed eût été touché de tant de prévenances
et d'attentions; mais il avait la tête ailleurs, et le désir de retrouver
Ayesha ne lui laissait aucun repos. Il avait été bien souvent errer
à l'entour du palais de la princesse; mais il n'avait jamais pu
10 l'apercevoir; rien ne se montrait derrière les treillis exactement
fermés; le palais était comme un tombeau.

Son ami Abdul-Maleck, alarmé de son état, venait le visiter
souvent et ne pouvait s'empêcher de remarquer les grâces et la
beauté de Leila, qui égalaient pour le moins celles de la princesse
Ayesha, si même elles ne les dépassaient, et s'étonnait de l'aveuglement de Mahmoud-Ben-Ahmed; et s'il n'eût craint de violer les
saintes lois de l'amitié, il eût pris volontiers la jeune esclave pour
femme. Cependant, sans rien perdre de sa beauté, Leila devenait
chaque jour plus pâle; ses grands yeux s'alanguissaient; les
20 rougeurs de l'aurore faisaient place sur ses joues aux pâleurs du
clair de lune. Un jour Mahmoud-Ben-Ahmed s'aperçut qu'elle
avait pleuré, et lui en demanda la cause:

«O mon cher seigneur, je n'oserais jamais vous la dire: moi,
pauvre esclave recueillie par pitié, je vous aime; mais que suis-je
à vos yeux? je sais que vous avez formé le vœu de n'aimer qu'une
péri ou qu'une sultane: d'autres se contenteraient d'être aimés
sincèrement par un cœur jeune et pur et ne s'inquiéteraient pas
de la fille du calife ou de la reine des génies: regardez-moi, j'ai
eu quinze ans hier, je suis peut-être aussi belle que cette Ayesha
30 dont vous parlez tout haut en rêvant; il est vrai qu'on ne voit pas
briller sur mon front l'escarboucle magique, ou l'aigrette de
plume de héron; je ne marche pas accompagnée de soldats aux
mousquets incrustés d'argent et de corail. Mais cependant je
sais chanter, improviser sur la guzla, je danse comme Emineh
elle-même, je suis pour vous comme une sœur dévouée, que
faut-il donc pour toucher votre cœur?»

Mahmoud-Ben-Ahmed, en entendant ainsi parler Leila, sentait

son cœur se troubler; cependant il ne disait rien et semblait en proie à une profonde méditation. Deux résolutions contraires se disputaient son âme: d'une part, il lui en coûtait de renoncer à son rêve favori; de l'autre, il se disait qu'il serait bien fou de s'attacher à une femme qui s'était jouée de lui[21] et l'avait quitté avec des paroles railleuses, lorsqu'il avait dans sa maison, en jeunesse et en beauté, au moins l'équivalent de ce qu'il perdait.

Leila, comme attendant son arrêt, se tenait agenouillée, et deux larmes coulaient silencieusement sur la figure pâle de la pauvre enfant.   10

«Ah! pourquoi le sabre de Mesrour n'a-t-il pas achevé ce qu'il avait commencé!» dit-elle en portant la main à son cou frêle et blanc.

Touché de cet accent de douleur, Mahmoud-Ben-Ahmed releva la jeune esclave et déposa un baiser sur son front.

Leila redressa la tête comme une colombe caressée, et, se posant devant Mahmoud-Ben-Ahmed, lui prit les mains, et lui dit:

«Regardez-moi bien attentivement; ne trouvez-vous pas que je ressemble fort à quelqu'un de votre connaissance?»   20

Mahmoud-Ben-Ahmed ne put retenir un cri de surprise:

«C'est la même figure, les mêmes yeux, tous les traits en un mot de la princesse Ayesha. Comment se fait-il que je n'aie pas remarqué cette ressemblance plus tôt?

— Vous n'aviez jusqu'à présent laissé tomber sur votre pauvre esclave qu'un regard fort distrait, répondit Leila d'un ton de douce raillerie.

— La princesse Ayesha elle-même m'enverrait maintenant son noir à la robe de damas jaune, avec le sélam d'amour, que je refuserais de le suivre.   30

— Bien vrai? dit Leila d'une voix plus mélodieuse que celle de Bulbul faisant ses aveux à la rose bien-aimée.[22] Cependant, il ne faudrait pas trop mépriser cette pauvre Ayesha, qui me ressemble tant.»

[21] **s'était jouée de lui:** *made fun of him.*
[22] **Bulbul . . . bien-aimée:** in Persian mythology, Bulbul was a nightingale in love with the rose Gul, who despised its attentions.

Pour toute réponse, Mahmoud-Ben-Ahmed pressa la jeune esclave sur son cœur. Mais quel fut son étonnement lorsqu'il vit la figure de Leila s'illuminer, l'escarboucle magique s'allumer sur son front, et des ailes, semées d'yeux de paon, se développer sur ses charmantes épaules! Leila était une péri!

«Je ne suis, mon cher Mahmoud-Ben-Ahmed, ni la princesse Ayesha, ni Leila l'esclave. Mon véritable nom est Boudroulboudour. Je suis péri du premier ordre, comme vous pouvez le voir par mon escarboucle et par mes ailes. Un soir, passant dans 10 l'air à côté de votre terrasse, je vous entendis émettre le vœu d'être aimé d'une péri. J'ai voulu vous éprouver, et j'ai pris le déguisement d'Ayesha et de Leila pour voir si vous sauriez me reconnaître et m'aimer sous cette enveloppe humaine. — Votre cœur a été plus clairvoyant que votre esprit, et vous avez eu plus de bonté que d'orgueil. Le dévouement de l'esclave vous l'a fait préférer à la sultane; c'était là que je vous attendais. Un moment séduite par la beauté de vos vers, j'ai été sur le point de me trahir; mais j'avais peur que vous ne fussiez qu'un poète amoureux seulement de votre imagination et de vos rimes, et je me suis 20 retirée, affectant un dédain superbe. Vous avez voulu épouser Leila l'esclave, Boudroulboudour la péri se charge de la remplacer. Je serai Leila pour tous, et péri pour vous seul; car je veux votre bonheur, et le monde ne vous pardonnerait pas de jouir d'une félicité supérieure à la sienne. Toute fée que je sois, c'est tout au plus si je pourrais vous défendre contre l'envie et la méchanceté des hommes.»

Ces conditions furent acceptées avec transport par Mahmoud-Ben-Ahmed, et les noces furent faites comme s'il eût épousé réellement la petite Leila.

EXERCICES

I. Répondez aux questions suivantes:

1. Dans quelle ville se passe la scène racontée ci-dessus?
2. Pourquoi Mahmoud-Ben-Ahmed n'avait-il pas besoin de travailler pour vivre?
3. Pourquoi Mahmoud-Ben-Ahmed n'avait-il pas envie de se marier?

4. Qui rencontra-t-il un jour en allant au bazar?
5. Décrivez la beauté de cette dame.
6. Que pensait la jeune dame des vers de Mahmoud?
7. Qui se réfugia involontairement un soir chez Mahmoud?
8. Comment Mahmoud se conduisit-il envers sa visiteuse?
9. Pourquoi la dernière entrevue de Mahmoud avec la princesse Ayesha ne fut-elle pas heureuse?
10. Que fit Leila pour distraire le jeune homme?
11. Qui était en réalité Leila?
12. Quelle est la charmante conclusion de cette histoire?

II. Complétez les phrases suivantes, après avoir étudié le texte:

1. Mahmoud-Ben-Ahmed composait . . . .
2. Un jour en se rendant au bazar il rencontra . . . .
3. Le lendemain en entrant dans une boutique d'un marchand de parfum il y trouva . . . .
4. Mahmoud-Ben-Ahmed raconta à la jeune dame . . . .
5. Le marchand félicita Mahmoud et lui dit: Cette jeune dame n'est autre que . . . .
6. Une nuit Mahmoud entendit au milieu du calme . . . .
7. Il démêla fort loin dans l'ombre . . . .
8. La fugitive s'élança hors du . . . .
9. «Je vous consacrerai,» lui dit-elle . . . .
10. Mahmoud s'assit dans la boutique; il espérait toujours voir paraître . . . .
11. «Trouvez-vous demain à l'heure de la prière dans . . . ,» lui dit-elle.
12. Il ne rencontra plus . . . .
13. Leila s'ingéniait à mille inventions pour . . . .
14. Elle lui dit: «Regardez-moi bien attentivement; ne trouvez-vous pas . . . .»
15. «Je ne suis, mon cher Mahmoud, ni . . . ni . . . . Mon véritable nom est . . . .»
16. Ces conditions furent acceptées avec transport . . . .

III. Expliquez en français les expressions suivantes:

1. former le projet
2. se ranger contre le mur
3. faire des emplettes
4. se répandre en compliments
5. chercher des yeux
6. faire signe à
7. faire envie à
8. manquer de
9. se rendre à
10. porter envie à

LA GRANDE-BRETÊCHE

HONORÉ DE BALZAC

Honoré de Balzac (1799–1850), autant que Victor Hugo est le géant littéraire du dix-neuvième siècle. Comme Hugo, il ne s'est pas borné à un seul genre; il a écrit en plus de La Comédie humaine *plusieurs volumes de contes et des pièces de théâtre. Balzac conçut le projet grandiose de peindre, comme dans une fresque magnifique, la société de son temps dans ses détails les plus humbles. Cette œuvre monumentale, qu'une mort prématurée n'a pas permis à Balzac d'achever, s'appelle* La Comédie humaine *et comprend plus de quarante romans.* La Comédie humaine *est divisée en plusieurs sous-titres correspondant aux différentes classes sociales que l'auteur a voulu étudier:* Scènes de la vie privée, Scènes de la vie provinciale, Scènes de la vie parisienne, Scènes de la vie militaire, *etc. Balzac a abandonné les thèmes purement subjectifs et fréquemment extravagants des romantiques pour une observation objective, impersonnelle, et d'une rigoureuse exactitude. Cette nouvelle méthode deviendra un des éléments les plus importants de l'école réaliste que Flaubert portera à une perfection artistique presque sans égale. Balzac a écrit trop rapidement et son style vigoureux et précis n'est pas exempt de graves négligences. Les romans de Balzac les mieux connus sont:* Eugénie Grandet *et* Le Père Goriot.

. . . DE MARSAY, nommé premier ministre depuis six mois, avait déjà donné des preuves d'une capacité supérieure. Quoique ceux qui le connaissent de longue main ne fussent pas étonnés de lui voir déployer tous les talents et les diverses aptitudes de l'homme d'État, on pouvait se demander s'il se savait être un grand politique, ou s'il s'était développé dans le feu[1] des circonstances. Cette question venait de lui être adressée dans une intention évidemment philosophique par un homme d'esprit et d'observation qu'il avait nommé préfet,[2] qui fut longtemps journaliste, et qui l'admirait sans mêler à son admiration ce filet de critique vinaigrée avec lequel, à Paris, un homme supérieur s'excuse d'en admirer un autre.

— Y a-t-il eu, dans votre vie antérieure, un fait, une pensée, un désir, qui vous ait appris votre vocation? lui dit Émile Blondet; car nous avons tous, comme Newton, notre pomme qui tombe et qui nous amène sur le terrain où nos facultés se déploient . . . 10

— Oui, répondit de Marsay, je vais vous conter cela.

Jolies femmes, dandys politiques, artistes, vieillards, les intimes de de Marsay, tous se mirent alors commodément, chacun dans sa pose, et regardèrent le premier ministre. Est-il besoin de dire qu'il n'y avait plus de domestiques, que les portes étaient closes et les portières tirées? Le silence fut si profond, qu'on entendit dans la cour le murmure des cochers, les coups de pied et les bruits que font les chevaux en demandant à revenir à l'écurie.

— L'homme d'État, mes amis, n'existe que par une seule qualité, dit le ministre en jouant avec son couteau de nacre et 20 d'or: savoir être toujours maître de soi, faire à tout propos le décompte de chaque événement, quelque fortuit qu'il puisse être; enfin, avoir, dans son *moi* intérieur,[3] un être froid, désintéressé qui assiste en spectateur à tous les mouvements de notre vie, à nos passions, à nos sentiments, et qui nous souffle, à propos de toute chose, l'arrêt d'une espèce de barème moral.[4]

— Vous nous expliquez ainsi pourquoi l'homme d'État est si rare en France, dit le vieux lord Dudley.

— Au point de vue sentimental, ceci est horrible, reprit le ministre. Aussi, quand ce phénomène a lieu chez un jeune homme 30 . . . (Richelieu, qui, averti du danger de Concini[5] par une lettre, la veille, dormit jusqu'à midi, quand on devait tuer son bienfaiteur

[1] **dans le feu:** under the pressure.
[2] **préfet:** administrator of a *département*.
[3] **son moi intérieur:** *his inner self.*
[4] **une . . . moral:** *a sort of moral criterion.*
[5] **Concini:** Minister of State under Louis XIII.

à dix heures), un jeune homme, Pitt ou Napoléon, si vous voulez, est-il une monstruosité? Je suis devenu ce monstre de très bonne heure, et grâce à une femme.

— Je croyais, dit Mme de Montcornet en souriant, que nous défaisions beaucoup plus de politiques que nous n'en faisions.

— Le monstre de qui je vous parle n'est un monstre que parce qu'il nous résiste, répondit le conteur en faisant une ironique inclination de tête.

— S'il s'agit d'une aventure d'amour, dit la baronne de
10 Nucingen, je demande qu'on ne la coupe par aucune réflexion.

— La réflexion y est si contraire! s'écria Joseph Bridau.

— J'avais dix-sept ans, reprit de Marsay, la Restauration[6] allait se raffermir, mes vieux amis savent combien alors j'étais impétueux et bouillant. J'aimais pour la première fois, et, je puis aujourd'hui le dire, j'étais un des plus jolis jeunes gens de Paris. J'avais la beauté, la jeunesse, deux avantages dus au hasard et dont nous sommes fiers comme d'une conquête. Je suis forcé de me taire sur le reste. Comme tous les jeunes gens, j'aimais une femme de six ans plus âgée que moi. Personne de vous, dit-il en
20 faisant par un regard le tour de la table, ne peut se douter de son nom ni la reconnaître. Ronquerolles, dans ce temps, a seul pénétré mon secret, il l'a bien gardé, j'aurais craint son sourire; mais il est parti, dit le ministre en regardant autour de lui.

— Il n'a pas voulu souper, dit Mme de Sérizy.

— Depuis six mois, possédé par mon amour, incapable de soupçonner que ma passion me maîtrisait, reprit le premier ministre, je me livrais à ces adorables divinisations qui sont et le triomphe et le fragile bonheur de la jeunesse. Je gardais *ses* vieux gants, je buvais en infusion les fleurs qu'*elle* avait portées, je me
30 relevais la nuit pour aller voir *ses* fenêtres. Tout mon sang se portait au cœur en respirant le parfum qu'*elle* avait adopté.

Grande dame s'il en fut jamais,[7] et veuve sans enfants, mon idole s'était enfermée pour marquer elle-même mon linge avec ses cheveux;[8] enfin, elle répondait à mes folies par d'autres folies.

---

[6] **la Restauration:** restoration of the monarchy after Napoleon I in 1814.
[7] **s'il en fut jamais:** *if ever there was one.*
[8] **marquer . . . ses cheveux:** *to initial my linen with her hair.*

«D'elle, je ne vous dirai rien: alors parfaite, elle passe encore aujourd'hui pour une des belles femmes de Paris; mais alors on se serait fait tuer pour obtenir un de ses regards. Elle était restée dans une situation de fortune satisfaisante pour une femme adorée et qui aimait, mais que la Restauration, à laquelle elle devait un lustre nouveau, rendait peu convenable relativement à son nom.

«Dans ma situation, j'avais la fatuité de ne pas concevoir un soupçon. Quoique ma jalousie fût alors d'une puissance de cent vingt Othello, ce sentiment terrible sommeillait en moi comme 10 l'or dans sa gangue. Je me serais fait donner des coups de bâton par mon domestique[9] si j'avais eu la lâcheté de mettre en question la pureté de cet ange si frêle et si fort, si blond et si naïf, pur, candide, et dont l'œil bleu se laissait pénétrer à fond de cœur,[10] avec une adorable soumission, par mon regard. Ah! mes amis! s'écria douloureusement le ministre redevenu jeune homme, il faut se heurter bien durement la tête au dessus de marbre pour dissiper cette poésie!

Ce cri naturel, qui eut de l'écho chez les convives, piqua leur curiosité déjà si savamment excitée.   20

— Tous les matins, monté sur ce beau Sultan que vous m'aviez envoyé d'Angleterre, dit-il à lord Dudley, je passais le long de sa calèche, dont les chevaux allaient exprès au pas, et je voyais le mot d'ordre écrit en fleurs dans son bouquet pour le cas où nous ne pourrions rapidement échanger une phrase. Quoique nous nous vissions à peu près tous les soirs dans le monde et qu'elle m'écrivît tous les jours, nous avions adopté, pour tromper les regards[11] et déjouer les observations, une manière d'être. Ne pas se regarder, s'éviter, dire du mal l'un de l'autre; s'admirer et se vanter, ou se poser en amoureux dédaigné, tous ces vieux 30 manèges ne valent pas, de part et d'autre, une fausse passion avouée pour une personne indifférente et un air d'indifférence pour la véritable idole. Si deux amants veulent jouer ce jeu, le

---

[9] **Je me . . . domestique:** *I would have had my servant beat me with a stick.*
[10] **dont l'oeil . . . coeur:** *into whose blue eyes you could read the most secret thoughts.*
[11] **pour tromper . . . regards:** *to avoid being discovered.*

monde en sera toujours la dupe; mais ils doivent être alors bien
sûrs l'un de l'autre. Son plastron,[12] à elle, était un homme en
faveur, un homme de cour, froid et dévot, qu'elle ne recevait
point chez elle. Cette comédie se donnait au profit des sots et des
salons qui en riaient. Il n'était point question de mariage entre
nous: six ans de différence pouvaient la préoccuper; elle ne savait
rien de ma fortune, que, par principe, j'ai toujours cachée. Quant
à moi, charmé de son esprit, de ses manières, de l'étendue de ses
connaissances, de sa science du monde, je l'eusse épousée sans
10 réflexion. Néanmoins, cette réserve me plaisait. Si, la première,
elle m'eût parlé mariage d'une certaine façon, peut-être eussé-je
trouvé de la vulgarité dans cette âme accomplie. Six mois pleins
et entiers, un diamant de la plus belle eau![13] voilà ma part
d'amour en ce bas monde. Un matin, pris par cette fièvre de
courbature que donne un rhume à son début, j'écris un mot pour
remettre une de ces fêtes secrètes enfouies sous les toits de Paris
comme des perles dans la mer. Une fois la lettre envoyée, un
remords me prend: «Elle ne me croira pas malade!» pensé-je.
Elle faisait la jalouse et la soupçonneuse. Quand la jalousie est
20 vraie, dit de Marsay en s'interrompant, elle est le signe évident
d'un amour unique . . .
— Pourquoi? demanda vivement la princesse de Cadignan.
— L'amour unique et vrai, répondit de Marsay, produit une
sorte d'apathie corporelle en harmonie avec la contemplation
dans laquelle on tombe. L'esprit complique tout alors, il se
travaille lui-même, se dessine des fantaisies, en fait des réalités,
des tourments: et cette jalousie est aussi charmante que gênante.
Un ministre étranger sourit en se rappelant, à la clarté d'un
souvenir, la vérité de cette observation.
30   — D'ailleurs, me disais-je, comment perdre un bonheur? fit
de Marsay en reprenant son récit. Ne valait-il pas mieux venir
enfiévré? Puis, me sachant malade, je la crois capable d'accourir
et de se compromettre. Je fais un effort, j'écris une seconde lettre,
je la porte moi-même, car mon homme de confiance n'était plus
là. Nous étions séparés par la rivière, j'avais Paris à traverser;

[12] **Son plastron:** *The man she used as a screen.*
[13] **un diamant . . . eau:** *a diamond of the first water.*

mais enfin, à une distance convenable de son hôtel, j'avise un
commissionnaire, je lui recommande de faire monter la lettre
aussitôt, et j'ai la belle idée de passer en fiacre devant sa porte
pour voir si, par hasard, elle ne recevra pas les deux billets à la
fois. Au moment où j'arrive, à deux heures, la grande porte
s'ouvrit pour laisser entrer la voiture de qui?. . . . du plastron!
Il y a quinze ans de cela . . . eh bien, en vous en parlant, l'orateur
épuisé, le ministre desséché au contact des affaires publiques sent
encore un bouillonnement dans son cœur et une chaleur à son
diaphragme. Au bout d'une heure, je repasse: la voiture était 10
encore dans la cour! Mon mot restait sans doute chez le concierge. Enfin, à trois heures et demie, la voiture partit; je pus
étudier la physionomie de mon rival: il était grave, il ne souriait
point; mais il aimait, et sans doute il s'agissait de quelque affaire.
Je vais au rendez-vous, la reine de mon cœur y vient, je la trouve
calme, et sereine. . . . L'aspect de la femme aimée a quelque
chose de si balsamique pour le cœur, qu'il doit dissiper la douleur,
les doutes, les chagrins: toute ma colère tomba, je retrouvai mon
sourire. Ainsi cette contenance qui, à mon âge, eût été la plus
horrible dissimulation, fut un effet de ma jeunesse et de mon 20
amour. Une fois ma jalousie enterrée, j'eus la puissance d'observer. Mon état maladif était visible, les doutes horribles qui
m'avaient travaillé l'augmentaient encore. Enfin, je trouvai un
joint pour glisser ces mots:

«— Vous n'aviez personne ce matin chez vous?. . .

«— Ah! dit-elle, il faut être homme pour avoir de pareilles
idées! Moi, penser à autre chose qu'à tes souffrances? Jusqu'au
moment où le second billet est venu, je n'ai fait que chercher les
moyens de t'aller voir.

«— Et tu es restée seule?   30

«— Seule, dit-elle en me regardant avec une si parfaite attitude
d'innocence, que ce fut défié par un air de ce genre-là que le
More[14] a dû tuer Desdémona.

«Comme elle occupait à elle seule son hôtel, ce mot était un
affreux mensonge. Un seul mensonge détruit cette confiance

---

[14] **le More:** Othello, leading character in Shakespeare's play of the same
name. Desdemona was his wife.

absolue qui, pour certaines âmes, est le fond même de l'amour.
Pour vous exprimer ce qui se fit en moi[15] dans ce moment, il
faudrait admettre que nous avons un être intérieur dont le *nous*
visible est le fourreau, que cet être, brillant comme une lumière,
est délicat comme une ombre . . . Eh bien, ce beau *moi* fut alors
vêtu pour toujours d'un crêpe. Oui, je sentis une main froide et
décharnée me passer le suaire de l'expérience, m'imposer le
deuil éternel que met en notre âme une première trahison. En
baissant les yeux pour ne pas lui laisser remarquer mon éblouisse-
10 ment, cette pensée orgueilleuse me rendit un peu de force: «Si elle
te trompe, elle est indigne de toi!» Je mis ma rougeur subite et
quelques larmes qui me vinrent aux yeux sur un redoublement
de douleur, et la douce créature voulut me reconduire jusque
chez moi, les stores du fiacre baissés. Pendant le chemin, elle fut
d'une sollicitude et d'une tendresse qui eussent trompé ce même
More de Venise que je prends pour point de comparaison. . . .
Elle pleura en me quittant, tant elle était malheureuse de ne
pouvoir me soigner elle-même. Elle souhaitait être mon valet de
chambre, dont le bonheur était pour elle un sujet de jalousie, et
20 tout cela rédigé, oh! mais comme l'eût écrit Clarisse[16] heureuse.
Il y a toujours un fameux singe dans la plus jolie et la plus
angélique des femmes!
    A ce mot, toutes les femmes baissèrent les yeux, comme
blessées par cette vérité si cruellement formulée.
    — Je ne vous dis rien ni de la nuit ni de la semaine que j'ai
passées, reprit de Marsay, je me suis reconnu homme d'État.
    Ce mot fut si bien dit, que nous laissâmes tous échapper un
geste d'admiration.[17]
    — En repassant avec un esprit infernal les véritables cruelles
30 vengeances qu'on peut tirer d'une femme, dit de Marsay en
continuant (et, comme nous nous aimions, il y en avait de
terribles, d'irréparables), je me méprisais, je me sentais vulgaire,
je formulais insensiblement un code horrible, celui de l'indulgence.
Se venger d'une femme, n'est-ce pas reconnaître qu'il n'y en a

---

[15] **ce qui se fit en moi:** *what took place within me.*
[16] **Clarisse:** The heroine of Richardson's novel, *Clarissa Harlowe.*
[17] **que nous . . . admiration:** *that we could not prevent a gesture of admiration.*

qu'une pour nous, que nous ne saurions nous passer d'elle? et
alors la vengeance est-elle le moyen de la reconquérir? Si elle ne
nous est pas indispensable, s'il y en a d'autres, pourquoi ne pas
lui laisser le droit de changer que nous nous arrogeons? Ceux
qui croient qu'il n'existe qu'une seule femme dans le monde pour
eux, ceux-là doivent être pour la vengeance, et alors il n'y en a
qu'une, celle d'Othello. Voici la mienne.

Ce mot détermina parmi nous tous ce mouvement imperceptible que les journalistes peignent ainsi dans les discours
parlementaires: (*Profonde sensation*).   10

— Guéri de mon rhume et de l'amour pur, absolu, divin, je
me laissai aller à une aventure dont l'héroïne était charmante, et
d'un genre de beauté tout opposé à celui de mon ange trompeur.
Je me gardai bien de rompre avec cette femme, si forte et si
bonne comédienne, car je ne sais pas si le véritable amour donne
d'aussi gracieuses jouissances qu'en prodigue une si savante
tromperie. Une pareille hypocrisie vaut la vertu (je ne dis pas
cela pour vous autres Anglaises, milady, s'écria doucement le
ministre en s'adressant à lady Barimore, fille de lord Dudley).
Enfin, je tâchai d'être le même amoureux. J'eus à faire travailler, 20
pour mon nouvel ange, quelques mèches de mes cheveux, et
j'allai chez un habile artiste qui, dans ce temps, demeurait rue
Boucher. Cet homme avait le monopole des présents capillaires,
et je donne son adresse pour ceux qui n'ont pas beaucoup de
cheveux: il en a de tous les genres et de toutes les couleurs. Après
s'être fait expliquer ma commande, il me montra ses ouvrages.
Je vis alors des œuvres de patience qui surpassent ce que les
contes attribuent aux fées et ce que font les forçats. Il me mit au
courant des caprices et des modes qui régissaient la partie des
cheveux.   30

«— Depuis un an, me dit-il, on a eu la fureur de marquer le
linge en cheveux; et, heureusement, j'avais de belles collections
de cheveux et d'excellentes ouvrières.

«En entendant ces mots, je suis atteint par un soupçon, je tire
mon mouchoir, et lui dis:

«— En sorte que ceci s'est fait chez vous, avec de faux cheveux?

«Il regarda mon mouchoir, et dit:

«— Oh! cette dame était bien difficile, elle a voulu vérifier la nuance de ses cheveux. Ma femme a marqué ces mouchoirs-là elle-même. Vous avez là, monsieur, une des plus belles choses qui se soient exécutées.

«Avant ce dernier trait de lumière, j'aurais cru à quelque chose, j'aurais fait attention à la parole d'une femme. Deux mois après, j'étais assis auprès de la femme éthérée; je tenais l'une de ses mains, elle les avait fort belles, et nous gravissions les alpes du sentiment,[18] cueillant les plus jolies fleurs, effeuillant des
10 marguerites . . . Au plus fort de la tendresse, et quand on s'aime le mieux, l'amour a si bien la conscience de son peu de durée, qu'on éprouve un invincible besoin de se demander: «M'aimes-tu? m'aimeras-tu toujours?» Je saisis ce moment élégiaque, si tiède, si fleuri, si épanoui, pour lui faire dire ses plus beaux mensonges dans le ravissant langage de ces exagérations spirituelles et de cette poésie gasconne particulières à l'amour. Charlotte étala la fine fleur de ses tromperies: elle ne pouvait pas vivre sans moi, j'étais le seul homme qu'il y eût pour elle au monde, elle avait peur de m'ennuyer parce que ma présence lui
20 ôtait tout son esprit; près de moi, ses facultés devenaient tout amour; elle était, d'ailleurs, trop tendre pour ne pas avoir des craintes; elle cherchait depuis six mois le moyen de m'attacher éternellement, et il n'y avait que Dieu qui connût ce secret là.

Les femmes qui entendaient alors de Marsay parurent offensées en se voyant si bien jouées, car il accompagna ces mots par des mines, par des poses de tête et des minauderies qui faisaient illusion.

— Au moment où j'allais croire à ces adorables faussetés, tenant toujours sa main moite dans la mienne, je lui dis:
30 «— Quand épouses-tu le duc? . . .

«Ce coup de pointe était si direct, mon regard si bien affronté avec le sien, et sa main si doucement posée dans la mienne, que son tressaillement, si léger qu'il fût, ne put être entièrement dissimulé; son regard fléchit sous le mien, une faible rougeur nuança ses joues.

---

[18] **nous . . . sentiment:** *we were reaching the heights of love.*

«— Le duc! Que voulez-vous dire? répondit-elle en feignant un profond étonnement.

«— Je sais tout, repris-je; et, dans mon opinion, vous ne devez plus tarder: il est riche, il est duc.

«— Est-ce un rêve? dit-elle en faisant sur ses cheveux au-dessus du front, quinze ans avant la Malibran,[19] le si célèbre geste de la Malibran.

«— Allons, ne fais pas l'enfant, mon ange, lui dis-je en voulant lui prendre les mains.

«Mais elle se croisa les mains sur la taille avec un petit air 10 prude et courroucé.

«— Épousez-le, je vous le permets, repris-je en répondant à son geste par le *vous* de salon. Il y a mieux, je vous y engage.

«— Mais, dit-elle en tombant à mes genoux, il y a quelque horrible méprise: je n'aime que toi dans le monde; tu peux m'en demander les preuves que tu voudras.

«— Relevez-vous, ma chère, et faites-moi l'honneur d'être franche.

«— Comme avec Dieu.

«— Doutez-vous de mon amour?   20

«— Non.

«— De ma fidélité?

«— Non.

«— Eh bien, j'ai commis le plus grand des crimes, repris-je, j'ai douté de votre amour et de votre fidélité. Je me suis mis à regarder tranquillement autour de moi.

«— Tranquillement! s'écria-t-elle en soupirant. En voilà bien assez, Henri, vous ne m'aimez plus.

«Elle avait déjà trouvé, comme vous le voyez, une porte pour s'évader. Dans ces sortes de scènes, un adverbe est bien dangereux. 30 Mais heureusement la curiosité lui fit ajouter:

«— Et qu'avez-vous vu? Ai-je jamais parlé au duc autrement que dans le monde? Avez-vous surpris dans mes yeux . . . ?

«— Non, dis-je, mais dans les siens. Et vous m'avez fait aller

---

[19] **la Malibran:** Maria-Felicia Garcia (1808–1836), celebrated French actress and singer, to whom Alfred de Musset addressed his famous poem, "Stances à la Malibran."

huit fois à Saint-Thomas-d'Aquin[20] vous voir entendant la même
messe que lui.

«— Ah! s'écria-t-elle enfin, je vous ai donc rendu jaloux.

«— Oh! je voudrais bien l'être, lui dis-je en admirant la souplesse de cette vive intelligence et ces tours d'acrobate qui ne
réussissent que devant les aveugles. Mais, à force d'aller à l'église,
je suis devenu très incrédule. Le jour de mon premier rhume et
de votre première tromperie, quand vous m'avez cru au lit, vous
avez reçu le duc, et vous m'avez dit n'avoir vu personne.

10   «— Savez-vous que cette conduite est infâme?

«— En quoi? Je trouve que votre mariage avec le duc est une
excellente affaire: il vous donne un beau nom, la seule position
qui vous convienne, une situation brillante, honorable. Vous
serez l'une des reines de Paris. J'aurais des torts envers vous si
je mettais un obstacle à cet arrangement, à cette vie honorable,
à cette superbe alliance. Ah! quelque jour, Charlotte, vous me
rendrez justice en découvrant combien mon caractère est différent
de celui des autres jeunes gens . . . Vous alliez être forcée de me
tromper . . . Oui, vous eussiez été très embarrassée de rompre
20 avec moi, car il vous épie. Le duc est vain, il sera fier de sa femme.

«— Ah! me dit-elle en fondant en larmes, Henri, si tu avais
parlé! oui, si tu l'avais voulu (j'avais tort, comprenez-vous!),
nous fussions allés vivre toute notre vie dans un coin, mariés,
heureux, à la face du monde.

«— Enfin, il est trop tard, repris-je en lui baisant les mains et
prenant un petit air de victime.

«— Mon Dieu, mais je puis tout défaire, reprit-elle.

«— Non, vous êtes trop avancée avec le duc. Je dois même
faire un voyage pour nous mieux séparer. Nous aurions à
30 craindre l'un et l'autre notre propre amour . . .

«— Croyez-vous, Henri, que le duc ait des soupçons?

«J'étais encore Henri, mais j'avais pour toujours perdu le *tu*.[21]

«— Je ne le pense pas, répondis-je en prenant les manières et
le ton d'un *ami*.

«Elle se leva, fit deux fois le tour de son boudoir dans une

[20] **Saint-Thomas-d'Aquin:** one of the most fashionable churches in Paris.
[21] **tu:** the less formal way of addressing persons.

agitation véritable ou feinte; puis elle trouva sans doute une pose et un regard en harmonie avec cette situation nouvelle, car elle s'arrêta devant moi, me tendit la main et me dit d'un ton de voix ému:

«— Eh bien, Henri, vous êtes un loyal, un noble et charmant homme; je ne vous oublierai jamais.

«Ce fut d'une admirable stratégie. Elle fut ravissante dans cette transition, nécessaire à la situation dans laquelle elle voulait se mettre vis-à-vis de moi. Je pris l'attitude, les manières et le regard d'un homme si profondément affligé, que je vis sa dignité trop 10 récente mollir; elle me regarda, me prit par la main, et me dit après un moment de silence:

«— Je suis profondément triste, mon enfant. Vous m'aimez?

«— Oh! oui.

«— Eh bien, qu'allez-vous devenir?

Ici, toutes les femmes échangèrent un regard.

— Si j'ai souffert en me rappelant sa trahison, je ris de l'air d'intime conviction et de douce satisfaction intérieure qu'elle avait, sinon de ma mort, du moins d'une mélancolie éternelle, reprit de Marsay. — Oh! ne riez pas encore, dit-il aux convives, 20 il y a mieux. Je la regardai très amoureusement après une pause, et lui dis:

«— Oui, voilà ce que je me suis demandé.

«— Eh bien, que ferez-vous?

«— Je me le suis demandé le lendemain de mon rhume.

«— Et . . . ? dit-elle avec une triste inquiétude.

«— Et je me suis mis en mesure auprès de cette petite dame à qui j'étais censé faire la cour.

«Charlotte trembla comme une feuille, me jeta l'un de ces regards dans lesquels les femmes oublient toute leur dignité, leur 30 finesse, leur grâce même, l'étincelant regard de la vipère poursuivie, forcée dans son coin, et me dit:

«— Et moi qui l'aimais! moi qui combattais! moi qui . . . Mon Dieu! sommes-nous malheureuses! nous ne pouvons jamais être aimées. Il n'y a jamais rien de sérieux pour vous dans les sentiments les plus purs. Mais, allez, quand vous friponnez, vous êtes encore nos dupes.

«— Je le vois bien, dis-je d'un air contrit. Vous avez beaucoup trop d'esprit dans votre colère pour que votre cœur en souffre.

«Cette modeste épigramme redoubla sa fureur, elle trouva des larmes de dépit.

«— Vous me déshonorez le monde et la vie, dit-elle, vous m'enlevez toutes mes illusions, vous me dépravez le cœur.

«Elle me dit tout ce que j'avais le droit de lui dire avec une simplicité d'effronterie, avec une témérité naïve qui certes eussent cloué sur la place un autre homme que moi.

10   «— Qu'allons-nous être, pauvres femmes, dans la société que nous fait la Charte de Louis XVIII? . . . [22]

«Jugez jusqu'où l'avait entraînée sa phraséologie!

«— Oui, nous sommes nées pour souffrir. En fait de passion, nous sommes toujours au-dessus et vous au-dessous de la loyauté. Vous n'avez rien d'honnête au cœur. Pour vous, l'amour est un jeu où vous trichez toujours.

«— Chère, lui dis-je, prendre quelque chose au sérieux dans la société actuelle, ce serait filer le parfait amour avec une actrice.

«— Quelle infâme trahison! elle a été raisonnée . . .

20   «— Non, raisonnable.

«— Adieu, monsieur de Marsay, dit-elle, vous m'avez horriblement trompée . . .

«— Madame la duchesse, répondis-je en prenant une attitude soumise, se souviendra-t-elle donc des injures de Charlotte?

«— Certes, dit-elle d'un ton amer.

«— Ainsi, vous me détestez?

«Elle inclina la tête, et je me dis en moi-même: «Il y a de la ressource!» Je partis sur un sentiment qui lui laissait croire qu'elle avait quelque chose à venger. Eh bien, mes amis, j'ai 30 beaucoup étudié la vie des hommes qui ont eu des succès auprès des femmes, mais je ne crois pas que ni le Maréchal de Richelieu,[23] ni Lauzun,[24] aient jamais fait, pour la première fois, une si

[22] **Charte de Louis XVIII:** French Constitution granted by Louis XVIII (1814).

[23] **Maréchal de Richelieu:** (1696–1788) Marshal of France under Louis XV, famous for his many love affairs.

[24] **Lauzun:** the Duc de Lauzun (1747–1793), one of Marie Antoinette's favorites.

savante retraite. Quant à mon esprit et à mon cœur, ils se sont
fermés là pour toujours, et l'empire qu'alors j'ai su conquérir
sur les mouvements irréfléchis qui nous font faire tant de sottises
m'a donné ce beau sang-froid que vous connaissez. . . .

EXERCICES

I. Répondez aux questions suivantes:

1. Quel âge avait de Marsay au début de cette histoire?
2. De qui de Marsay était-il alors amoureux?
3. Qui était le rival de de Marsay?
4. Comment de Marsay fut-il guéri de l'amour?
5. Quelle question brutale posa-t-il à la jeune femme, au cours d'une visite?
6. Par quelles démonstrations celle-ci répondit-elle à cette question?
7. Avoua-t-elle enfin ses projets?
8. Quelles accusations la jeune femme porta-t-elle contre de Marsay?
9. En quoi consiste l'ironie de cette situation?
10. Quelles conclusions faut-il, d'après Balzac, tirer de ce conte?

II. Expliquez le sens des phrases suivantes par rapport à l'histoire:

1. J'avais dix-sept ans . . . et j'étais un des plus jolis jeunes gens de Paris.
2. Si deux amants veulent jouer ce jeu, le monde en sera la dupe.
3. Au bout d'une heure je repasse; la voiture était encore dans la cour.
4. Je me gardai bien de rompre avec cette femme, si forte et si bonne comédienne.
5. «Quand épouses-tu le duc?»
6. Si tu l'avais voulu nous fussions allés vivre toute notre vie dans un coin, mariés, heureux, à la face du monde.
7. Vous avez beaucoup trop d'esprit dans votre colère pour que votre cœur en souffre.
8. Pour vous, l'amour est un jeu où vous trichez toujours.

III. Trouvez des synonymes pour les mots et les expressions suivantes:

1. le hasard
2. soupçonner
3. dire du mal de
4. un récit
5. un mensonge
6. épouser
7. la souplesse
8. le sang-froid
9. avoir du succès
10. faire des sottises

L'ENLÈVEMENT DE LA REDOUTE

PROSPER MÉRIMÉE

Prosper Mérimée (1803–1870) se distingue parmi les auteurs de sa génération par son objectivité flegmatique. De tous les réalistes, l'auteur de Carmen *et de* Colomba *reste le plus classique. Romancier et dramaturge de grand talent, il composa également d'excellents contes.* Tamango, Mateo Falcone, *et* L'Enlèvement de la redoute *comptent parmi les chefs-d'œuvre de ce genre au XIXe siècle. Aux États-Unis comme en Europe Mérimée reste un des plus admirés des conteurs français. Son style est simple, froid, ironique, cruel. La construction de ses contes, aussi bien que de ses romans, est très solide très soignée. Comme Maupassant, il est maître de sa langue, et décrit les plus beaux paysages avec une économie étonnante de mots. Peu d'écrivains ont atteint sa perfection.*

UN MILITAIRE de mes amis, qui est mort de la fièvre en Grèce, il y a quelques années, me conta un jour la première affaire à laquelle il avait assisté. Son récit me frappa tellement que je l'écrivis de mémoire aussitôt que j'en eus le loisir. Le voici:

— Je rejoignis le régiment le 4 septembre au soir. Je trouvai le colonel au bivouac. Il me reçut d'abord assez brusquement; mais après avoir lu la lettre de recommandation du général B . . . , il changea de manières, et m'adressa quelques paroles obligeantes.

10 Je fus présenté par lui à mon capitaine, qui revenait à l'instant même d'une reconnaissance. Ce capitaine, que je n'eus guère le temps de connaître, était un grand homme brun, d'une physionomie dure et repoussante. Il avait été simple soldat, et avait

gagné ses épaulettes[1] et sa croix sur les champs de bataille. Sa
voix, qui était enrouée et faible, contrastait singulièrement avec
sa stature presque gigantesque. On me dit qu'il devait cette voix
étrange à une balle qui l'avait percé de part en part à la bataille
d'Iéna.[2]

En apprenant que je sortais de l'école de Fontainebleau,[3] il fit
la grimace, et dit:

— Mon lieutenant est mort hier . . .

Je compris qu'il voulait dire: «C'est vous qui devez le remplacer,
et vous n'en êtes pas capable.» Un mot piquant me vint sur les 10
lèvres, mais je me contins.

La lune se leva derrière la redoute de Cheverino,[4] située à
deux portées de canon de notre bivouac. Elle était large et rouge
comme elle est d'ordinaire à son lever. Mais, ce soir-là, elle me
parut d'une grandeur extraordinaire. Pendant un instant, la
redoute se détacha en noir sur le disque éclatant de la lune. Elle
ressemblait au cône d'un volcan au moment de l'éruption.

Un vieux soldat, auprès duquel je me trouvais, remarqua la
couleur de la lune.

— Elle est bien rouge, dit-il; c'est signe qu'il en coûtera bon 20
pour l'avoir, cette fameuse redoute! J'ai toujours été supersti-
tieux, et cet augure, dans ce moment surtout, m'affecta. Je me
couchai, mais je ne pus dormir. Je me levai, et je marchai quelque
temps, regardant l'immense ligne de feux qui couvrait les
hauteurs au delà du village de Cheverino.

Lorsque je crus que l'air frais et piquant de la nuit avait assez
rafraîchi mon sang, je revins auprès du feu; je m'enveloppai
soigneusement dans mon manteau, et je fermai les yeux, espérant
ne pas les ouvrir avant le jour. Mais le sommeil me tint rigueur.
Insensiblement mes pensées prenaient une teinte lugubre. Je me 30
disais que je n'avais pas un ami parmi les cent mille hommes qui
couvraient cette plaine. Si j'étais blessé, je serais dans un hôpital,

---

[1] **avait . . . épaulettes:** *had won his promotion.*
[2] **Iéna:** famous victory of Napoleon in 1806.
[3] **Fontainebleau:** artillery school.
[4] **Cheverino:** or Schwardino, redoubt on the road to Moscow taken by
Napoleon in the Russian campaign.

traité sans égards par des chirurgiens ignorants. Ce que j'avais
entendu dire des opérations chirurgicales me revint à la mémoire.
Mon cœur battait avec violence, et machinalement je disposai
comme une espèce de cuirasse le mouchoir et le portefeuille que
j'avais sur la poitrine. La fatigue m'accablait, je m'assoupissais
à chaque instant, et à chaque instant quelque pensée sinistre se
reproduisait avec plus de force, et me réveillait en sursaut.

Cependant la fatigue l'avait emporté, et, quand on battit la
diane,[5] j'étais tout à fait endormi. Nous nous mîmes en bataille,
10 on fit l'appel, puis on remit les armes en faisceaux,[6] et tout
annonçait que nous allions passer une journée tranquille.

Vers trois heures, un aide de camp arriva, apportant un ordre.
On nous fit reprendre les armes; nos tirailleurs se répandirent
dans la plaine, nous les suivîmes lentement, et, au bout de vingt
minutes, nous vîmes tous les avant-postes des Russes se replier
et rentrer dans la redoute.

Une batterie d'artillerie vint s'établir à notre droite, une autre
à notre gauche, mais toutes les deux bien en avant de nous.
Elles commencèrent un feu très vif sur l'ennemi, qui riposta
20 énergiquement, et bientôt la redoute de Cheverino disparut sous
des nuages épais de fumée.

Notre régiment était presque à couvert du feu des Russes par
un pli de terrain. Leurs boulets, rares d'ailleurs pour nous (car
ils tiraient de préférence sur nos canonniers), passaient au-dessus
de nos têtes, ou tout au plus nous envoyaient de la terre et de
petites pierres.

Aussitôt que l'ordre de marcher en avant nous eut été donné,
mon capitaine me regarda avec une attention qui m'obligea à
passer deux ou trois fois la main sur ma jeune moustache d'un
30 air aussi dégagé qu'il me fut possible. Au reste, je n'avais pas
peur, et la seule crainte que j'éprouvasse, c'était que l'on ne
s'imaginât que j'avais peur. Ces boulets inoffensifs contribuèrent
encore à me maintenir dans mon calme héroïque. Mon amour-
propre me disait que je courais un danger réel, puisque enfin
j'étais sous le feu d'une batterie. J'étais enchanté d'être si à mon

___

[5] **on battit la diane:** *reveille was sounded.*
[6] **on remit . . . faisceaux:** *they stacked arms.*

aise, et je pensai au plaisir de raconter la prise de la redoute de
Cheverino, dans le salon de madame de B . . . , rue de Provence.

Le colonel passa devant notre compagnie; il m'adressa la
parole: «Eh bien, vous allez en voir de grises,[7] pour votre début.»

Je souris d'un air tout à fait martial, en brossant la manche
de mon habit, sur laquelle un boulet, tombé à trente pas de nous,
avait envoyé un peu de poussière.

Il paraît que les Russes s'aperçurent du mauvais succès de leurs
boulets, car ils les remplacèrent par des obus qui pouvaient plus
facilement nous atteindre dans le creux où nous étions postés. 10
Un assez gros éclat m'enleva mon schako, et tua un homme
auprès de moi.

— Je vous fais mon compliment, me dit le capitaine, comme
je venais de ramasser mon schako, vous en voilà quitte pour la
journée. Je connaissais cette superstition militaire qui croit que
l'axiome *non bis in idem*[8] trouve son application aussi bien sur
un champ de bataille que dans une cour de justice. Je remis
fièrement mon schako.

— C'est faire saluer les gens sans cérémonie, dis-je aussi
gaiement que je pus. Cette mauvaise plaisanterie, vu la circon- 20
stance, parut excellente.

— Je vous félicite, reprit le capitaine, vous n'aurez rien de
plus, et vous commanderez une compagnie ce soir; car je sens
bien que le four chauffe pour moi.[9] Toutes les fois que j'ai été
blessé, l'officier auprès de moi a reçu quelque balle morte,[10] et,
ajouta-t-il d'un ton plus bas et presque honteux, leurs noms
commençaient toujours par un P.

Je fis l'esprit fort;[11] bien des gens auraient fait comme moi;
bien des gens auraient été aussi bien que moi frappés de ces
paroles prophétiques. Conscrit comme je l'étais, je sentais que je 30
ne pouvais confier mes sentiments à personne, et que je devais
toujours paraître froidement intrépide.

[7] **vous . . . grises:** *you will have hard experiences.*
[8] **non . . . idem:** *not twice in the same place.*
[9] **que . . . moi:** *that things are getting hot for me.*
[10] **balle morte:** *spent bullet.*
[11] **Je . . . fort:** *I pretended not to heed the warning.* An *esprit fort* means an
enlightened man, impervious to superstition.

Au bout d'une demi-heure, le feu des Russes diminua sensiblement; alors nous sortîmes de notre couvert pour marcher sur la redoute.

Notre régiment était composé de trois bataillons. Le deuxième fut chargé de tourner la redoute du côté de la gorge; les deux autres devaient donner l'assaut. J'étais dans le troisième bataillon.

En sortant de derrière l'espèce d'épaulement qui nous avait protégés, nous fûmes reçus par plusieurs décharges de mousqueterie qui ne firent que peu de mal dans nos rangs. Le sifflement
10 des balles me surprit: souvent je tournais la tête, et je m'attirai ainsi quelques plaisanteries de la part de mes camarades plus familiarisés avec ce bruit.

— A tout prendre, me dis-je, une bataille n'est pas une chose si terrible.

Nous avancions au pas de course, précédés de tirailleurs; tout à coup les Russes poussèrent trois hourras, trois hourras distincts, puis demeurèrent silencieux et sans tirer.

— Je n'aime pas ce silence, dit mon capitaine; cela ne nous présage rien de bon.

20 Je trouvai que nos gens étaient un peu trop bruyants, et je ne pus m'empêcher de faire intérieurement la comparaison de leurs clameurs tumultueuses avec le silence imposant de l'ennemi.

Nous parvînmes rapidement au pied de la redoute, les palissades avaient été brisées et la terre bouleversée par nos boulets. Les soldats s'élancèrent sur ces ruines nouvelles avec des cris de *Vive l'Empereur!* plus forts qu'on ne l'aurait attendu de gens qui avaient déjà tant crié.

Je levai les yeux, et jamais je n'oublierai le spectacle que je vis. La plus grande partie de la fumée s'était élevée, et restait sus-
30 pendue comme un dais à vingt pieds au-dessus de la redoute. Au travers d'une vapeur bleuâtre, on apercevait derrière leur parapet à demi détruit les grenadiers russes, l'arme haute, immobiles comme des statues. Je crois voir encore chaque soldat, l'œil gauche attaché sur nous, le droit caché par son fusil élevé. Dans une embrasure, à quelques pieds de nous, un homme tenant une lance à feu était auprès d'un canon.

Je frissonnai, et je crus que ma dernière heure était venue.

— Voilà la danse qui va commencer, s'écria mon capitaine.
Bonsoir!

Ce furent les dernières paroles que je l'entendis prononcer.

Un roulement de tambours retentit dans la redoute. Je vis se
baisser tous les fusils. Je fermai les yeux, et j'entendis un fracas
épouvantable, suivi de cris et de gémissements. J'ouvris les yeux,
surpris de me trouver encore au monde. La redoute était de
nouveau enveloppée de fumée. J'étais entouré de blessés et de
morts. Mon capitaine était étendu à mes pieds: sa tête avait été
broyée par un boulet, et j'étais couvert de sa cervelle et de son 10
sang. De toute ma compagnie, il ne restait debout que six
hommes et moi.

A ce carnage succéda un moment de stupeur. Le colonel,
mettant son chapeau au bout de son épée, gravit le premier le
parapet, en criant: *Vive l'Empereur!* Il fut suivi aussitôt de tous
les survivants. Je n'ai presque plus de souvenir net de ce qui
suivit. Nous entrâmes dans la redoute, je ne sais comment. On
se battit corps à corps au milieu d'une fumée si épaisse que l'on
ne pouvait se voir. Je crois que je frappai, car mon sabre se
trouva tout sanglant. Enfin j'entendis crier: «Victoire!» et la 20
fumée diminuant, j'aperçus du sang et des morts sous lesquels
disparaissait la terre de la redoute. Les canons surtout étaient
enterrés sous des tas de cadavres. Environ deux cents hommes
debout, en uniforme français, étaient groupés sans ordre, les uns
chargeant leurs fusils, les autres essuyant leurs baïonnettes. Onze
prisonniers russes étaient avec eux.

Le colonel était renversé tout sanglant sur un caisson brisé,
près de la gorge. Quelques soldats s'empressaient autour de lui:
je m'approchai.

— Où est le plus ancien capitaine? demandait-il à un sergent. 30
Le sergent haussa les épaules d'une manière très expressive.

— Et le plus ancien lieutenant?

— Voici monsieur qui est arrivé d'hier, dit le sergent d'un ton
tout à fait calme.

Le colonel sourit amèrement.

— Allons, monsieur, me dit-il, vous commandez en chef; faites
promptement fortifier la gorge de la redoute avec ces chariots,

car l'ennemi est en force; mais le général C . . . va nous faire
soutenir.

— Colonel, lui dis-je, vous êtes grièvement blessé?

— Fichu, mon cher, mais la redoute est prise.

EXERCICES

I. Répondez aux questions suivantes:

1. Qui raconta l'histoire précédente à l'auteur?
2. Décrivez le capitaine auquel le militaire fut présenté.
3. Comment était la lune le soir de son arrivée au bivouac?
4. D'après un vieux soldat, qu'est-ce que cela signifiait?
5. Quelles étaient les pensées du jeune lieutenant ce soir-là?
6. Pourquoi son capitaine le regarda-t-il avec attention avant de
   commencer l'attaque?
7. Quel était l'effet des boulets des Russes?
8. Racontez la superstition du capitaine.
9. Que vit le jeune lieutenant lorsque la fumée se fut dissipée?
10. Pourquoi le lieutenant dut-il prendre le commandement de la
    compagnie?

II. Reconstruisez l'histoire avec ces bouts de phrases:

1. Je fus présenté par lui à mon capitaine . . . .
2. Mon lieutenant est mort hier . . . .
3. Elle ressemblait au cône d'un volcan . . . .
4. Si j'étais blessé je serais dans un hôpital . . . .
5. Vers trois heures un aide de camp arriva . . . .
6. La seule crainte que j'éprouvasse, c'était que l'on ne s'imaginât
   que j'avais peur . . . .
7. Un assez gros éclat m'enleva mon schako . . . .
8. Nous sortîmes de notre couvert pour marcher sur la redoute . . . .
9. Je n'aime pas ce silence, dit mon capitaine . . . .
10. Je levais le yeux, et jamais je n'oublierai le spectacle que je vis . . . .
11. Nous entrâmes dans la redoute . . . .
12. Allons, monsieur, me dit-il, vous commandez en chef . . . .

III. Employez les expressions suivantes dans des phrases:

1. le lever	7. être à couvert
2. en coûter bon	8. être à son aise
3. au delà de	9. une balle morte
4. entendre dire	10. à tout prendre
5. se réveiller en sursaut	11. l'ennemi est en force
6. battre la diane	12. se battre corps à corps

À CHEVAL

GUY DE MAUPASSANT

Guy de Maupassant (1850–1893) fut le disciple de Flaubert qui l'initia à la littérature. Né en Normandie, cette province est fréquemment le cadre de ses nouvelles. Sa vie fut malheureuse et laborieuse: hanté d'hallucinations qui annonçaient la folie, maladie héréditaire dans sa famille, il réussit cependant en dix ans à produire une œuvre considérable. Maupassant est un des représentants les plus illustres de l'école naturaliste. Il écrivit quelques romans: Une vie *(1883),* Pierre et Jean *(1888), mais sa réputation lui vient surtout de ses contes, genre qu'il a porté à une perfection extrême. Maupassant apprit de Flaubert que le génie est «une longue patience.» Son art est froid et impersonnel; sa langue est très travaillée. Il a observé avec exactitude les manières, le langage, les mœurs des individus qu'il décrit, qu'il fait vivre et agir devant nous. Parmi ses contes les plus connus sont* La Ficelle; Le Petit Fût, *où il décrit la rapacité et la méfiance des paysans normands; et* Le Horla, *histoire d'hallucinations, souvent comparée à certains récits d'Edgar Allan Poe.*

LES PAUVRES gens vivaient péniblement des petits appointements du mari. Deux enfants étaient nés depuis leur mariage, et la gêne première était devenue une de ces misères humbles, voilées, honteuses, une misère de famille noble qui veut tenir son rang quand même.

Hector de Gribelin avait été élevé en province, dans le manoir paternel, par un vieil abbé précepteur. On[1] n'était pas riche, mais on vivotait en gardant les apparences.

---

[1] **On:** familiar form for *They.*

Puis, à vingt ans, on lui avait cherché une position, et il était
entré, commis à quinze cents francs, au ministère de la Marine.

Il avait échoué sur cet écueil comme tous ceux qui ne sont point
préparés de bonne heure au rude combat de la vie, tous ceux
qui voient l'existence à travers un nuage, qui ignorent les moyens
et les résistances, en qui on n'a pas développé dès l'enfance des
aptitudes spéciales, des facultés particulières, une âpre énergie à
la lutte, tous ceux à qui on n'a pas remis une arme ou un outil
dans la main.

10   Ses trois premières années de bureau furent horribles.

Il avait retrouvé quelques amis de sa famille, vieilles gens
attardés et peu fortunés aussi, qui vivaient dans les rues nobles,
les tristes rues du faubourg Saint-Germain;[2] et il s'était fait un
cercle de connaissances.

Étrangers à la vie moderne, humbles et fiers, ces aristocrates
nécessiteux habitaient les étages élevés de maisons endormies.
Du haut en bas de ces demeures, les locataires étaient titrés;
mais l'argent semblait rare au premier comme au sixième.

Les éternels préjugés, la préoccupation du rang, le souci de ne
20 pas déchoir, hantaient ces familles autrefois brillantes, et ruinées
par l'inaction des hommes. Hector de Gribelin rencontra dans ce
monde une jeune fille noble et pauvre comme lui, et l'épousa.

Ils eurent deux enfants en quatre ans.

Pendant quatre années encore, ce ménage, harcelé par la
misère, ne connut d'autres distractions que la promenade aux
Champs-Élysées,[3] le dimanche, et quelques soirées au théâtre,
une ou deux par hiver, grâce à des billets de faveur[4] offerts par
un collègue.

Mais voilà que, vers le printemps, un travail supplémentaire
30 fut confié à l'employé par son chef, et il reçut une gratification
extraordinaire de trois cents francs.

---

[2] **faubourg Saint-Germain:** former residence of the aristocracy in Paris.
Faubourg does not mean *suburb* here.

[3] **Champs-Elysées:** a celebrated boulevard in Paris, extending from the Arc
de Triomphe de l'Étoile to the Place de la Concorde.

[4] **billets de faveur:** *complimentary tickets.*

En rapportant cet argent, il dit à sa femme:

«Ma chère Henriette, il faut nous offrir quelque chose, par exemple une partie de plaisir pour les enfants.»

Et après une longue discussion, il fut décidé qu'on irait déjeuner à la campagne . . .

«Ma foi, s'écria Hector, une fois n'est pas coutume; nous louerons un break[5] pour toi, les petits et la bonne, et moi je prendrai un cheval au manège.[6] Cela me fera du bien.»

Et pendant toute la semaine on ne parla que de l'excursion projetée.   10

Chaque soir, en rentrant du bureau, Hector saisissait son fils aîné, le plaçait à califourchon sur sa jambe, et, en le faisant sauter de toute sa force, il lui disait:

«Voilà comment il galopera, papa, dimanche prochain, à la promenade.»

Et le gamin, tout le jour, enfourchait les chaises et les traînait autour de la salle en criant:

«C'est papa à dada.»[7]

Et la bonne elle-même regardait monsieur d'un œil émerveillé, en songeant qu'il accompagnerait la voiture à cheval; et pendant 20 tous les repas elle l'écoutait parler d'équitation, raconter ses exploits de jadis, chez son père. Oh! il avait été à bonne école, et, une fois la bête entre ses jambes, il ne craignait rien, mais rien!

Il répétait à sa femme en se frottant les mains:

«Si on pouvait me donner un animal un peu difficile, je serais enchanté. Tu verras comme je monte; et, si tu veux, nous reviendrons par les Champs-Élysées au moment du retour du Bois.[8] Comme nous ferons bonne figure, je ne serais pas fâché de rencontrer quelqu'un du Ministère. Il n'en faut pas plus pour 30 se faire respecter de ses chefs.»

Au jour dit, la voiture et le cheval arrivèrent en même temps

---

[5] **break**: *pleasure carriage.*
[6] **manège**: *livery stable.*
[7] **à dada**: baby talk for **à cheval**, *on horseback.*
[8] **au moment . . . du Bois**: *when people return from their promenade in the Bois de Boulogne,* a celebrated park on the outskirts of Paris.

devant la porte. Il descendit aussitôt, pour examiner sa monture.
Il avait fait coudre des sous-pieds à son pantalon, et manœuvrait
une cravache achetée la veille.

Il leva et palpa, l'une après l'autre, les quatre jambes de la
bête, tâta le cou, les côtes, les jarrets, éprouva du doigt les reins,
ouvrit la bouche, examina les dents, déclara son âge, et, comme
toute la famille descendait, il fit une sorte de petit cours théorique
et pratique sur le cheval en général et en particulier sur celui-là,
qu'il reconnaissait excellent.

10   Quand tout le monde fut bien placé dans la voiture, il vérifia
les sangles de la selle; puis, s'enlevant sur un étrier, il retomba
sur l'animal, qui se mit à danser sous la charge et faillit désarçonner son cavalier.

Hector, ému, tâchait de le calmer:

«Allons, tout beau, mon ami, tout beau.»

Puis, quand le porteur eut repris sa tranquillité et le porté son
aplomb, celui-ci demanda:

«Est-on prêt?»

Toutes les voix répondirent:

20   «Oui.»

Alors, il commanda:

«En route!»

Et la cavalcade s'éloigna.

Tous les regards étaient tendus sur lui. Il trottait à l'anglaise[9]
en exagérant les ressauts. A peine était-il retombé sur la selle
qu'il rebondissait comme pour monter dans l'espace. Souvent il
semblait prêt à s'abattre sur la crinière; et il tenait ses yeux fixes
devant lui, ayant la figure crispée et les joues pâles.

Sa femme, gardant sur ses genoux un de ses enfants, et la
30 bonne qui portait l'autre, répétaient sans cesse:

«Regardez papa, regardez papa!»

Et les deux gamins, grisés par le mouvement, la joie et l'air vif,
poussaient des cris aigus. Le cheval, effrayé par ces clameurs,
finit par prendre le galop, et, pendant que le cavalier s'efforçait
de l'arrêter, le chapeau roula par terre. Il fallut que le cocher

---

[9] à l'anglaise: *English fashion.*

descendît de son siège pour ramasser cette coiffure, et, quand
Hector l'eut reçue de ses mains, il s'adressa de loin à sa
femme:

«Empêche donc les enfants de crier comme ça; tu me ferais
emporter!»

On déjeuna sur l'herbe, dans le bois du Vésinet, avec les
provisions déposées dans les coffres.

Bien que le cocher prît soin des chevaux, Hector à tout moment
se levait pour aller voir si le sien ne manquait de rien; et il le
caressait sur le cou, lui faisant manger du pain, des gâteaux, 10
du sucre.

Il déclara:

«C'est un rude trotteur. Il m'a même un peu secoué dans les
premiers moments; mais tu as vu que je m'y suis vite remis:[10]
il a reconnu son maître, il ne bougera plus maintenant.»

Comme il avait été décidé, on revint par les Champs-Élysées.

La vaste avenue fourmillait de voitures. Et sur les côtés, les
promeneurs étaient si nombreux qu'on eût dit deux longs rubans
noirs se déroulant, depuis l'Arc de Triomphe[11] jusqu'à la place
de la Concorde.[12] Une averse de soleil tombait sur tout ce monde, 20
faisait étinceler le vernis des calèches, l'acier des harnais, les
poignées des portières.

Une folie de mouvement, une ivresse de vie semblait agiter
cette foule de gens, d'équipages et de bêtes. Et l'Obélisque,[13]
là-bas, se dressait dans une buée d'or.

Le cheval d'Hector, dès qu'il eut dépassé l'Arc de Triomphe,
fut saisi soudain d'une ardeur nouvelle, et il filait à travers les
rues, au grand trot, vers l'écurie, malgré toutes les tentatives
d'apaisement de son cavalier.

La voiture était loin maintenant, loin derrière; et voilà qu'en 30

[10] je . . . remis: *I quickly got back the knack of it.*
[11] **Arc de Triomphe:** a monument erected on the Place de l'Étoile, dedicated
to the victories of Napoleon I. It was not completed until 1836.
[12] **Concorde:** a famous square in Paris, where the Avenue of the Champs-
Élysées begins.
[13] **Obélisque:** an obelisk brought from Luxor in Egypt, erected on the
Place de la Concorde.

face du Palais de l'Industrie,[14] l'animal, se voyant du champ, tourna à droite et prit le galop.

Une vieille femme en tablier traversait la chaussée d'un pas tranquille; elle se trouvait juste sur le chemin d'Hector, qui arrivait à fond de train. Impuissant à maîtriser sa bête, il se mit à crier de toute sa force:

«Holà! hé! holà! là-bas!»

Elle était sourde peut-être, car elle continua paisiblement sa route jusqu'au moment où, heurtée par le poitrail du cheval
10 lancé comme une locomotive, elle alla rouler dix pas plus loin, les jupes en l'air, après trois culbutes sur la tête.

Des voix criaient:

«Arrêtez-le!»

Hector, éperdu, se cramponnait à la crinière en hurlant:

«Au secours!»

Une secousse terrible le fit passer comme une balle par-dessus les oreilles de son coursier et tomber dans les bras d'un sergent de ville[15] qui venait de se jeter à sa rencontre.

En une seconde, un groupe furieux, gesticulant, vociférant, se
20 forma autour de lui. Un vieux monsieur surtout, un vieux monsieur portant une grande décoration ronde et de grandes moustaches blanches, semblait exaspéré. Il répétait:

«Sacrebleu, quand on est maladroit comme ça on reste chez soi! On ne vient pas tuer les gens dans la rue quand on ne sait pas conduire un cheval.»

Mais quatre hommes, portant la vieille, apparurent. Elle semblait morte, avec sa figure jaune et son bonnet de travers, tout gris de poussière.

«Portez cette femme chez un pharmacien, commanda le vieux
30 monsieur, et allons chez le commissaire de police.»[16]

Hector, entre les deux agents, se mit en route. Un troisième tenait son cheval. Une foule suivait; et soudain le break parut. Sa femme s'élança, la bonne perdait la tête, les marmots piaillaient.

---

[14] **Palais de l'Industrie:** a building constructed on the Champs-Élysées in 1855, torn down for the exposition of 1900.
[15] **sergent de ville:** *policeman.*
[16] **commissaire de police:** *police inspector.*

Il expliqua qu'il allait rentrer, qu'il avait renversé une femme, que ce n'était rien. Et sa famille, affolée, s'éloigna.

Chez le commissaire, l'explication fut courte. Il donna son nom, Hector de Gribelin, attaché au ministère de la Marine; et on attendit des nouvelles de la blessée. Un agent envoyé aux renseignements revint. Elle avait repris connaissance, mais elle souffrait effroyablement en dedans, disait-elle. C'était une femme de ménage,[17] âgée de soixante-cinq ans, et dénommée Mme Simon.

Quand il sut qu'elle n'était pas morte, Hector reprit espoir et promit de subvenir aux frais de sa guérison. Puis il courut chez 10 le pharmacien.

Une cohue stationnait devant la porte; la bonne femme, affaissée dans un fauteuil, geignait, les mains inertes, la face abrutie. Deux médecins l'examinaient encore. Aucun membre n'était cassé, mais on craignait une lésion interne.

Hector lui parla:

«Souffrez-vous beaucoup?

— Oh! oui.

— Où ça?

— C'est comme un feu que j'aurais dans les estomacs.»   20

Un médecin s'approcha:

«C'est vous, monsieur, qui êtes l'auteur de l'accident?

— Oui, monsieur.

— Il faudrait envoyer cette femme dans une maison de santé; j'en connais une où on la recevrait à six francs par jour. Voulez-vous que je m'en charge?»

Hector, ravi, remercia et rentra chez lui soulagé.

Sa femme l'attendait dans les larmes: il l'apaisa,

«Ce n'est rien, cette dame Simon va déjà mieux, dans trois jours il n'y paraîtra plus; je l'ai envoyée dans une maison de 30 santé; ce n'est rien.»

Ce n'est rien!

En sortant de son bureau, le lendemain, il alla prendre des nouvelles de Mme Simon. Il la trouva en train de manger un bouillon gras d'un air satisfait.

---

[17] **femme de ménage:** *cleaning woman.*

«Eh bien?» dit-il.

Elle répondit:

«Oh, mon pauv' monsieur, ça ne change pas. Je me sens quasiment anéantie. N'y a pas[18] de mieux.»

Le médecin déclara qu'il fallait attendre, une complication pouvant survenir.

Il attendit trois jours, puis il revint. La vieille femme, le teint clair, l'œil limpide, se mit à geindre en l'apercevant.

«Je n'peux pu r'muer, mon pauv' monsieur: je n'peux pu.[19]
10 J'en ai pour jusqu'à la fin de mes jours.»[20]

Un frisson courut dans les os d'Hector. Il demanda le médecin. Le médecin leva les bras:

«Que voulez-vous, monsieur, je ne sais pas, moi. Elle hurle quand on essaye de la soulever. On ne peut même changer de place son fauteuil sans lui faire pousser des cris déchirants. Je dois croire ce qu'elle me dit, monsieur; je ne suis pas dedans. Tant que je ne l'aurai pas vue marcher, je n'ai pas le droit de supposer un mensonge de sa part.»

La vieille écoutait, immobile, l'œil sournois.

20 Huit jours se passèrent; puis quinze, puis un mois. Mme Simon ne quittait pas son fauteuil. Elle mangeait du matin au soir, engraissait, causait gaiement avec les autres malades, semblait accoutumée à l'immobilité comme si c'eût été le repos bien gagné par ses cinquante ans d'escaliers montés et descendus,[21] de matelas retournés, de charbon porté d'étage en étage, de coups de balai et de coups de brosse.

Hector, éperdu, venait chaque jour; chaque jour il la trouvait tranquille et sereine, et déclarant:

«Je n'peux pu r'muer, mon pauv' monsieur, je n'peux pu.»

30 Chaque soir, Mme de Gribelin demandait, dévorée d'angoisses:
«Et Mme Simon?»

Et, chaque fois, il répondait avec un abattement désespéré:

---

[18] **N'y a pas** = colloquial for **Il n'y a pas:** *There is no improvement.*
[19] **je n'peux pu** = colloquial for **je ne peux plus.**
[20] **J'en ai pour . . . jours:** *I shall be laid up for the rest of my days.*
[21] **cinquante ans . . . descendus:** *her fifty years of going up and down the stairs.*

«Rien de changé, absolument rien!»

On renvoya la bonne, dont les gages devenaient trop lourds. On économisa davantage encore, la gratification tout entière y passa.

Alors Hector assembla quatre grands médecins qui se réunirent autour de la vieille. Elle se laissa examiner, tâter, palper, en les guettant d'un œil malin.

«Il faut la faire marcher,» dit l'un.

Elle s'écria:

«Je n'peux pu, mes bons messieurs, je n'peux pu!»   10

Alors ils l'empoignèrent, la soulevèrent, la traînèrent quelques pas; mais elle leur échappa des mains et s'écroula sur le plancher en poussant des clameurs si épouvantables qu'ils la reportèrent sur son siège avec des précautions infinies.

Ils émirent une opinion discrète, concluant cependant à l'impossibilité du travail.

Et, quand Hector apporta cette nouvelle à sa femme, elle se laissa choir sur une chaise en balbutiant:

«Il vaudrait encore mieux la prendre ici, ça nous coûterait moins cher.»   20

Il bondit:

«Ici, chez nous, y penses-tu?»

Mais elle répondit, résignée à tout maintenant, et avec des larmes dans les yeux:

«Que veux-tu, mon ami, ce n'est pas ma faute!. . .»

EXERCICES

I. Répondez aux questions suivantes:

1. Quelle position occupait Hector de Gribelin?
2. Comment le ménage vivait-il sur les appointements d'Hector?
3. Quelles étaient les distractions que le ménage pouvait se permettre?
4. Quelle gratification extraordinaire l'employé de bureau reçut-il un jour?
5. Quelle partie de plaisir offrit-il à sa famille?
6. De quoi parla-t-on toute la semaine?
7. Décrivez l'attitude de l'employé de bureau sur son cheval.
8. Quel accident attrista le retour?

9. Où dut-on envoyer la pauvre femme renversée par le cheval d'Hector?
10. Quelles furent les conséquences lamentables de cet accident?

II. Reconstruisez l'histoire d'après les phrases et expressions suivantes:

1. Hector de Gribelin était entré commis . . . .
2. Le dimanche, la famille eut comme distraction . . . .
3. Vers le printemps il reçut une gratification de . . . .
4. Nous louerons un break pour toi . . . et moi . . . .
5. Quand tout le monde fut bien placé dans la voiture . . . .
6. On revint par les Champs-Élysées le cheval d'Hector fut saisi . . . .
7. Une vieille femme en tablier . . . .
8. Portez cette femme chez . . . .
9. Hector promit de . . . .
10. La vieille femme se mit à geindre . . . .
11. Les médecins émirent une opinion . . . .
12. Hector dit: «Il vaudrait mieux . . . .»

III. Préparez des questions sur le texte en employant des expressions suivantes:

1. les petits appointements
2. échouer
3. du haut en bas
4. grâce à
5. faire sauter
6. être à bonne école
7. en particulier
8. désarçonner son cavalier
9. prendre le galop
10. se mettre à crier
11. reprendre connaissance
12. une maison de santé
13. du matin au soir
14. s'écrouler
15. sur le plancher

UN COUP D'ÉTAT

GUY DE MAUPASSANT

PARIS VENAIT d'apprendre le désastre de Sedan.[1] La République était proclamée. La France entière haletait au début de cette démence qui dura jusqu'après la Commune.[2] On jouait au soldat d'un bout à l'autre du pays.

Des bonnetiers étaient colonels faisant fonctions de généraux; des revolvers et des poignards s'étalaient autour de gros ventres pacifiques enveloppés de ceintures rouges; de petits bourgeois devenus guerriers d'occasion commandaient des bataillons de volontaires braillards et juraient comme des charretiers pour se donner de la prestance.   10

Le seul fait de tenir des armes, de manier des fusils à système affolait ces gens qui n'avaient jusqu'ici manié que des balances, et les rendait, sans aucune raison, redoutables au premier venu. On exécutait des innocents pour prouver qu'on savait tuer; on fusillait, en rôdant par les campagnes vierges encore de Prussiens, les chiens errants, les vaches ruminant en paix, les chevaux malades pâturant dans les herbages.

Chacun se croyait appelé à jouer un grand rôle militaire. Les cafés des moindres villages, pleins de commerçants en uniforme, ressemblaient à des casernes ou à des ambulances.   20

Le bourg de Canneville ignorait encore les affolantes nouvelles de l'armée et de la capitale; mais une extrême agitation le remuait depuis un mois, les partis adverses se trouvant face à face.

Le maire, M. le vicomte de Varnetot, petit homme maigre, vieux déjà, légitimiste[3] rallié à l'Empire depuis peu, par ambition, avait vu surgir un adversaire déterminé dans le docteur Massarel,

---

[1] **désastre de Sedan**: defeat of Napoleon III by the Prussians in 1870.
[2] **la Commune**: revolutionary government set up in Paris in 1871.
[3] **légitimiste**: supporter of the Bourbons.

gros homme sanguin, chef du parti républicain dans l'arrondissement, vénérable de la loge maçonnique du chef-lieu, président
de la Société d'agriculture et du banquet des pompiers, et
organisateur de la milice rurale qui devait sauver la contrée.

En quinze jours, il avait trouvé le moyen de décider à la
défense du pays soixante-trois volontaires, mariés et pères de
famille, paysans prudents et marchands du bourg, et il les
exerçait, chaque matin, sur la place de la mairie.

Quand le maire, par hasard, venait au bâtiment communal, le
10 commandant Massarel, bardé de pistolets, passant fièrement, le
sabre en main, devant le front de sa troupe, faisait hurler à son
monde: «Vive la patrie!» Et ce cri, on l'avait remarqué, agitait
le petit vicomte, qui voyait là sans doute une menace, un défi,
en même temps qu'un souvenir odieux de la grande Révolution.

Le 5 septembre au matin, le docteur en uniforme, son revolver
sur sa table, donnait une consultation à un couple de vieux
campagnards, dont l'un, le mari, atteint de varices depuis sept
ans, avait attendu que sa femme en eût aussi pour venir trouver
le médecin, quand le facteur apporta le journal.

20   M. Massarel l'ouvrit, pâlit, se dressa brusquement, et, levant
les bras au ciel dans un geste d'exaltation, il se mit à vociférer de
toute sa voix devant les deux ruraux affolés:

— Vive la République! vive la République! vive la République!

Puis il retomba sur son fauteuil, défaillant d'émotion.

Et comme le paysan reprenait: «Ça a commencé par des
fourmis qui me couraient censément dans les jambes,» le docteur
Massarel s'écria:

— Fichez-moi la paix![4] J'ai bien le temps de m'occuper de vos
bêtises. La République est proclamée, l'Empereur est prisonnier,
30 la France est sauvée. Vive la République!

Et courant à la porte, il beugla: Céleste, vite, Céleste!

La bonne épouvantée accourut; il bredouillait tant il parlait
rapidement:

— Mes bottes, mon sabre, ma cartouchière et le poignard
espagnol qui est sur ma table de nuit: dépêche-toi!

[4] **Fichez . . . paix:** *Let me alone.*

Comme le paysan obstiné, profitant d'un instant de silence, continuait:

— Ça a devenu[5] comme des poches qui me faisaient mal en marchant.

Le médecin exaspéré hurla:

— Fichez-moi donc la paix, nom d'un chien![6] si vous vous étiez lavé les pieds, ça ne serait pas arrivé.

Puis, le saisissant au collet, il lui jeta, dans la figure:

— Tu ne sens donc pas que nous sommes en république, triple brute?[7]   10

Mais le sentiment professionnel le calma tout aussitôt, et il poussa dehors le ménage abasourdi, en répétant:

— Revenez demain, revenez demain, mes amis. Je n'ai pas le temps aujourd'hui.

Tout en s'équipant des pieds à la tête, il donna de nouveau une série d'ordres urgents à sa bonne:

— Cours chez le lieutenant Picart et chez le sous-lieutenant Pommel, et dis-leur que je les attends ici immédiatement. Envoie-moi aussi Torchebœuf avec son tambour, vite, vite!

Et quand Céleste fut sortie, il se recueillit, se préparant à 20 surmonter les difficultés de la situation.

Les trois hommes arrivèrent ensemble, en vêtement de travail. Le commandant, qui s'attendait à les voir en tenue, eut un moment de sursaut.

— Vous ne savez donc rien? L'Empereur est prisonnier, la République est proclamée. Il faut agir. Ma position est délicate, je dirai plus, périlleuse.

Il réfléchit quelques secondes devant les visages ahuris de ses subordonnés, puis reprit:

— Il faut agir et ne pas hésiter; les minutes valent des heures 30 dans des instants pareils. Tout dépend de la promptitude des décisions. Vous, Picard, allez trouver le curé et sommez-le de sonner le tocsin[8] pour réunir la population que je vais prévenir.

---

⁵ **Ça a devenu:** *That has become* (colloq.).
⁶ **Fichez . . . chien!:** *Leave me alone, for Heaven's sake!*
⁷ **triple brute:** *stupid fool.*
⁸ **le tocsin:** *alarm bell.*

Vous, Torchebœuf, battez le rappel[9] dans toute la commune
jusqu'aux hameaux de la Gerisaie et de Salmare pour rassembler
la milice en armes sur la place. Vous, Pommel, revêtez promptement votre uniforme, rien que la tunique et le képi. Nous allons
occuper ensemble la mairie et sommer M. de Varnetot de me
remettre ses pouvoirs. C'est compris?

— Oui.

— Exécutez, et promptement. Je vous accompagne jusque chez
vous, Pommel, puisque nous opérons ensemble.

10   Cinq minutes plus tard, le commandant et son subalterne,
armés jusqu'aux dents, apparaissaient sur la place juste au
moment où le petit vicomte de Varnetot, les jambes guêtrées
comme pour une partie de chasse, son fusil sur l'épaule,
débouchait à pas rapides par l'autre rue, suivi de ses trois gardes
en tunique verte, le couteau sur la cuisse et le fusil en bandoulière.

Pendant que le docteur s'arrêtait, stupéfait, les quatre hommes
pénétrèrent dans la mairie dont la porte se referma derrière eux.

— Nous sommes devancés, murmura le médecin, il faut maintenant attendre du renfort. Rien à faire pour le quart d'heure.

20   Le lieutenant Picart reparut:

— Le curé a refusé d'obéir, dit-il; il s'est même enfermé dans
l'église avec le bedeau et le suisse.

Et, de l'autre côté de la place, en face de la mairie blanche et
close, l'église, muette et noire, montrait sa grande porte de chêne
garnie de ferrures de fer.

Alors, comme les habitants intrigués mettaient le nez aux
fenêtres ou sortaient sur le seuil des maisons, le tambour soudain
roula, et Torchebœuf apparut, battant avec fureur les trois coups
précipités du rappel. Il traversa la place au pas gymnastique,
30 puis disparut dans le chemin des champs.

Le commandant tira son sabre, s'avança seul, à moitié distance
environ entre les deux bâtiments où s'était barricadé l'ennemi et,
agitant son arme au-dessus de sa tête, il mugit de toute la force
de ses poumons:

— Vive la République! Mort aux traîtres!

---

[9] **battez le rappel**: *call to arms.*

Puis il se replia vers ses officiers.

Le boucher, le boulanger et le pharmacien, inquiets, accro-
chèrent leurs volets et fermèrent leurs boutiques. Seul, l'épicier
demeura ouvert.

Cependant les hommes de la milice arrivaient peu à peu, vêtus
diversement et tous coiffés d'un képi noir à galon rouge, le képi
constituant tout l'uniforme du corps. Ils étaient armés de leurs
vieux fusils rouillés, ces vieux fusils pendus depuis trente ans sur
les cheminées des cuisines, et ils ressemblaient assez à un
détachement de gardes champêtres.   10

Lorsqu'il en eut une trentaine autour de lui, le commandant,
en quelques mots, les mit au fait[10] des événements; puis, se
tournant vers son état-major: «Maintenant, agissons,» dit-il.

Les habitants se rassemblaient, examinaient et devisaient.

Le docteur eut vite arrêté son plan[11] de campagne:

— Lieutenant Picart, vous allez vous avancer sous les fenêtres
de cette mairie, et sommer M. de Varnetot, au nom de la
République, de me remettre la maison de ville.

Mais le lieutenant, un maître-maçon, refusa:

— Vous êtes encore un malin, vous. Pour me faire flanquer 20
un coup de fusil,[12] merci. Ils tirent bien ceux qui sont là dedans,
vous savez. Faites vos commissions vous-même.

Le commandant devint rouge.

— Je vous ordonne d'y aller au nom de la discipline.

Le lieutenant se révolta:

— Plus souvent que je me ferai casser la figure[13] sans savoir
pourquoi.

Les notables, rassemblés en un groupe voisin, se mirent à rire.
Un d'eux cria:

— T'as raison, Picart, c'est pas l'moment![14]   30

Le docteur alors murmura:

— Lâches!

---

[10] **mettre au fait:** *to inform.*
[11] **arrêté son plan:** *prepare his plan.*
[12] **me faire . . . fusil:** *to have a shot fired at me.*
[13] **Plus souvent . . . figure:** *I should be that foolish to get myself shot.*
[14] **T'as . . . moment** = colloq. for **Tu as raison . . . le moment.**

Et, déposant son sabre et son revolver aux mains d'un soldat,
il s'avança d'un pas lent, l'œil fixé sur les fenêtres, s'attendant à
en voir sortir un canon de fusil braqué sur lui.

Comme il n'était qu'à quelques pas du bâtiment, les portes des
deux extrêmités donnant entrée dans les deux écoles s'ouvrirent,
et un flot de petits êtres, garçons par-ci, filles par-là, s'en échap-
pèrent et se mirent à jouer sur la grande place vide, piaillant,
comme un troupeau d'oies, autour du docteur, qui ne pouvait
se faire entendre.

10   Aussitôt les derniers élèves sortis, les deux portes s'étaient
refermées.

Le gros des marmots enfin se dispersa, et le commandant
appela d'une voix forte:

— Monsieur de Varnetot?

Une fenêtre du premier étage s'ouvrit, M. de Varnetot parut.

Le commandant reprit:

— Monsieur, vous savez les grands événements qui viennent
de changer la face du gouvernement. Celui que vous représentiez
n'est plus. Celui que je représente monte au pouvoir. En ces
20 circonstances douloureuses, mais décisives, je viens vous demander, au nom de la nouvelle République, de remettre en mes mains
les fonctions dont vous avez été investi par le précédent pouvoir.

M. de Varnetot répondit:

— Monsieur le docteur, je suis maire de Canneville, nommé
par l'autorité compétente, et je resterai maire de Canneville tant
que je n'aurai pas été révoqué et remplacé par un arrêté de mes
supérieurs. Maire, je suis chez moi dans la mairie, et j'y reste.
Au surplus, essayez de m'en faire sortir.

Et il referma la fenêtre.

30   Le commandant retourna vers sa troupe. Mais, avant de
s'expliquer, toisant du haut en bas le lieutenant Picart:

— Vous êtes un crâne, vous, un fameux lapin, la honte de
l'armée. Je vous casse de votre grade.

Le lieutenant répondit:

— Je m'en fiche un peu.[15]

---

[15] **Je . . . un peu:** *I don't give a darn.*

Et il alla se mêler au groupe murmurant des habitants.

Alors le docteur hésita. Que faire? Donner l'assaut? Mais ses hommes marcheraient-ils? Et puis, en avait-il le droit?

Une idée l'illumina. Il courut au télégraphe dont le bureau faisait face à la mairie, de l'autre côté de la place. Et il expédia trois dépêches:

A MM. les membres du gouvernement républicain, à Paris;

A M. le nouveau préfet républicain de la Seine-Inférieure, à Rouen;

A M. le nouveau sous-préfet républicain de Dieppe.   10

Il exposait la situation, disait le danger couru par la commune demeurée aux mains de l'ancien maire monarchiste, offrait ses services dévoués, demandait des ordres et signait en faisant suivre son nom de tous ses titres.

Puis il revint vers son corps d'armée et, tirant dix francs de sa poche: «Tenez, mes amis, allez manger et boire un coup; laissez seulement ici un détachement de dix hommes pour que personne ne sorte de la mairie.»

Mais l'ex-lieutenant Picart, qui causait avec l'horloger, entendit; il se mit à ricaner et prononça: «Pardi, s'ils sortent, ce 20 sera une occasion d'entrer. Sans ça, je ne vous vois pas encore là dedans, moi!»

Le docteur ne répondit pas, et il alla déjeuner.

Dans l'après-midi, il disposa des postes tout autour de la commune, comme si elle était menacée d'une surprise.

Il passa plusieurs fois devant les portes de la maison de ville et de l'église sans rien remarquer de suspect; on aurait cru vides ces deux bâtiments.

Le boucher, le boulanger et le pharmacien rouvrirent leurs boutiques.   30

On jasait beaucoup dans les logis. Si l'Empereur était prisonnier, il y avait quelque traîtrise là-dessous. On ne savait pas au juste laquelle des républiques était revenue.

La nuit tomba.

Vers neuf heures, le docteur s'approcha seul, sans bruit, de l'entrée du bâtiment communal, persuadé que son adversaire était parti se coucher; et comme il se disposait à enforcer la

porte à coups de pioche, une voix forte, celle d'un garde, demanda
tout à coup:

— Qui va là?

Et M. Massarel battit en retraite[16] à toutes jambes.

Le jour se leva sans que rien fût changé dans la situation.

La milice en armes occupait la place. Tous les habitants
s'étaient réunis autour de cette troupe, attendant une solution.
Ceux des villages voisins arrivaient pour voir.

Alors, le docteur, comprenant qu'il jouait sa réputation,[17]
10 résolut d'en finir[18] d'une manière ou d'une autre; et il allait
prendre une résolution quelconque, énergique assurément, quand
la porte du télégraphe s'ouvrit et la petite servante de la directrice
parut, tenant à la main deux papiers.

Elle se dirigea d'abord vers le commandant et lui remit une
des dépêches; puis, traversant le milieu désert de la place, in-
timidée par tous les yeux fixés sur elle, baissant la tête et trottant
menu,[19] elle alla frapper doucement à la maison barricadée,
comme si elle eût ignoré qu'un parti armé s'y cachait.

L'huis s'entre-bâilla; une main d'homme reçut le message, et
20 la fillette revint, toute rouge, prête à pleurer, d'être dévisagée
ainsi par le pays entier.

Le docteur demanda d'une voix vibrante:

— Un peu de silence, s'il vous plaît.

Et comme le populaire s'était tu, il reprit fièrement:

— Voici la communication que je reçois du gouvernement.

Et, élevant sa dépêche, il lut:

«Ancien maire révoqué. Veuillez aviser au plus pressé.[20]
Recevrez instructions ultérieures.

«*Pour le sous-préfet,*
30   «SAPIN, *conseiller.*»

Il triomphait: son cœur battait de joie; ses mains tremblaient,
mais Picart, son ancien subalterne, lui cria d'un groupe voisin:

---

[16] **battit en retraite:** *retreated full speed.*
[17] **jouer sa réputation:** *his reputation was at stake.*
[18] **en finir:** *to bring this affair to a head.*
[19] **trottant menu:** *stepping quickly and lightly.*
[20] **au plus pressé:** *with the greatest haste.*

— C'est bon, tout ça; mais si les autres ne sortent pas, ça vous fait une belle jambe,[21] votre papier.

Et M. Massarel pâlit. Si les autres ne sortaient pas, en effet, il fallait aller de l'avant[22] maintenant. C'était non seulement son droit, mais aussi son devoir.

Et il regardait anxieusement la mairie, espérant qu'il allait voir la porte s'ouvrir et son adversaire se replier.

La porte restait fermée. Que faire? la foule augmentait, se serrait autour de la milice. On riait.

Une réflexion surtout torturait le médecin. S'il donnait l'assaut, 10 il faudrait marcher à la tête de ses hommes; et comme, lui mort, toute contestation cesserait, c'était sur lui, sur lui seul que tireraient M. de Varnetot et ses trois gardes. Et ils tiraient bien, très bien; Picart venait encore de le lui répéter. Mais une idée l'illumina et se tournant vers Pommel:

— Allez vite prier le pharmacien de me prêter une serviette et un bâton.

Le lieutenant se précipita.

Il allait faire un drapeau parlementaire, un drapeau blanc, dont la vue réjouirait peut-être le cœur légitimiste[23] de l'ancien 20 maire.

Pommel revint avec le linge demandé et un manche à balai. Au moyen de ficelles, on organisa cet étendard que M. Massarel saisit à deux mains; et il s'avança de nouveau vers la mairie en le tenant devant lui. Lorsqu'il fut en face de la porte, il appela encore: «Monsieur de Varnetot.» La porte s'ouvrit soudain, et M. de Varnetot apparut sur le seuil avec ses trois gardes.

Le docteur recula par un mouvement instinctif; puis, il salua courtoisement son ennemi et prononça étranglé par l'émotion: «Je viens, Monsieur, vous communiquer les instructions que j'ai 30 reçues.»

Le gentilhomme, sans lui rendre son salut, répondit: «Je me retire, Monsieur, mais sachez bien que ce n'est ni par crainte, ni par obéissance à l'odieux gouvernement qui usurpe le pouvoir.»

---

[21] ça . . . jambe: *that will do you a lot of good* (colloq.).
[22] aller de l'avant: *to go ahead.*
[23] légitimiste: attached to the legitimate regime, that is, the Monarchy.

Et, appuyant sur chaque mot, il déclara: «Je ne veux pas avoir
l'air de servir un seul jour la République. Voilà tout.»

Massarel, interdit, ne répondit rien; et M. de Varnetot, se
mettant en marche d'un pas rapide, disparut au coin de la place,
suivi toujours de son escorte.

Alors le docteur, éperdu d'orgueil, revint vers la foule. Dès
qu'il fut assez près pour se faire entendre, il cria: «Hurrah!
hurrah! La République triomphe sur toute la ligne.»

Aucune émotion ne se manifesta.

10   Le médecin reprit: «Le peuple est libre, vous êtes libres,
indépendants. Soyez fiers!»

Les villageois inertes le regardaient sans qu'aucune gloire
illuminât leurs yeux.

A son tour, il les contempla, indigné de leur indifférence,
cherchant ce qu'il pourrait dire, ce qu'il pourrait faire pour
frapper un grand coup, électriser ce pays placide, remplir sa
mission d'initiateur.

Mais une inspiration l'envahit et se tournant vers Pommel:
«Lieutenant, allez chercher le buste de l'ex-empereur qui est dans
20 la salle des délibérations du conseil municipal, et apportez-le
avec une chaise.»

Et bientôt l'homme reparut portant sur l'épaule droite le
Bonaparte de plâtre, et tenant de la main gauche une chaise de
paille.

M. Massarel vint au-devant de lui, prit la chaise, la posa par
terre, plaça dessus le buste blanc, puis se reculant de quelques
pas, l'interpella, d'une voix sonore:

«Tyran, tyran, te voici tombé, tombé dans la boue, tombé dans
la fange. La patrie expirante râlait sous ta botte. Le Destin
30 vengeur t'a frappé. La défaite et la honte se sont attachées à
toi; tu tombes vaincu, prisonnier du Prussien;[24] et, sur les ruines
de ton empire croulant, la jeune et radieuse République se dresse,
ramassant ton épée brisée . . .»

Il attendait des applaudissements. Aucun cri, aucun battement

---

[24] **prisonnier du Prussien:** Napoleon III was taken prisoner by the Prussians
in 1870.

de mains n'éclata. Les paysans effarés se taisaient; et le buste aux moustaches pointues qui dépassaient les joues de chaque côté, le buste immobile et bien peigné comme une enseigne de coiffeur, semblait regarder M. Massarel avec son sourire de plâtre, un sourire ineffable et moqueur.

Ils demeuraient ainsi face à face, Napoléon sur la chaise, le médecin debout, à trois pas de lui. Une colère saisit le commandant. Mais que faire? que faire pour émouvoir ce peuple et gagner définitivement cette victoire de l'opinion?

Sa main, par hasard, se posa sur son ventre, et il rencontra, 10 sous sa ceinture rouge, la crosse de son revolver.

Aucune inspiration, aucune parole ne lui venaient plus. Alors, il tira son arme, fit deux pas et, à bout portant, foudroya l'ancien monarque.

La balle creusa dans le front un petit trou noir, pareil à une tache, presque rien. L'effet était manqué. M. Massarel tira un second coup, qui fit un second trou, puis un troisième, puis, sans s'arrêter, il lâcha les trois derniers. Le front de Napoléon volait en poussière blanche, mais les yeux, le nez et les fines pointes de moustaches restaient intacts.   20

Alors, exaspéré, le docteur renversa la chaise d'un coup de poing et, appuyant un pied sur le reste du buste, dans une position de triomphateur, il se tourna vers le public abasourdi en vociférant: «Périssent ainsi tous les traîtres!»

Mais comme aucun enthousiasme ne se manifestait encore, comme les spectateurs semblaient stupides d'étonnement, le commandant cria aux hommes de la milice: «Vous pouvez maintenant regagner vos foyers.» Et il se dirigea lui-même à grands pas vers sa maison, comme s'il eût fui.

Sa bonne, dès qu'il parut, lui dit que des malades l'attendaient 30 depuis plus de trois heures dans son cabinet. Il y courut. C'étaient les deux paysans aux varices, revenus dès l'aube, obstinés et patients.

Et le vieux aussitôt reprit son explication:

«Ça a commencé par des fourmis qui me couraient censément le long des jambes . . .»

EXERCICES

I. Répondez aux questions suivantes:

1. Décrivez l'esprit des citoyens de Canneville après le désastre de Sedan.
2. Qui étaient les chefs des deux partis politiques à Canneville?
3. Pourquoi le médecin interrompt-il sa consultation?
4. Que fait-il pour rallier les républicains?
5. Comment répondent-ils à son appel?
6. Pourquoi finit-il par envoyer une dépêche à la préfecture?
7. Comment fait-il pour entrer dans la mairie?
8. Que fait-il du buste de l'Empereur?
9. Quelle est la réaction du public?
10. Qui retrouve-t-il quand il retourne chez lui?

II. Après avoir consulté le texte de l'histoire, complétez les phrases suivantes:

1. Chacun se croyait appelé à . . . .
2. Le commandant et son subalterne apparaissaient sur . . . .
3. Comme il n'était qu'à quelques pas du bâtiment, les portes . . . .
4. Il exposait la situation, disait . . . .
5. Alors le docteur, comprenant qu'il . . . .
6. Et, élevant la dépêche, il lut . . . .
7. Mais une idée l'illumina . . . .
8. Le gentilhomme, sans lui rendre son salut . . . .
9. Ils demeuraient ainsi face à face . . . .
10. Alors, exaspéré, le docteur . . . .

III. Employez les mots suivants dans un petit résumé de l'histoire:

1. le maire
2. l'arrondissement
3. le commandant
4. rassembler
5. le sabre
6. la milice
7. le télégraphe
8. le drapeau
9. reculer
10. le front

LE GRAND MICHU

ÉMILE ZOLA

Émile Zola (1840–1902), en accentuant surtout les traits repoussants et grossiers de la vie, a transformé le réalisme en naturalisme. Le naturalisme a prétendu appliquer à la littérature les méthodes et les procédés rigoureux de la science: observation et expérimentation, tels qu'ils sont démontrés par exemple dans l'ouvrage fameux de Claude Bernard, Introduction à la médecine expérimentale *(1865). Zola lui-même a publié le programme de la nouvelle école dans un ouvrage didactique,* Le Roman expérimental *(1880). A l'imitation de la* Comédie Humaine *de Balzac, Zola écrivit* Les Rougon-Macquart, *histoire naturelle et sociale d'une famille sous le Second Empire (1871–1893), en 20 volumes, pour démontrer les lois de l'hérédité et les transformations que les différents milieux sociaux font subir à l'individu. Malgré les exagérations et les erreurs de sa philosophie, qui supprime entièrement la liberté humaine, et malgré les crudités de son style, l'œuvre de Zola ne manque pas de grandeur. Un souffle lyrique anime certains de ses romans et sa phrase est ample, précise, et pleine de force. Ses romans les plus connus sont* Germinal, *étude sur les ouvriers mineurs et la grève,* L'Assommoir, *et* La Débâcle, *description de la guerre de 1870.*

I

UNE APRÈS-MIDI, à la récréation de quatre heures, le grand Michu me prit à part, dans un coin de la cour. Il avait un air grave qui me frappa d'une certaine crainte; car le grand Michu était un

gaillard, aux poings énormes, que, pour rien au monde, je
n'aurais voulu avoir pour ennemi.

— Écoute, me dit-il de sa voix grasse de paysan à peine
dégrossi, écoute, veux-tu en être?[1]

Je répondis carrément: «Oui!» flatté d'être de quelque chose
avec le grand Michu. Alors, il m'expliqua qu'il s'agissait d'un
complot. Les confidences qu'il me fit, me causèrent une sensation
délicieuse, que je n'ai jamais peut-être éprouvée depuis. Enfin,
j'entrais dans les folles aventures de la vie, j'allais avoir un secret
10 à garder, une bataille à livrer. Et, certes, l'effroi inavoué que je
ressentais à l'idée de me compromettre de la sorte, comptait
pour une bonne moitié dans les joies cuisantes de mon nouveau
rôle de complice.

Aussi, pendant que le grand Michu parlait, étais-je en admiration devant lui. Il m'initia d'un ton un peu rude, comme un
conscrit dans l'énergie duquel on a une médiocre confiance.
Cependant, le frémissement d'aise, l'air d'extase enthousiaste que
je devais avoir en l'écoutant, finirent par lui donner une meilleure
opinion de moi.

20 Comme la cloche sonnait le second coup, en allant tous deux
prendre nos rangs pour rentrer à l'étude:

— C'est entendu, n'est-ce pas? me dit-il à voix basse. Tu es
des nôtres . . . Tu n'auras pas peur, au moins; tu ne trahiras
pas?

— Oh! non, tu verras . . . C'est juré.

Il me regarda de ses yeux gris, bien en face, avec une vraie
dignité d'homme mûr, et me dit encore:

— Autrement, tu sais, je ne te battrai pas, mais je dirai partout
que tu es un traître, et personne ne te parlera plus.

30 Je me souviens encore du singulier effet que me produisit cette
menace. Elle me donna un courage énorme. «Bast! me disais-je,
ils peuvent bien me donner deux mille vers; du diable si je trahis
Michu!»[2] J'attendis avec une impatience fébrile l'heure du dîner.
La révolte devait éclater au réfectoire.

---

[1] **veux . . . être?:** *do you want to have a part in it?*
[2] **du . . . Michu:** *I'll be darned if I betray Michu.*

II

Le grand Michu était du Var.[3] Son père, un paysan qui possédait quelques bouts de terre, avait fait le coup de feu[4] en 51, lors de l'insurrection provoquée par le coup d'État. Laissé pour mort dans une plaine voisine, il avait réussi à se cacher. Quand il reparut, on ne l'inquiéta pas. Seulement, les autorités du pays, les notables, les gros et les petits rentiers ne l'appelèrent plus que ce brigand de Michu.

Ce brigand, cet honnête homme illettré, envoya son fils au collège d'A. . . . Sans doute il le voulait savant pour le triomphe de la cause qu'il n'avait pu défendre, lui, que les armes à la main. 10 Nous savions vaguement cette histoire, au collège, ce qui nous faisait regarder notre camarade comme un personnage très redoutable.

Le grand Michu était, d'ailleurs, beaucoup plus âgé que nous. Il avait près de dix-huit ans, bien qu'il ne se trouvât encore qu'en quatrième.[5] Mais on n'osait le plaisanter. C'était un de ces esprits droits, qui apprennent difficilement, qui ne devinent rien; seulement, quand il savait une chose, il la savait à fond et pour toujours. Fort, comme taillé à coups de hache, il régnait en maître pendant les récréations. Avec cela, d'une douceur extrême. 20 Je ne l'ai jamais vu qu'une fois en colère; il voulait étrangler un pion[6] qui nous enseignait que tous les républicains étaient des voleurs et des assassins. On faillit mettre le grand Michu à la porte.[7]

Ce n'est que plus tard, lorsque j'ai revu mon ancien camarade dans mes souvenirs, que j'ai pu comprendre son attitude douce et forte. De bonne heure, son père avait dû en faire un homme.

---

[3] **Var:** a *département* in southern France, on the shore of the Mediterranean Sea.

[4] **avait . . . feu:** *had fought.*

[5] **en quatrième:** the fourth year of the French lycée or college; children in the class are normally from 12 to 14 years old.

[6] **pion:** an assistant in a lycée who supervises children in the study hall and dormitory.

[7] **On . . . porte:** *He was almost dismissed.*

III

Le grand Michu se plaisait au collège, ce qui n'était pas le moindre de nos étonnements. Il n'y éprouvait qu'un supplice dont il n'osait parler: la faim. Le grand Michu avait toujours faim.

Je ne me souviens pas d'avoir vu un pareil appétit. Lui qui était très fier, il allait parfois jusqu'à jouer des comédies humiliantes pour nous escroquer un morceau de pain, un déjeuner ou un goûter. Élevé en plein air, au pied de la chaîne des Maures, il souffrait encore plus cruellement que nous de la maigre cuisine 10 du collège.

C'était là un de nos grands sujets de conversation, dans la cour, le long du mur qui nous abritait de son filet d'ombre.[8] Nous autres, nous étions des délicats. Je me rappelle surtout une certaine morue à la[9] sauce rousse et certains haricots à la sauce blanche qui étaient devenus le sujet d'une malédiction générale. Les jours où ces plats apparaissaient, nous ne tarissions pas. Le grand Michu, par respect humain, criait avec nous, bien qu'il eût avalé volontiers les six portions de sa table.

Le grand Michu ne se plaignait guère que de la quantité des 20 vivres. Le hasard, comme pour l'exaspérer, l'avait placé au bout de la table, à côté du pion, un jeune gringalet qui nous laissait fumer en promenade.[10] La règle était que les maîtres d'étude avaient droit à deux portions. Aussi, quand on servait des saucisses, fallait-il voir le grand Michu lorgner les deux bouts de saucisses qui s'allongeaient côte à côte sur l'assiette du petit pion.

— Je suis deux fois plus gros que lui, me dit-il un jour, et c'est lui qui a deux fois plus à manger que moi. Il ne laisse rien, va; il n'en a pas de trop!

---

[8] **qui . . . d'ombre:** *which protected us from the sun with its narrow shadow.*
[9] **une . . . à la:** *codfish cooked in . . . .*
[10] **promenade:** students in French boarding schools go out twice a week, on Thursday and Sunday, for a long walk in the country under the supervision of a *pion.*

IV

Or, les meneurs avaient résolu que nous devions à la fin nous révolter contre la morue à la sauce rousse et les haricots à la sauce blanche.

Naturellement, les conspirateurs offrirent au grand Michu d'être leur chef. Le plan de ces messieurs était d'une simplicité héroïque: il suffirait, pensaient-ils, de mettre leur appétit en grève, de refuser toute nourriture, jusqu'à ce que le proviseur déclarât solennellement que l'ordinaire serait amélioré. L'approbation que le grand Michu donna à ce plan, est un des plus beaux traits d'abnégation et de courage que je connaisse. Il 10 accepta d'être le chef du mouvement, avec le tranquille héroïsme de ces anciens Romains qui se sacrifiaient pour la chose publique.

Songez donc! lui se souciait bien[11] de voir disparaître la morue et les haricots; il ne souhaitait qu'une chose, en avoir davantage, à discrétion! Et, pour comble, on lui demandait de jeûner! Il m'a avoué depuis que jamais cette vertu républicaine que son père lui avait enseignée, la solidarité, le dévouement de l'individu aux intérêts de la communauté, n'avait été mise en lui à une plus rude épreuve.   20

Le soir, au réfectoire, — c'était le jour de la morue à la sauce rousse, — la grève commença avec un ensemble vraiment beau. Le pain seul était permis. Les plats arrivent, nous n'y touchons pas, nous mangeons notre pain sec. Et cela gravement, sans causer à voix basse, comme nous en avions l'habitude. Il n'y avait que les petits qui riaient.

Le grand Michu fut superbe. Il alla, ce premier soir, jusqu'à ne pas même manger de pain. Il avait mis les deux coudes sur la table, il regardait dédaigneusement le petit pion qui dévorait.

Cependant, le surveillant fit appeler le proviseur, qui entra 30 dans le réfectoire comme une tempête. Il nous apostropha rudement, nous demandant ce que nous pouvions reprocher à ce dîner, auquel il goûta et qu'il déclara exquis.

---

[11] **lui . . . bien:** *a lot he cared.*

Alors le grand Michu se leva.

— Monsieur, dit-il, c'est la morue qui est pourrie, nous ne parvenons pas à la digérer.[12]

— Ah! bien, cria le gringalet de pion, sans laisser au proviseur le temps de répondre, les autres soirs, vous avez pourtant mangé presque tout le plat à vous seul.

Le grand Michu rougit extrêmement. Ce soir-là on nous envoya simplement coucher, en nous disant que, le lendemain, nous aurions sans doute réfléchi.

V

Le lendemain et le surlendemain, le grand Michu fut terrible. Les paroles du maître d'étude l'avaient frappé au cœur. Il nous soutint, il nous dit que nous serions des lâches si nous cédions. Maintenant, il mettait tout son orgueil à montrer que, lorsqu'il le voulait, il ne mangeait pas.

Ce fut un vrai martyr. Nous autres, nous cachions tous dans nos pupitres du chocolat, des pots de confiture, jusqu'à de la charcuterie, qui nous aidèrent à ne pas manger tout à fait sec le pain dont nous emplissions nos poches. Lui, qui n'avait pas un
10 parent dans la ville, et qui se refusait d'ailleurs de pareilles douceurs, s'en tint strictement aux quelques croûtes qu'il put trouver.

Le surlendemain, le proviseur ayant déclaré que, puisque les élèves s'entêtaient à ne pas toucher aux plats, il allait cesser de faire distribuer du pain, la révolte éclata, au déjeuner. C'était le jour des haricots à la sauce blanche.

Le grand Michu, dont une faim atroce devait troubler la tête, se leva brusquement. Il prit l'assiette du pion, qui mangeait à belles dents, pour nous narguer et nous donner envie, la jeta au
20 milieu de la salle, puis entonna la *Marseillaise* d'une voix forte.

Ce fut comme un grand souffle qui nous souleva tous. Les assiettes, les verres, les bouteilles, dansèrent une jolie danse. Et les pions, enjambant les débris, se hâtèrent de nous abandonner le réfectoire. Le gringalet, dans sa fuite, reçut sur les épaules

---

[12] **à la digérer:** *to stomach it.*

un plat de haricots, dont la sauce lui fit une large collerette
blanche.

Cependant, il s'agissait de fortifier la place. Le grand Michu
fut nommé général. Il fit porter, entasser les tables devant les
portes. Je me souviens que nous avions tous pris nos couteaux
à la main. Et la *Marseillaise* tonnait toujours. La révolte
tournait à la révolution. Heureusement, on nous laissa à nous-
mêmes pendant trois grandes heures. Il paraît qu'on était allé
chercher la garde. Ces trois heures de tapage suffirent pour nous
calmer.   10

Il y avait au fond du réfectoire deux larges fenêtres qui donnaient sur la cour. Les plus timides, épouvantés de la longue
impunité dans laquelle on nous laissait, ouvrirent doucement une
des fenêtres et disparurent. Ils furent peu à peu suivis par les
autres élèves. Bientôt le grand Michu n'eut plus qu'une dizaine
d'insurgés autour de lui. Il leur dit alors d'une voix rude :

— Allez retrouver les autres, il suffit qu'il y ait un coupable.

Puis s'adressant à moi qui hésitais, il ajouta :

— Je te rends ta parole, entends-tu !

Lorsque la garde eut enfoncé une des portes, elle trouva le 20
grand Michu tout seul, assis tranquillement sur le bout d'une
table, au milieu de la vaisselle cassée. Le soir même, il fut renvoyé
à son père. Quant à nous, nous profitâmes peu de cette révolte.
On évita bien pendant quelques semaines de nous servir de la
morue et des haricots. Puis, ils reparurent ; seulement la morue
était à la sauce blanche, et les haricots, à la sauce rousse.

VI

Longtemps après, j'ai revu le grand Michu. Il n'avait pu
continuer ses études. Il cultivait à son tour les quelques bouts de
terre que son père lui avait laissés en mourant.

— J'aurais fait, m'a-t-il dit, un mauvais avocat ou un mauvais
médecin, car j'avais la tête bien dure. Il vaut mieux que je sois
un paysan. C'est mon affaire . . . N'importe, vous m'avez
joliment lâché. Et moi qui justement adorais la morue et les
haricots !

EXERCICES

I. Répondez aux questions suivantes:

1. Faites le portrait physique du grand Michu.
2. Quel métier avait fait le père du grand Michu?
3. Quel âge avait le grand Michu à son entrée au collège?
4. Comment le grand Michu se trouvait-il au collège?
5. Que pensez-vous de la qualité de la nourriture des élèves au collège?
6. Quelle fut la raison de la révolte?
7. Comment cette révolte fut-elle organisée?
8. Racontez la conduite héroïque du grand Michu.
9. Quelles furent les conséquences de cette révolte?
10. Est-ce que le grand Michu détestait la morue et les haricots?

II. Reconstruisez l'histoire en vous servant des phrases suivantes comme base:

1. Une après-midi, à la récréation de quatre heures, le grand Michu me prit à part, dans un coin de la cour.
2. Aussi, pendant que le grand Michu parlait, étais-je en admiration devant lui.
3. Je me souviens encore du singulier effet que me produisit cette menace.
4. On faillit mettre le grand Michu à la porte.
5. Le grand Michu avait toujours faim.
6. Le soir, au réfectoire—c'était le jour de la morue à la sauce rousse—la grève commença avec un ensemble vraiment beau.
7. Et les pions, enjambant les débris, se hâtèrent de nous abandonner le réfectoire.
8. Bientôt le grand Michu n'eut plus qu'une dizaine d'insurgés autour de lui.
9. Le soir même, il fut renvoyé à son père.
10. Quant à nous, nous profitâmes peu de cette révolte.

III. Employez les mots et les expressions suivantes dans des questions basées sur l'histoire:

1. carrément	9. volontiers
2. un complot	10. les haricots à la sauce blanche
3. la cloche	11. à discrétion
4. le réfectoire	12. le surlendemain
5. faire le coup de feu	13. entonner
6. se plaire à	14. entasser les tables
7. la morue	15. la vaisselle cassée
8. se plaindre.	

LES ÉTOILES

RÉCIT D'UN BERGER PROVENCAL

ALPHONSE DAUDET

Alphonse Daudet (1840–1897), qui appartient aussi à l'école naturaliste, n'a pas cependant commis les mêmes fautes de goût que Zola. Né en Provence, doué d'une imagination vive et facile, il s'est moqué très spirituellement et sans malice des exagérations des Provençaux dans le célèbre Tartarin de Tarascon *(1872) et dans* Tartarin sur les Alpes. *La bonté de Daudet, son humanité, sa tendresse émue devant les misères des petits, des humbles, des enfants, l'ont fait souvent comparer à Charles Dickens. Daudet a raconté dans* Le Petit chose, *ouvrage en partie autobiographique, les souffrances de son enfance solitaire. D'une sensibilité profonde, Daudet passe tour à tour de la mélancolie à un optimisme souriant, spirituel et enjoué. Daudet a écrit de nombreux romans:* Le Nabab *(1877),* Numa Roumestan *(1881),* L'Evangéliste *(1883), etc., et surtout* Fromont jeune et Risler aîné *(1874), qui fut son premier grand succès. Mais ses contes* Lettres de mon moulin *(1869) et les* Contes du lundi *(1873) restent la partie la plus gracieuse et sans doute la plus durable de son œuvre. Daudet est un conteur exquis, plein de vie et de vérité. Son style est soigné, bien que familier, et plein de sève.*

DU TEMPS que je gardais les bêtes sur le Lubéron,[1] je restais des semaines entières sans voir âme qui vive,[2] seul dans le pâturage avec mon chien Labri et mes ouailles. De temps en temps

---

[1] **Luberon:** a mountain chain in the lower Alps, in the northern part of Provence.

[2] **âme qui vive:** *a living soul.*

l'ermite du Mont-de-Lure passait par là pour chercher des
simples ou bien j'apercevais la face noire de quelque charbonnier
du Piémont;[3] mais c'étaient des gens naïfs, silencieux à force de
solitude,[4] ayant perdu le goût de parler et ne sachant rien de ce
qui se disait en bas dans les villages et les villes. Aussi, tous les
quinze jours, lorsque j'entendais, sur le chemin qui monte, les
sonnailles du mulet de notre ferme m'apportant les provisions
de quinzaine, et que je voyais apparaître peu à peu, au-dessus
de la côte, la tête éveillée du petit *miarro* (garçon de ferme), ou
10 la coiffe rousse de la vieille tante Norade, j'étais vraiment bien
heureux. Je me faisais raconter les nouvelles du pays d'en bas,
les baptêmes, les mariages; mais ce qui m'intéressait surtout,
c'était de savoir ce que devenait la fille de mes maîtres, notre
demoiselle, Stéphanette, la plus jolie qu'il y eût à dix lieues à la
ronde.[5] Sans avoir l'air d'y prendre trop d'intérêt, je m'informais
si elle allait beaucoup aux fêtes, aux veillées, s'il lui venait toujours
de nouveaux galants, et à ceux qui me demanderont ce que ces
choses-là pouvaient me faire, à moi pauvre berger de la montagne,
je répondrai que j'avais vingt ans et que cette Stéphanette était
20 ce que j'avais vu de plus beau dans ma vie.

Or, un dimanche que j'attendais les vivres de quinzaine,[6] il se
trouva qu'ils n'arrivèrent que très tard. Le matin je me disais:
«C'est la faute de la grand'messe»; puis, vers midi, il vint un gros
orage, et je pensai que la mule n'avait pas pu se mettre en route
à cause du mauvais état des chemins. Enfin, sur les trois heures,[7]
le ciel étant lavé,[8] la montagne luisante d'eau et de soleil,
j'entendis parmi l'égouttement des feuilles et le débordement des
ruisseaux gonflés les sonnailles de la mule, aussi gaies, aussi
alertes qu'un grand carillon de cloches un jour de Pâques. Mais
30 ce n'était pas le petit *miarro*, ni la vieille Norade qui la conduisait.

---

[3] **Piémont:** northern part of Italy east of the French Alps, with Turin its
principal city. Many charcoal-makers come from Piémont to work in the
forests of the French Alps.
[4] **silencieux . . . solitude:** *silent for having been alone too long.*
[5] **à . . . ronde:** *within a radius of ten leagues.*
[6] **les vivres . . . quinzaine:** *supplies for a fortnight.*
[7] **sur . . . heures:** *at about three o'clock.*
[8] **étant lavé:** *having cleared.*

C'était . . . devinez qui! . . . notre demoiselle, mes enfants!
notre demoiselle en personne, assise droite entre les sacs d'osier,
toute rose de l'air des montagnes et du rafraîchissement de
l'orage.

Le petit était malade, tante Norade en vacances chez ses
enfants. La belle Stéphanette m'apprit tout ça, en descendant de
sa mule, et aussi qu'elle arrivait tard parce qu'elle s'était perdue
en route; mais à la voir[9] si bien endimanchée, avec son ruban à
fleurs,[10] sa jupe brillante et ses dentelles, elle avait plutôt l'air
de s'être attardée à quelque danse que d'avoir cherché son 10
chemin dans les buissons. O la mignonne créature! Mes yeux ne
pouvaient se lasser de la regarder.[11] Il est vrai que je ne l'avais
jamais vue de si près. Quelquefois l'hiver, quand les troupeaux
étaient descendus dans la plaine et que je rentrais le soir à la
ferme pour souper, elle traversait la salle vivement, sans guère
parler aux serviteurs, toujours parée et un peu fière . . . Et
maintenant je l'avais là devant moi, rien que pour moi; n'était-ce
pas à en perdre la tête?

Quand elle eut tiré les provisions du panier, Stéphanette se
mit à regarder curieusement autour d'elle. Relevant un peu sa 20
belle jupe du dimanche qui aurait pu s'abîmer, elle entra dans le
parc, voulut voir le coin où je couchais, la crèche de paille avec
la peau de mouton, ma grande cape accrochée au mur, ma crosse,
mon fusil à pierre. Tout cela l'amusait.

— Alors c'est ici que tu vis, mon pauvre berger? Comme tu
dois t'ennuyer d'être toujours seul! Qu'est-ce que tu fais? A
quoi penses-tu? . . .

J'avais envie de répondre: «A vous, maîtresse,» et je n'aurais
pas menti; mais mon trouble était si grand que je ne pouvais pas
seulement trouver une parole. Je crois bien qu'elle s'en apercevait, 30
et que la méchante prenait plaisir à redoubler mon embarras
avec ses malices:

— Et ta bonne amie,[12] berger, est-ce qu'elle monte te voir

---

[9] à la voir: *seeing her.*
[10] ruban à fleurs: *flowered ribbon.*
[11] Mes . . . regarder: *My eyes never wearied of looking at her.*
[12] bonne amie: *sweetheart.*

quelquefois ? . . . Ça doit être bien sûr la chèvre d'or, ou cette
fée Estérelle qui ne court qu'à la pointe des montagnes . . .

Et elle-même, en me parlant, avait bien l'air de la fée Estérelle,
avec le joli rire de sa tête renversée et sa hâte de s'en aller qui
faisait de sa visite une apparition.

— Adieu, berger.

— Salut, maîtresse.

Et la voilà partie, emportant ses corbeilles vides.

Lorsqu'elle disparut dans le sentier en pente, il me semblait
10 que les cailloux, roulant sous les sabots de la mule, me tombaient
un à un sur le cœur. Je les entendis longtemps, longtemps ; et
jusqu'à la fin du jour je restai comme ensommeillé, n'osant
bouger, de peur de faire en aller mon rêve. Vers le soir, comme
le fond des vallées commençait à devenir bleu et que les bêtes
se serraient en bêlant l'une contre l'autre pour rentrer au *parc*,
j'entendis qu'on m'appelait dans la descente, et je vis paraître
notre demoiselle, non plus rieuse ainsi que tout à l'heure, mais
tremblante de froid, de peur, de mouillure. Il paraît qu'au bas
de la côte elle avait trouvé la Sorgue[13] grossie par la pluie d'orage,
20 et qu'en voulant passer à toute force elle avait risqué de se noyer.
Le terrible, c'est qu'à cette heure de nuit il ne fallait plus songer
à retourner à la ferme ; car le chemin par la traverse, notre
demoiselle n'aurait jamais su s'y retrouver toute seule, et moi je
ne pouvais pas quitter le troupeau. Cette idée de passer la nuit
sur la montagne la tourmentait beaucoup, surtout à cause de
l'inquiétude des siens. Moi, je la rassurais de mon mieux :

— En juillet, les nuits sont courtes, maîtresse . . . Ce n'est
qu'un mauvais moment.

Et j'allumai vite un grand feu pour sécher ses pieds et sa robe
30 toute trempée de l'eau de la Sorgue. Ensuite j'apportai devant
elle du lait, des fromageons ; mais la pauvre petite ne songeait ni
à se chauffer, ni à manger, et de voir les grosses larmes qui
montaient dans ses yeux, j'avais envie de pleurer, moi aussi.

Cependant la nuit était venue tout à fait. Il ne restait plus sur
la crête des montagnes qu'une poussière de soleil, une vapeur de

[13] **la Sorgue :** a small river in northern Provence that empties into the
Rhône.

lumière du côté du couchant. Je voulus que notre demoiselle
entrât se reposer dans le *parc*. Ayant étendu sur la paille fraîche
une belle peau toute neuve, je lui souhaitai la bonne nuit, et
j'allai m'asseoir dehors devant la porte . . . Dieu m'est témoin
que, malgré le feu d'amour qui me brûlait le sang, aucune mauvaise pensée ne me vint; rien qu'une grande fierté de songer que
dans un coin du *parc*, tout près du troupeau curieux qui la
regardait dormir, la fille de mes maîtres, — comme une brebis
plus précieuse que toutes les autres, — reposait, confiée à ma
garde. Jamais le ciel ne m'avait paru si profond, les étoiles si 10
brillantes . . . Tout à coup, la claire-voie du *parc* s'ouvrit et la
belle Stéphanette parut. Elle ne pouvait pas dormir. Les bêtes
faisaient crier la paille en remuant, ou bêlaient dans leurs rêves.
Elle aimait mieux venir près du feu. Voyant cela, je lui jetai ma
peau de bique sur les épaules, j'activai la flamme, et nous restâmes
assis·l'un près de l'autre sans parler. Si vous avez jamais passé
la nuit à la belle étoile,[14] vous savez qu'à l'heure où nous dormons,
un monde mystérieux s'éveille dans la solitude et le silence. Alors
les sources chantent bien plus clair, les étangs allument des
petites flammes. Tous les esprits de la montagne vont et viennent 20
librement; et il y a dans l'air des frôlements, des bruits imper-
ceptibles, comme si l'on entendait les branches grandir, l'herbe
pousser. Le jour, c'est la vie des êtres; mais la nuit, c'est la vie
des choses. Quand on n'en a pas l'habitude, ça fait peur . . .
Aussi notre demoiselle était toute frissonnante et se serrait
contre moi au moindre bruit. Une fois, un cri long, mélancolique,
parti de l'étang qui luisait plus bas, monta vers nous en ondulant.
Au même instant une belle étoile filante glissa par-dessus nos
têtes dans la même direction, comme si cette plainte que nous
venions d'entendre portait une lumière avec elle.   30
    — Qu'est-ce que c'est? me demanda Stéphanette à voix basse.
    — Une âme qui entre en paradis, maîtresse; et je fis le signe
de la croix.
    Elle se signa aussi, et resta un moment la tête en l'air, très
recueillie. Puis elle me dit:

---

[14] **passé . . . étoile:** *slept out in the open.*

— C'est donc vrai, berger, que vous êtes sorciers, vous autres ?[15]

— Nullement, notre demoiselle. Mais ici nous vivons plus près des étoiles, et nous savons ce qui s'y passe mieux que des gens de la plaine.

Elle regardait toujours en haut,[16] la tête appuyée dans la main, entourée de la peau de mouton comme un petit pâtre céleste:

— Qu'il y en a! Que c'est beau! Jamais je n'en avais tant vu . . . Est-ce que tu sais leurs noms, berger?

— Mais oui, maîtresse . . . Tenez! juste au-dessus de nous,
10 voilà le *chemin de saint Jacques* (la voie lactée). Il va de France droit sur l'Espagne. C'est saint Jacques de Galice[17] qui l'a tracé pour montrer sa route au brave Charlemagne[18] lorsqu'il faisait la guerre aux Sarrasins. Plus loin, vous avez le *char des âmes* (la grande Ourse) avec ses quatre essieux resplendissants. Les trois étoiles qui vont devant sont les *Trois bêtes*, et cette toute petite contre la troisième c'est le *charretier*. Voyez-vous tout autour cette pluie d'étoiles qui tombent? ce sont les âmes dont le bon Dieu ne veut pas chez lui . . . Un peu plus bas, voici le *Râteau* ou les *Trois rois* (Orion). C'est ce qui nous sert d'horloge, à nous
20 autres. Rien qu'en les regardant,[19] je sais maintenant qu'il est minuit passé . . . Mais la plus belle de toutes les étoiles, maîtresse, c'est la nôtre, c'est l'*Étoile du berger*, qui nous éclaire à l'aube quand nous sortons le troupeau, et aussi le soir quand nous le rentrons. Nous la nommons encore *Maguelonne*, la belle Maguelonne qui court après *Pierre de Provence* (Saturne) et se marie avec lui tous les sept ans.

— Comment! berger, il y a donc des mariages d'étoiles?

— Mais oui, maîtresse.

Et comme j'essayais de lui expliquer ce que c'était que ces
30 mariages, je sentis quelque chose de frais et de fin peser légèrement sur mon épaule. C'était sa tête alourdie de sommeil qui

---

[15] **vous autres:** *you people.*
[16] **en haut:** *in the sky.*
[17] **saint Jacques de Galice:** *Saint Jacques de Compostelle* (c. A.D. 800).
[18] **Charlemagne:** (742–814), king of the Franks, who, according to the *Song of Roland,* went to Spain to fight the Saracens.
[19] **Rien . . . regardant:** *Merely by looking at them.*

s'appuyait contre moi avec un joli froissement de rubans, de dentelles et de cheveux ondés. Elle resta ainsi sans bouger jusqu'au moment où les astres du ciel pâlirent, effacés par le jour qui montait. Moi, je la regardais dormir, un peu troublé au fond de mon être, mais saintement protégé par cette claire nuit qui ne m'a jamais donné que de belles pensées. Autour de nous, les étoiles continuaient leur marche silencieuse, dociles comme un grand troupeau; et par moment je me figurais qu'une de ces étoiles, la plus fine, la plus brillante, ayant perdu sa route, était venue se poser sur mon épaule pour dormir . . .   10

EXERCICES

I. Répondez aux questions suivantes:

1. Le berger avait-il souvent des visiteurs?
2. Combien de fois par mois recevait-il ses provisions et les nouvelles du pays?
3. Qu'est-ce qui intéressait surtout le berger?
4. Qui fut obligé de conduire la mule chargée de vivres un dimanche d'orage?
5. Pourquoi Stéphanette fut-elle obligée de revenir passer la nuit sur la montagne?
6. Quels soins donna le berger à Stéphanette?
7. A quoi le berger et Stéphanette passèrent-ils leur temps?
8. Qu'est-ce que le berger essaya d'expliquer à la jeune fille?
9. Stéphanette l'écouta-t-elle longtemps?
10. Décrivez les étoiles cette nuit-là.
11. Que se figurait le berger en les regardant?

II. Complétez les phrases suivantes:

1. Or, un dimanche que j'attendais . . . .
2. Quand elle eut tiré les provisions du panier, Stéphanette . . . .
3. Vers le soir . . . j'entendis qu'on . . . .
4. La pauvre petite ne songeait ni à . . . .
5. Si vous avez jamais passé la nuit à la belle étoile, vous savez . . . .
6. Au même instant une belle étoile filante . . . .
7. Elle resta ainsi sans bouger . . . .
8. Et comme j'essayais de lui expliquer . . . .

III. Racontez l'histoire en vous servant d'autant de ces mots et de ces expressions que possible:

1. garder les bêtes
2. se faire raconter
3. sur les trois heures
4. se lasser de
5. endimanchée
6. salut
7. un sentier en pente
8. de son mieux
9. passer une nuit à la belle étoile
10. le froissement des rubans
11. se figurer
12. il est minuit passé
13. sur les trois heures
14. se perdre en route
15. s'être attardé

LE SECRET DE MAÎTRE CORNILLE

ALPHONSE DAUDET

FRANCET MAMAÏ, un vieux joueur de fifre, qui vient de temps en temps faire la veillée[1] chez moi, en buvant du vin cuit, m'a raconté l'autre soir un petit drame de village dont mon moulin a été témoin il y a quelque vingt ans. Le récit du bonhomme m'a touché, et je vais essayer de vous le redire tel que je l'ai entendu.

Imaginez-vous pour un moment, chers lecteurs, que vous êtes assis devant un pot de vin tout parfumé, et que c'est un vieux joueur de fifre qui vous parle.

Notre pays, mon bon monsieur, n'a pas toujours été un endroit mort et sans renom, comme il est aujourd'hui. Autre temps, il s'y 10 faisait un grand commerce de meunerie, et, dix lieues à la ronde,[2] les gens des *mas*[3] nous apportaient leur blé à moudre. . . . Tout autour du village, les collines étaient couvertes de moulins à vent. De droite et de gauche on ne voyait que des ailes qui viraient au mistral[4] par-dessus les pins, des ribambelles de petits ânes chargés de sacs, montant et dévalant le long des chemins; et toute la semaine c'était plaisir d'entendre sur la hauteur le bruit de fouets, le craquement de la toile et le *Dia hue!*[5] des aides-meuniers. . . . Le dimanche nous allions aux moulins, par bandes. Là-haut, les meuniers payaient le muscat. Les meunières étaient belles 20 comme des reines, avec leurs fichus de dentelles et leurs croix d'or. Moi, j'apportais mon fifre, et jusqu'à la noire nuit on

---

[1] faire . . . la veillée: *spending the evening.*
[2] dix . . . ronde: *within a radius of ten leagues.*
[3] mas: Provençal farmhouse.
[4] le mistral: the very strong north wind of the Rhône Valley.
[5] «Dia hue!»: cry of the carter, meaning *right, left.*

dansait des farandoles.[6] Ces moulins-là, voyez-vous, faisaient la joie[7] et la richesse de notre pays.

Malheureusement, des Français de Paris eurent l'idée d'établir une minoterie à vapeur, sur la route de Tarascon.[8] Tout beau, tout nouveau![9] les gens prirent l'habitude d'envoyer leurs blés aux minotiers, et les pauvres moulins à vent restèrent sans ouvrage. Pendant quelque temps ils essayèrent de lutter, mais la vapeur fut la plus forte, et l'un après l'autre, *pécaïre!*[10] ils furent tous obligés de fermer . . . On ne vit plus venir les petits ânes.

10 . . . Les belles meunières vendirent leurs croix d'or . . . Plus de muscat! plus de farandole! . . . Le mistral avait beau souffler, les ailes restaient immobiles . . . Puis, un beau jour, la commune fit jeter toutes ces masures à bas, et l'on sema à leur place de la vigne et des oliviers.

Pourtant, au milieu de la débâcle, un moulin avait tenu bon et continuait de virer courageusement sur sa butte, à la barbe des minotiers. C'était le moulin de maître Cornille, celui-là même où nous sommes en train de faire la veillée en ce moment.

Maître Cornille était un vieux meunier, vivant depuis soixante 20 ans dans la farine et enragé pour son état. L'installation des minoteries l'avait rendu comme fou. Pendant huit jours, on le vit courir par le village, ameutant le monde autour de lui et criant de toutes ses forces qu'on voulait empoisonner la Provence avec la farine de minotiers. «N'allez pas là-bas, disait-il; ces brigands-là, pour faire le pain, se servent de la vapeur, qui est une invention du diable, tandis que moi je travaille avec le mistral et la tramontane,[11] qui sont la respiration du bon Dieu . . .» Et il trouvait comme cela une foule de belles paroles à la louange des moulins à vent, mais personne ne les écoutait.

30 Alors, de male rage,[12] le vieux s'enferma dans son moulin et

---

[6] **farandoles:** a popular dance of Provence, danced to the music of fife and drums.
[7] **faisaient la joie:** *were a source of joy.*
[8] **Tarascon:** a small town situated on the Rhône near Avignon.
[9] **Tout . . . nouveau:** *novelty always attracts.*
[10] **pécaïre:** Provençal expression meaning *too bad.*
[11] **la tramontane:** the north wind along the Mediterranean coast.
[12] **male rage:** *wild anger.*

vécut tout seul comme une bête farouche. Il ne voulut pas même
garder près de lui sa petite-fille Vivette, une enfant de quinze ans,
qui, depuis la mort de ses parents, n'avait plus que son *grand*[13]
au monde. La pauvre petite fut obligée de gagner sa vie et de se
louer un peu partout[14] dans les *mas*, pour la moisson, les magnans
ou les olivades. Et pourtant son grand-père avait l'air de bien
l'aimer, cette enfant-là. Il lui arrivait souvent de faire ses quatre
lieues à pied par le grand soleil pour aller la voir au *mas* où elle
travaillait, et quand il était près d'elle, il passait des heures
entières à la regarder en pleurant. . . .   10

Dans le pays on pensait que le vieux meunier, en renvoyant
Vivette avait agi par avarice; et cela ne lui faisait pas honneur
de laisser sa petite-fille ainsi traîner d'une ferme à l'autre, exposée
aux brutalités des *baïles*[15] et à toutes les misères des jeunesses en
condition.[16] On trouvait très mal aussi qu'un homme du renom
de maître Cornille, et qui, jusque-là, s'était respecté, s'en allât
maintenant par les rues comme un vrai bohémien, pieds nus, le
bonnet troué, la *taillole*[17] en lambeaux . . . Le fait est que le
dimanche, lorsque nous le voyions entrer à la messe, nous avions
honte pour lui, nous autres les vieux;[18] et Cornille le sentait si 20
bien qu'il n'osait plus venir s'asseoir sur le banc d'œuvre. Toujours
il restait au fond de l'église, près du bénitier, avec les pauvres.

Dans la vie de maître Cornille il y avait quelque chose qui
n'était pas clair. Depuis longtemps personne, au village, ne lui
portait plus de blé, et pourtant les ailes de son moulin allaient
toujours leur train comme devant[19] . . . Le soir, on rencontrait
par les chemins le vieux meunier poussant devant lui son âne
chargé de gros sacs de farine.

— Bonnes vêpres,[20] maître Cornille! lui criaient les paysans;
ça va donc toujours, la meunerie.   30

---

[13] **grand:** familiar for *grandfather.*
[14] **un peu partout:** *almost anywhere.*
[15] **baïles:** *farm hands.*
[16] **des . . . conditions:** *servant girls.*
[17] **la taillole:** *a broad, wooden sash.*
[18] **nous . . . vieux:** *we old folks.*
[19] **comme devant:** *as formerly.*
[20] **Bonnes vêpres:** *Good afternoon.*

— Toujours, mes enfants, répondait le vieux d'un air gaillard.
Dieu merci, ce n'est pas l'ouvrage qui nous manque.

Alors, si on lui demandait d'où diable pouvait venir tant
d'ouvrage, il se mettait un doigt sur les lèvres et répondait
gravement: «*Motus!*[21] je travaille pour l'exportation . . .» Jamais
on n'en put tirer davantage.[22]

Quant à mettre le nez dans son moulin, il n'y fallait pas songer.
La petite Vivette elle-même n'y entrait pas . . .

Lorsqu'on passait devant, on voyait la porte toujours fermée,
10 les grosses ailes toujours en mouvement, le vieil âne broutant le
gazon de la plate-forme, et un grand chat maigre qui prenait le
soleil sur le rebord de la fenêtre et vous regardait d'un air
méchant.

Tout cela sentait le mystère et faisait beaucoup jaser le monde.
Chacun expliquait à sa façon le secret de maître Cornille, mais
le bruit général était qu'il y avait dans ce moulin-là encore plus
de sacs d'écus que de sacs de farine.

À la longue pourtant tout se découvrit; voici comment:

En faisant danser la jeunesse avec mon fifre, je m'aperçus un
20 beau jour que l'aîné de mes garçons et la petite Vivette s'étaient
rendus amoureux l'un de l'autre. Au fond je n'en fus pas fâché,
parce qu'après tout le nom de Cornille était en honneur chez
nous, et puis ce joli petit passereau de Vivette[23] m'aurait fait
plaisir à voir trotter dans ma maison. Seulement, comme nos
amoureux avaient souvent occasion d'être ensemble, je voulus
régler l'affaire tout de suite, et je montai jusqu'au moulin pour
en toucher deux mots[24] au grand-père . . . Ah! le vieux sorcier!
il faut voir de quelle manière il me reçut! Impossible de lui faire
ouvrir sa porte. Je lui expliquai mes raisons tant bien que mal,
30 à travers le trou de la serrure; et tout le temps que je parlais, il
y avait ce coquin de chat maigre qui soufflait comme un diable
au-dessus de ma tête.

Le vieux ne me donna pas le temps de finir, et me cria fort

---

[21] **Motus!:** *Not a word.*
[22] **Jamais . . . davantage:** *We could never get anything more out of him.*
[23] **ce . . . Vivette:** *Vivette, that pretty little sparrow.*
[24] **en . . . mots:** *to say a few words about it.*

malhonnêtement de retourner à ma flûte; que, si j'étais pressé de marier mon garçon, je pouvais bien aller chercher des filles à la minoterie . . . Pensez que le sang me montait d'entendre ces mauvaises paroles; mais j'eus tout de même assez de sagesse pour me contenir, et, laissant ce vieux fou à sa meule, je revins annoncer aux enfants ma déconvenue . . . Ces pauvres agneaux ne pouvaient pas y croire; ils me demandèrent comme une grâce de monter tous deux ensemble au moulin, pour parler au grand-père . . . Je n'eus pas le courage de refuser, et prrrt![25] voilà mes amoureux partis.   10

Tout juste comme ils arrivaient là-haut, maître Cornille venait de sortir. La porte était fermée à double tour; mais le vieux bonhomme, en partant, avait laissé son échelle dehors, et tout de suite l'idée vint aux enfants d'entrer par la fenêtre, voir un peu ce qu'il y avait dans ce fameux moulin . . .

Chose singulière! la chambre de la meule était vide . . . Pas un sac, pas un grain de blé; pas la moindre farine aux murs ni sur les toiles d'araignée . . . On ne sentait pas même cette bonne odeur chaude de froment écrasé qui embaume dans les moulins . . . L'arbre de couche[26] était couvert de poussière, et le grand 20 chat maigre dormait dessus:

La pièce du bas avait le même air de misère et d'abandon: — un mauvais lit, quelques guenilles, un morceau de pain sur une marche d'escalier, et puis dans un coin trois ou quatre sacs crevés d'où coulaient des gravats et de la terre blanche.

C'était là le secret de maître Cornille! C'était ce plâtras qu'il promenait le soir par les routes, pour sauver l'honneur du moulin et faire croire qu'on y faisait de la farine . . . Pauvre moulin! Pauvre Cornille! Depuis longtemps les minotiers leur avaient enlevé leur dernière pratique. Les ailes viraient toujours, 30 mais la meule tournait à vide.[27]

Les enfants revinrent tout en larmes, me conter ce qu'ils avaient vu. J'eus le cœur crevé de les entendre . . . Sans perdre une minute, je courus chez les voisins, je leur dis la chose en deux

---

[25] **prrrt!**: *quick as a flash!*
[26] **L'arbre de couche**: *The shaft of the mill.*
[27] **tournait à vide**: *was grinding nothing.*

mots, et nous convînmes qu'il fallait, sur l'heure,[28] porter au moulin Cornille tout ce qu'il y avait de froment dans les maisons . . . Sitôt dit, sitôt fait. Tout le village se met en route, et nous arrivons là-haut avec une procession d'ânes chargés de blé, — du vrai blé, celui-là!

Le moulin était grand ouvert . . . Devant la porte, maître Cornille, assis sur un sac de plâtre, pleurait, la tête dans ses mains. Il venait de s'apercevoir, en rentrant, que pendant son absence on avait pénétré chez lui et surpris son triste secret.

10 — Pauvre de moi![29] disait-il. Maintenant, je n'ai plus qu'à mourir . . . Le moulin est déshonoré.

Et il sanglotait à fendre l'âme,[30] appelant son moulin par toutes sortes de noms, lui parlant comme à une personne véritable.

A ce moment, les ânes arrivent sur la plate-forme, et nous nous mettons tous à crier bien fort comme au beau temps des meuniers:

— Ohé du moulin! . . . Ohé! maître Cornille!

Et voilà les sacs qui s'entassent devant la porte et le beau grain roux qui se répand par terre, de tous côtés . . .

20 Maître Cornille ouvrait de grands yeux.[31] Il avait pris du blé dans le creux de sa vieille main et il disait, riant et pleurant à la fois:

— C'est du blé! . . . Seigneur Dieu! . . . Du bon blé! . . . Laissez-moi, que je le regarde.

Puis, se tournant vers nous:

— Ah! je savais bien que vous me reviendriez . . . Tous ces minotiers sont des voleurs.

Nous voulions l'emporter en triomphe au village:

— Non, non, mes enfants; il faut avant tout que j'aille donner 30 à manger à mon moulin . . . Pensez donc! il y a si longtemps qu'il ne s'est rien mis sous la dent!

Et nous avions tous des larmes dans les yeux de voir le pauvre vieux se démener de droite et de gauche, éventrant les sacs,

---

[28] **sur l'heure:** *without delay.*
[29] **Pauvre de moi!:** *Poor me!*
[30] **à fendre l'âme:** *to break one's heart.*
[31] **ouvrait . . . yeux:** *opened his eyes wide.*

surveillant la meule, tandis que le grain s'écrasait et que la fine
poussière de froment s'envolait au plafond.

C'est une justice à nous rendre: à partir de ce jour-là, jamais
nous ne laissâmes le vieux meunier manquer d'ouvrage. Puis, un
matin, maître Cornille mourut, et les ailes de notre dernier
moulin cessèrent de virer, pour toujours cette fois . . . Cornille
mort, personne ne prit sa suite. Que voulez-vous, monsieur! . . .
tout a une fin en ce monde, et il faut croire que le temps des
moulins à vent était passé comme celui des coches sur le Rhône,[32]
des parlements[33] et des jaquettes à grandes fleurs.[34]   10

EXERCICES

I. Répondez aux questions suivantes:

1. Racontez ce qu'était le pays avant les moulins à vapeur.
2. Qu'arriva-t-il après l'établissement de la minoterie?
3. Combien de moulins avaient tenu bon au milieu de la débâcle?
4. Qui était Maître Cornille? Quel effet l'installation des minoteries
   eut-elle sur Maître Cornille?
5. De quoi les gens s'étonnaient-ils?
6. Pourquoi le vieux Mamaï monta-t-il un soir au moulin? Comment fut-il accueilli?
7. Que trouvèrent les deux jeunes gens lorsqu'ils visitèrent le
   moulin?
8. Que fit Francet Mamaï lorsqu'il apprit la détresse de Maître
   Cornille?
9. Comment les habitants du village répondirent-ils à cet appel?
10. Dans quel état trouvèrent-ils Maître Cornille?
11. Quand les ailes du dernier moulin cessèrent-elles de tourner?

**II. Écrivez une composition en vous servant de ces mots et de ces
expressions:**

1. sans renom	7. enragé pour son état
2. dix heures à la ronde	8. en condition
3. c'était plaisir d'entendre	9. rencontrer par les chemins
4. un moulin à vapeur	10. en tirer davantage
5. le mistral	11. tant bien que mal
6. faire la veillée	12. tout de même

[32] **des . . . Rhône:** passenger boats towed by horses.
[33] **des parlements:** legislative bodies of semi-independent Provence.
[34] **des . . . fleurs:** flowered waistcoats characteristic of former times.

13. fermer à double tour
14. tourner à vide
15. avoir le cœur crevé
16. sur l'heure

17. mettre sous la dent
18. se démener
19. faire croire
20. à fendre l'âme

III. Expliquez l'incident de l'histoire d'où sont tirées les citations suivantes:

1. Le récit du bonhomme m'a touché.
2. Le dimanche, nous allions aux moulins, par bandes.
3. Les belles meunières vendirent leurs croix d'or.
4. Pendant huit jours on le (Maître Cornille) vit courir par le village.
5. La pauvre petite fut obligée de gagner sa vie.
6. Dans la vie de Maître Cornille, il y avait quelque chose qui n'était pas clair.
7. Lorsqu'on passait devant, on voyait la porte toujours fermée.
8. Le vieux . . . me cria fort malhonnêtement de retourner à ma flûte.
9. Pas un sac, pas un grain de blé; pas la moindre farine aux murs ni sur les toiles d'araignée.
10. À ce moment, les ânes arrivent sur la plate-forme.
11. Nous voulions l'emporter en triomphe au village.
12. Cornille mort, personne ne prit la suite.

LA DÉFENSE DE TARASCON

ALPHONSE DAUDET

DIEU SOIT loué! J'ai enfin des nouvelles de Tarascon. Depuis cinq mois, je ne vivais plus, j'étais d'une inquiétude . . . Connaissant l'exaltation de cette bonne ville et l'humeur belliqueuse de ses habitants, je me disais: «Qui sait ce qu'a fait Tarascon? S'est-il rué en masse sur les barbares? S'est-il laissé bombarder comme Strasbourg, mourir de faim comme Paris, brûler vif comme Châteaudun? ou bien, dans un accès de patriotisme farouche, s'est-il fait sauter comme Laon[1] et son intrépide citadelle? . . .» Rien de tout cela, mes amis. Tarascon n'a pas brûlé, Tarascon n'a pas sauté. Tarascon est toujours à la même place, paisible- 10 ment assis au milieu des vignes, du bon soleil plein ses rues,[2] du bon muscat plein ses caves, et le Rhône qui baigne cette aimable localité emporte à la mer, comme par le passé, l'image d'une ville heureuse, des reflets de persiennes vertes,[3] de jardins bien ratissés et de miliciens en tuniques neuves faisant l'exercice tout le long du quai.

Gardez-vous de croire pourtant que Tarascon n'ait rien fait pendant la guerre. Il s'est au contraire admirablement conduit, et sa résistance héroïque, que je vais essayer de vous raconter, aura sa place dans l'histoire comme type de résistance locale, 20 symbole vivant de la défense du Midi.

---

[1] **Strasbourg . . . Laon:** allusion to the bombardment of Strasbourg, the siege of Paris, and the burning of Chateaudun by the Prussians during the Franco-Prussian War (1870–1871). The garrison at Laon blew itself up rather than surrender.
[2] **du bon . . . rues:** *the streets full of good sunlight.*
[3] **reflets de . . . vertes:** *reflections of green shutters.*

Les Orphéons

Je vous dirai donc que, jusqu'à Sedan,[4] nos braves Tarasconnais s'étaient tenus chez eux bien tranquilles. Pour ces fiers
enfants des Alpilles, ce n'était pas la patrie qui mourait là-haut;
c'étaient les soldats de l'empereur, c'était l'Empire. Mais une
fois le 4 septembre,[5] la République, Attila[6] campé sous Paris,
alors, oui! Tarascon se réveilla, et l'on vit ce que c'est qu'une
guerre nationale . . . Cela commença naturellement par une
manifestation d'orphéonistes. Vous savez quelle rage de musique
ils ont dans le Midi. A Tarascon surtout, c'est du délire. Dans
10 les rues, quand vous passez, toutes les fenêtres chantent, tous les
balcons vous secouent des romances sur la tête.

N'importe la boutique où vous entrez, il y a toujours au
comptoir une guitare qui soupire, et les garçons de pharmacie
eux-mêmes vous servent en fredonnant: *Le Rossignol — et le
Luth espagnol — Tralala — lalalala.* En dehors de ces concerts
privés, les Tarasconnais ont encore la fanfare de la ville,
la fanfare du collège, et je ne sais combien de sociétés d'orphéons.

C'est l'orphéon de Saint-Christophe et son admirable chœur
20 à trois voix: *Sauvons la France,* qui donnèrent le branle[7] au
mouvement national.

«Oui, oui, sauvons la France!» criait le bon Tarascon en
agitant des mouchoirs aux fenêtres, et les hommes battaient des
mains, et les femmes envoyaient des baisers à l'harmonieuse
phalange qui traversait le cours sur quatre rangs de profondeur,
bannière en tête et marquant fièrement le pas.

L'élan était donné. A partir de ce jour la ville changea d'aspect:
plus de guitare, plus de barcarolle.[8] Partout le *Luth espagnol* fit
place à la *Marseillaise,* et, deux fois par semaine, on s'étouffait
30 sur l'Esplanade pour entendre la fanfare du collège jouer le

---

[4] **Sedan:** the place of surrender of Napoleon III during the Franco-Prussian
War.
[5] **le 4 septembre:** date of the proclamation of the Third Republic.
[6] **Attila:** king of the Huns who in the fifth century destroyed the cities of
Gaul. He is compared here to the Germans in 1870.
[7] **donnèrent . . . branle:** *set in motion.*
[8] **barcarolle:** *song of the boatmen.*

Chant du départ.[9] Les chaises coûtaient des prix fous![10] . . .
Mais les Tarasconnais ne s'en tinrent pas là.[11]

LES CAVALCADES

Après la démonstration des orphéons, vinrent les cavalcades
historiques au bénéfice des blessés. Rien de gracieux comme de
voir, par un dimanche de beau soleil, toute cette vaillante jeunesse
tarasconnaise, en bottes molles et collantes de couleur tendre,[12]
quêter de porte en porte et caracoler sous les balcons avec de
grandes hallebardes et des filets à papillons,[13] mais le plus beau
de tout, ce fut un carrousel patriotique — François Ier à la bataille
de Pavie[14] — que ces messieurs du cercle donnèrent trois jours
de suite sur l'Esplanade. Qui n'a pas vu cela n'a jamais rien vu.
Le théâtre de Marseille avait prêté les costumes; l'or, la soie, le
velours, les étendards brodés, les écus d'armes, les cimiers, les
caparaçons, les rubans, les nœuds, les bouffettes, les fers. de
lance, les cuirasses faisaient flamber et papilloter l'Esplanade
comme un miroir aux alouettes. Par là-dessus, un grand coup de
mistral qui secouait toute cette lumière. C'était quelque chose de
magnifique. Malheureusement, lorsque après une lutte acharnée,
François Ier, — M. Bompard, le gérant du cercle, — se voyait
enveloppé par un gros de reîtres, l'infortuné Bompard avait,
pour rendre son épée, un geste d'épaules si énigmatique, qu'au
lieu de «tout est perdu fors l'honneur,»[15] il avait plutôt l'air de
dire: *Digo-li que vengue, moun bon!*[16] mais les Tarasconnais n'y
regardaient pas de si près,[17] et des larmes patriotiques étincelaient
dans tous les yeux.

[9] «**Chant du départ**»: a patriotic song, music by Méhul, words by Chénier,
sung for the first time on July 14, 1794.
[10] **prix fous**: *exorbitant prices.*
[11] **s'en . . . là**: *were not satisfied with that.*
[12] **couleur tendre**: *soft color.*
[13] **filets à papillons**: *butterfly nets.*
[14] **Pavie**: the battle in which Francis I was taken prisoner in Italy by the
Spaniards (1525).
[15] **tout . . . l'honneur**: a famous sentence from Francis I's letter to his
mother after his defeat.
[16] «**Digo-li . . . bon**»: Tell him to come here, I'll show him (Provençal).
[17] **n'y . . . de si près**: *weren't as particular as all that.*

LA TROUÉE

Ces spectacles, ces chants, le soleil, le grand air du Rhône, il n'en fallait pas plus pour monter les têtes. Les affiches du Gouvernement mirent le comble à l'exaltation. Sur l'Esplanade, les gens ne s'abordaient plus que d'un air menaçant, les dents serrées, mâchant leurs mots comme des balles. Les conversations sentaient la poudre. Il y avait du salpêtre dans l'air. C'est surtout au café de la Comédie, le matin en déjeunant, qu'il fallait les entendre, ces bouillants Tarasconnais: «Ah çà! qu'est-ce qu'ils font donc, les Parisiens avec leur général Trochu? Ils n'en 10 finissent pas de sortir[18] . . . Coquin de bon sort[19] Si c'était Tarascon! . . . Trrr! . . . Il y a longtemps qu'on l'aurait faite, la trouée!» Et pendant que Paris s'étranglait avec son pain d'avoine,[20] ces messieurs vous[21] avalaient de succulentes bartavelles[22] arrosées de bon vin des Papes, et luisants, bien repus, de la sauce jusqu'aux oreilles, ils criaient comme des sourds en tapant sur la table: «Mais faites-la donc, votre trouée . . .» et qu'ils avaient, ma foi, bien raison!

LA DÉFENSE DU CERCLE

Cependant l'invasion des barbares gagnait au sud de jour en jour. Dijon rendu, Lyon menacé, déjà les herbes parfumées de la vallée du Rhône faisaient hennir d'envie les cavales des uhlans. «Organisons notre défense!» se dirent les Tarasconnais, et tout le monde se mit à l'œuvre. En un tour de main, la ville fut blindée, barricadée, casematée. Chaque maison devint une forteresse. Chez l'armurier Costecalde, il y avait devant le magasin une tranchée d'au moins deux mètres, avec un pont-levis, quelque chose de charmant. Au cercle, les travaux de 10 défense étaient si considérables qu'on allait les voir par curiosité. M. Bompard, le gérant, se tenait en haut de l'escalier, le chassepot

---

[18] **Ils . . . sortir:** *They take an awfully long time to come out.*
[19] **Coquin . . . sort:** *Devilish luck.*
[20] **pain d'avoine:** coarse bread made with oats. This was eaten during the siege of Paris (1871).
[21] **vous:** expletive *you.* (Do not translate.)
[22] **bartavelles:** red partridges, a rare delicacy.

à la main, et donnait des explications aux dames: «S'ils arrivent par ici, pan! pan!... Si au contraire ils montent par là, pan! pan!» Et puis, à tous les coins de rues, des gens qui vous arrêtaient pour vous dire d'un air mystérieux: «Le café de la Comédie est imprenable,» ou bien encore: «On vient de torpiller l'Esplanade! ...» Il y avait de quoi faire réfléchir les barbares.

LES FRANCS-TIREURS

En même temps, des compagnies de francs-tireurs s'organisaient avec frénésie. *Frères de la mort, Chacals du Narbonnais, Espingoliers du Rhône,*[23] il y en avait de tous les noms, de toutes les couleurs, comme des centaurées dans un champ d'avoine; et des panaches, des plumes de coq, des chapeaux gigantesques, des ceintures d'une largeur!... Pour se donner l'air plus terrible, chaque franc-tireur laissait pousser sa barbe et ses moustaches, si bien qu'à la promenade le monde ne se connaissait plus. De loin vous voyiez un brigand des Abruzzes qui venait sur vous la moustache en croc,[24] les yeux flamboyants, avec un [10] tremblement de sabres, de revolvers, de yatagans; et puis quand on s'approchait, c'était le receveur Pégoulade. D'autres fois, vous rencontriez dans l'escalier Robinson Crusoé lui-même avec son chapeau pointu, son coutelas en dents de scie, un fusil sur chaque épaule; au bout du compte,[25] c'était l'armurier Costecalde qui rentrait de dîner en ville. Le diable, c'est qu'à force de se donner des allures féroces, les Tarasconnais finirent par se terrifier les uns les autres, et bientôt personne n'osa plus sortir.

LAPINS DE GARENNE ET LAPINS DE CHOUX

Le décret de Bordeaux[26] sur l'organisation des gardes nationales mit fin à cette situation intolérable. Au souffle puissant des triumvirs,[27] prrrt! les plumes de coq s'envolèrent, et tous les

[23] «Frères... Rhônes»: fanciful names for companies of militiamen.
[24] la... croc: *a heavy turned-up mustache.*
[25] au... compte: *after all.*
[26] Bordeaux: temporary capital of France after the capture of Paris by the Germans in the War of 1870–1871.
[27] triumvirs: Gambetta, Favre, and Ferry, who organized the Republican government after the downfall of Napoléon III.

francs-tireurs de Tarascon — chacals, espingoliers et autres — vinrent se fondre en un bataillon d'honnêtes miliciens, sous les ordres du brave général Bravida, ancien capitaine d'habillement.[28] Ici, nouvelles complications. Le décret de Bordeaux faisait, comme on sait, deux catégories dans la garde nationale: les gardes nationaux de marche et les gardes nationaux sédentaires; «lapins de garenne et lapins de choux,» disait assez drôlement le receveur Pégoulade. Au début de la formation, les gardes nationaux de garenne avaient naturellement le beau rôle. Tous les 10 matins, le brave général Bravida les menait sur l'Esplanade faire l'exercice à feu, l'école de tirailleurs. — Couchez-vous! levez-vous! et ce qui s'ensuit. Ces petites guerres attiraient toujours beaucoup de monde. Les dames de Tarascon n'en manquaient pas une, et même les dames de Beaucaire[29] passaient quelquefois le pont pour venir admirer nos lapins. Pendant ce temps, les pauvres gardes nationaux de choux faisaient modestement le service de la ville et montaient la garde devant le musée, où il n'y avait rien à garder qu'un gros lézard empaillé avec de la mousse et deux fauconneaux du temps du bon roi René.[30] Pensez 20 que les dames de Beaucaire ne passaient pas le pont pour si peu . . . Pourtant, après trois mois d'exercice à feu, lorsqu'on s'aperçut que les gardes nationaux de garenne ne bougeaient toujours pas de l'Esplanade, l'enthousiasme commença à se refroidir.

Le brave général Bravida avait beau crier[31] à ses lapins: «Couchez-vous! levez-vous!» personne ne les regardait plus. Bientôt ces petites guerres furent la fable de la ville. Dieu sait cependant que ce n'était pas leur faute à ces malheureux lapins si on ne les faisait pas partir. Ils en étaient assez furieux. Un jour même ils refusèrent de faire l'exercice.

30 «Plus de parade! crient-ils en leur zèle patriotique; nous sommes de marche;[32] qu'on nous fasse marcher!

---

[28] **ancien . . . d'habillement:** former administrative officer in charge of army supplies.

[29] **Beaucaire:** a small town on the Rhône opposite Tarascon.

[30] **bon . . . René:** a very popular Count of Provence and King of Sicily in the fifteenth century.

[31] **avait . . . crier:** *shouted uselessly.*

[32] **nous . . . de marche:** *we are assigned to march.*

— Vous marcherez, ou j'y perdrai mon nom!» leur dit le brave général Bravida; et tout bouffant de colère, il alla demander des explications à la mairie.

La mairie répondit qu'elle n'avait pas d'ordre et que cela regardait la préfecture.[33]

«Va pour la préfecture!» fit Bravida; et le voilà parti sur l'express de Marseille à la recherche du préfet, ce qui n'était pas une petite affaire, attendu qu'à Marseille il y avait toujours cinq ou six préfets en permanence, et personne pour vous dire lequel était le bon. Par une fortune singulière, Bravida lui mit la main 10 dessus[34] tout de suite, et c'est en plein conseil de préfecture que le brave général porta la parole au nom de ses hommes, avec l'autorité d'un ancien capitaine d'habillement.

Dès les premiers mots, le préfet l'interrompit:

«Pardon, général . . . Comment se fait-il qu'à vous vos soldats vous demandent de partir, et qu'à moi ils me demandent de rester? . . . Lisez plutôt.»

Et, le sourire aux lèvres, il lui tendit une pétition larmoyante, que deux lapins de garenne — les deux plus enragés pour marcher —venaient d'adresser à la préfecture avec apostilles du médecin, 20 du curé, du notaire, et dans laquelle ils demandaient à passer aux lapins de choux pour cause d'infirmités.

«J'en ai plus de trois cents comme cela, ajouta le préfet toujours en souriant. Vous comprenez maintenant, général, pourquoi nous ne sommes pas pressés de faire marcher vos hommes. On en a malheureusement trop fait partir de ceux qui voulaient rester. Il n'en faut plus[35] . . . Sur ce,[36] Dieu sauve la République, et bien le bonjour à vos lapins!»

Le Punch d'Adieu

Pas besoin de dire si le général était penaud en retournant à Tarascon. Mais voici bien une autre histoire. Est-ce qu'en son absence les Tarasconnais ne s'étaient pas avisés d'organiser un

---

[33] **préfecture**: the governmental organization of each department.
[34] **lui . . . dessus**: *succeeded in finding him.*
[35] **Il . . . plus**: *This must stop; we need no more of these.*
[36] **Sur ce**: *Thereupon, this said.*

punch d'adieu par souscription pour les lapins qui allaient partir!
Le brave général Bravida eut beau dire que ce n'était pas la
peine, que personne ne partirait; le punch était souscrit, commandé; il ne restait plus qu'à le boire, et c'est ce qu'on fit . . .
Donc, un dimanche soir, cette touchante cérémonie du punch
d'adieu eut lieu dans les salons de la mairie, et, jusqu'au petit
jour blanc, les toasts, les vivats, les discours, les chants patriotiques, firent trembler les vitres municipales. Chacun, bien
entendu, savait à quoi s'en tenir sur ce punch d'adieu; les gardes
10 nationaux de choux qui le payaient avaient la ferme conviction
que leurs camarades ne partiraient pas, et ceux de garenne qui le
buvaient avaient aussi cette conviction, et le vénérable adjoint,
qui vint d'une voix émue jurer à tous ces braves qu'il était
prêt à marcher à leur tête, savait mieux que personne qu'on ne
marcherait pas du tout; mais c'est égal! Ces méridionaux sont
si extraordinaires, qu'à la fin du punch d'adieu tout le monde
pleurait, tout le monde s'embrassait, et, ce qu'il y a de plus fort,
tout le monde était sincère, même le général! . . .
À Tarascon, comme dans tout le midi de la France, j'ai souvent
20 observé cet effet de mirage.

EXERCICES

I. Répondez aux questions suivantes:

1. Comment la ville de Tarascon se conduisit-elle pendant la
   guerre?
2. Que fait-on dans le Midi lorsqu'on est heureux?
3. Comment les Tarasconnais manifestèrent-ils tout d'abord leur
   enthousiasme national?
4. Que pensaient-ils de la résistance de Paris pendant le siège?
5. Comment organisèrent-ils leur propre défense?
6. Que firent-ils pour se donner l'air plus terrible?
7. Expliquez qui étaient les lapins de choux et les lapins de garenne.
8. Quelle démarche fit le général Bravida?
9. Qu'est-ce que le préfet lui apprit?
10. Racontez la cérémonie du punch d'adieu.

II. Complétez les phrases suivantes:

1. Jusqu'à Sedan, nos braves Tarasconnais s'étaient tenus . . . .
2. N'importe la boutique où vous entrez . . . .

3. «Oui, oui, sauvons la France!» . . . .
4. Après la démonstration des orphéons . . . .
5. Sur l'Esplanade, les gens ne s'abordaient plus que d'un air . . . .
6. Cependant l'invasion des barbares . . . .
7. Au cercle, les travaux . . . .
8. Pour se donner l'air plus terrible, chaque franc-tireur . . . .
9. Tous les matins le brave général Bravida . . . .
10. «Pardon, général — comment se fait-il qu'à vous vos soldats . . . .»
11. Donc, un dimanche soir, cette touchante cérémonie . . . .
12. Ces méridionaux sont si . . . .

III. Est-ce que les faits suivants sont vrais ou faux?

1. Tarascon a brûlé, Tarascon a sauté.
2. N'importe la boutique où vous entrez, il y a toujours au comptoir une guitare qui soupire.
3. Partout le *Luth espagnol* fit place à la *Marseillaise*.
4. Les affiches du Gouvernement n'exaltèrent pas les Tarasconnais.
5. Chaque maison devint une forteresse.
6. Les compagnies de francs-tireurs ne s'organisaient pas.
7. Le décret de Bordeaux faisait deux catégories dans la garde nationale: «lapins de garenne et lapins de choux,» disait assez drôlement le receveur Pégoulade.
8. Ces petites guerres n'attiraient personne.
9. Un jour ils refusèrent de faire l'exercice.
10. Personne ne savait à quoi s'en tenir sur ce punch d'adieu.

LA MULE DU PAPE

ALPHONSE DAUDET

DE TOUS les jolis dictons, proverbes ou adages, dont nos paysans de Provence passementent leurs discours, je n'en sais pas un plus pittoresque ni plus singulier que celui-ci. A quinze lieues autour de mon moulin, quand on parle d'un homme rancunier, vindicatif, on dit: «Cet homme-là! méfiez-vous! . . . il est comme la mule du Pape, qui garda sept ans son coup de pied.»
J'ai cherché bien longtemps d'où ce proverbe pouvait venir, ce que c'était que cette mule papale et ce coup de pied gardé pendant sept ans. Personne ici n'a pu me renseigner à ce sujet, 10 pas même Francet Mamaï, mon joueur de fifre, qui connaît pourtant son légendaire provençal sur le bout du doigt.[1] Francet pense comme moi qu'il y a là-dessous quelque ancienne chronique du pays d'Avignon,[2] mais il n'en a jamais entendu parler autrement que par le proverbe . . .
— Vous ne trouverez cela qu'à la bibliothèque des Cigales,[3] m'a dit le vieux fifre en riant.
L'idée m'a paru bonne, et comme la bibliothèque des Cigales est à ma porte, je suis allé m'y enfermer pendant huit jours.
C'est une bibliothèque merveilleuse, admirablement montée, 20 ouverte aux poètes jour et nuit, et desservie par de petits bibliothécaires à cymbales[4] qui vous font de la musique tout le temps. J'ai passé là quelques journées délicieuses, et, après une semaine de recherches, — sur le dos,[5] — j'ai fini par découvrir ce que je

---

[1] **sur . . . doigt:** *on the tip of the tongue.*
[2] **pays d'Avignon:** allusion to the time when Avignon was an independent state ruled by the pope (1309–1377).
[3] **à la . . . Cigales:** *out in the open, in the fields or countryside.*
[4] **petits . . . cymbales:** reference to the singing locusts of Provence.
[5] **sur le dos:** the author describes himself lying on his back out in the fields.

voulais, c'est-à-dire l'histoire de ma mule et de ce fameux coup
de pied gardé pendant sept ans. Le conte en est joli quoique un
peu naïf, et je vais essayer de vous le dire tel que je l'ai lu hier
matin dans un manuscrit couleur du temps,[6] qui sentait bon la
lavande sèche[7] et avait de grands fils de la Vierge pour signets.[8]

Qui n'a pas vu Avignon du temps des Papes, n'a rien vu. Pour
la gaieté, la vie, l'animation, le train des fêtes, jamais une ville
pareille. C'étaient, du matin au soir, des processions, des pèlerinages, les rues jonchées de fleurs, tapissées de hautes lices,[9] des
arrivages de cardinaux par le Rhône, bannières au vent, galères 10
pavoisées, les soldats du Pape qui chantaient du latin sur les
places, les crécelles des frères quêteurs;[10] puis, du haut en bas des
maisons qui se pressaient en bourdonnant autour du grand palais
papal[11] comme des abeilles autour de leur ruche, c'était encore
le tic tac des métiers à dentelles, le va-et-vient des navettes tissant
l'or des chasubles, les petits marteaux des ciseleurs de burettes,[12]
les tables d'harmonie[13] qu'on ajustait chez les luthiers, les can-
tiques des ourdisseuses; par là-dessus le bruit des cloches, et
toujours quelques tambourins qu'on entendait ronfler, là-bas,
du côté du pont. Car chez nous, quand le peuple est content, il 20
faut qu'il danse, il faut qu'il danse;[14] et comme en ce temps-là
les rues de la ville étaient trop étroites pour la farandole, fifres
et tambourins se postaient sur le pont d'Avignon, au vent frais
du Rhône, et jour et nuit l'on y dansait, l'on y dansait . . . Ah!
l'heureux temps! l'heureuse ville! Des hallebardes qui ne coupaient pas; des prisons d'État où l'on mettait le vin à rafraîchir.
Jamais de disette; jamais de guerre . . . Voilà comment les

---

[6] **un . . . temps:** the manuscript symbolizes the countryside in fine weather.
[7] **la lavande sèche:** lavender grows wild in Provence and perfumes the air.
[8] **avait de . . . signets:** *had cobwebs as bookmarks.*
[9] **tapissées . . . lices:** *tapestries hanging lengthwise.*
[10] **les . . . quêteurs:** the begging friars carried rattles to attract attention.
[11] **des maisons . . . papal:** houses were huddled all around the papal palace.
[12] **ciseleurs . . . burettes:** goldsmiths, makers of cruets for wine and water.
[13] **table d'harmonie:** primitive form of organ.
[14] **il . . . danse:** reference to the famous folk song "Sur le Pont d'Avignon."

Papes du Comtat[15] savaient gouverner leur peuple; voilà pourquoi
leur peuple les a tant regrettés! . . .

Il y en a un surtout, un bon vieux, qu'on appelait Boniface
. . . Oh! celui-là, que de larmes on a versées en Avignon quand
il est mort! C'était un prince si aimable, si avenant! Il vous
riait si bien du haut de sa mule! Et quand vous passiez près de
lui, — fussiez-vous un pauvre petit tireur de garance ou le grand
viguier de la ville, — il vous donnait sa bénédiction si poliment!
Un vrai pape d'Yvetot,[16] mais d'un Yvetot de Provence, avec
10 quelque chose de fin dans le rire, un brin de marjolaine à sa
barrette, et pas la moindre Jeanneton[17] . . . La seule Jeanneton
qu'on lui ait jamais connue, à ce bon père, c'était sa vigne, —
une petite vigne qu'il avait plantée lui-même, à trois lieues
d'Avignon, dans les myrtes de Château-Neuf.[18]

Tous les dimanches, en sortant de vêpres, le digne homme
allait lui faire sa cour; et quand il était là-haut, assis au bon
soleil, sa mule près de lui, ses cardinaux tout autour étendus
aux pieds des souches, alors il faisait déboucher un flacon de vin
du cru, — ce beau vin, couleur de rubis qui s'est appelé depuis
20 le Château-Neuf des Papes, — et il le dégustait par petits coups,
en regardant sa vigne d'un air attendri. Puis, le flacon vidé, le
jour tombant, il rentrait joyeusement à la ville, suivi de tout son
chapitre; et, lorsqu'il passait sur le pont d'Avignon, au milieu
des tambours et des farandoles, sa mule, mise en train par la
musique, prenait un petit amble sautillant, tandis que lui-même
il marquait le pas de la danse avec sa barrette, ce qui scandalisait
fort ses cardinaux, mais faisait dire à tout le peuple: «Ah! le
bon prince! Ah! le brave pape!»

---

[15] **le Comtat** or **Comtat Venaissin:** province adjoining Avignon which
belonged to the Popes.

[16] **Yvetot:** a small town in Normandy, where in the Middle Ages the pro-
prietors of hereditary estates, who were exempt from taxes, were called "kings."
This is the origin of Beranger's famous song "Le Roi d'Yvetot," referred to
here.

[17] **Jeanneton:** sweetheart of the Roi d'Yvetot in Beranger's song.

[18] **Château-Neuf:** a town across the Rhône river, opposite Avignon. It is
famous for its wine.

Après sa vigne de Château-Neuf, ce que le pape aimait le plus au monde, c'était sa mule. Le bonhomme en raffolait de[19] cette bête-là. Tous les soirs avant de se coucher il allait voir si son écurie était bien fermée, si rien ne manquait dans sa mangeoire, et jamais il ne se serait levé de table sans faire préparer sous ses yeux un grand bol de vin à la française, avec beaucoup de sucre et d'aromates, qu'il allait lui porter lui-même, malgré les observations de ses cardinaux . . . Il faut dire aussi que la bête en valait la peine. C'était une belle mule noire mouchetée de rouge, le pied sûr, le poil luisant, la croupe large et pleine, portant fière- [10] ment sa petite tête sèche toute harnachée de pompons, de nœuds, de grelots d'argent, de bouffettes; avec cela douce comme un ange, l'œil naïf, et deux longues oreilles, toujours en branle, qui lui donnaient l'air bon enfant . . . Tout Avignon la respectait, et, quand elle allait dans les rues, il n'y avait pas de bonnes manières qu'on ne lui fît,[20] car chacun savait que c'était le meilleur moyen d'être bien en cour, et qu'avec son air innocent, la mule du Pape en avait mené plus d'un à la fortune, à preuve Tistet Védène et sa prodigieuse aventure.

Ce Tistet Védène était, dans le principe, un effronté galopin, [20] que son père, Guy Védène, le sculpteur d'or, avait été obligé de chasser de chez lui, parce qu'il ne voulait rien faire et débauchait les apprentis. Pendant six mois, on le vit traîner sa jaquette dans tous les ruisseaux[21] d'Avignon, mais principalement du côté de la maison papale; car le drôle avait depuis longtemps son idée sur la mule du Pape, et vous allez voir que c'était quelque chose de malin . . . Un jour que Sa Sainteté se promenait toute seule sous les remparts avec sa bête, voilà mon Tistet qui l'aborde, et lui dit en joignant les mains d'un air d'admiration:

— Ah mon Dieu! grand Saint-Père, quelle brave mule vous avez [30] là! . . . Laissez un peu que je la regarde . . . Ah! mon Pape, la belle mule! . . . L'empereur d'Allemagne n'en a pas une pareille.

Et il la caressait, et il lui parlait doucement comme à une demoiselle:

[19] **en raffolait de:** *was crazy about.*
[20] **il n'y . . . fît:** *people made a big fuss over her.*
[21] **traîner . . . ruisseaux:** *to hang around the streets.*

— Venez ça[22] mon bijou, mon trésor, ma perle fine . . . Et le bon Pape, tout ému, se disait dans lui-même :

— Quel bon petit garçonnet ! . . . Comme il est gentil avec ma mule !

Et puis le lendemain savez-vous ce qui arriva ? Tistet Védène troqua sa vieille jaquette jaune contre une belle aube en dentelles, un camail de soie violette, des souliers à boucles, et il entra dans la maîtrise du Pape, où jamais avant lui on n'avait reçu que des fils de nobles et des neveux de cardinaux . . . Voilà ce que c'est 10 que l'intrigue ! . . . Mais Tistet ne s'en tint pas là.[23]

Une fois au service du Pape, le drôle continua le jeu qui lui avait si bien réussi. Insolent avec tout le monde, il n'avait d'attentions ni de prévenances que pour la mule, et toujours on le rencontrait par les cours du palais avec une poignée d'avoine ou une bottelée de sainfoin, dont il secouait gentiment les grappes roses en regardant le balcon du Saint-Père, d'un air de dire: «Hein ! . . . pour qui ça ? . . .» Tant et tant qu'à la fin le bon Pape, qui se sentait devenir vieux, en arriva à lui laisser le soin de veiller sur l'écurie et de porter à la mule son bol de vin à la 20 française ; ce qui ne faisait pas rire les cardinaux.

Ni la mule non plus, cela ne la faisait pas rire . . . Maintenant, à l'heure de son vin, elle voyait toujours arriver chez elle cinq ou six petits clercs de maîtrise qui se fourraient vite dans la paille avec leur camail et leurs dentelles; puis, au bout d'un moment, une bonne odeur chaude de caramel et d'aromates emplissait l'écurie, et Tistet Védène apparaissait portant avec précaution le bol de vin à la française. Alors le martyre de la pauvre bête commençait.

Ce vin parfumé qu'elle aimait tant, qui lui tenait chaud, qui 30 lui mettait des ailes, on avait la cruauté de le lui apporter, là, dans sa mangeoire, de le lui faire respirer; puis, quand elle en avait les narines pleines, passe, je t'ai vu![24] La belle liqueur de flamme rose s'en allait toute dans le gosier de ces garnements

---

[22] **Venez ça**: *Come here.*
[23] **ne . . . là**: *didn't stop at that.*
[24] **passe . . . vu**: *presto . . . it was gone.*

. . . Et encore, s'ils n'avaient fait que lui voler son vin; mais c'étaient comme des diables, tous ces petits clercs, quand ils avaient bu! . . . L'un lui tirait les oreilles, l'autre la queue; Quiquet lui montait sur le dos, Béluguet lui essayait sa barrette, et pas un de ces galopins ne songeait que d'un coup de reins ou d'une ruade la brave bête aurait pu les envoyer tous dans l'étoile polaire, et même plus loin . . . Mais non! On n'est pas pour rien la mule du Pape, la mule des bénédictions et des indulgences . . . Les enfants avaient beau faire, elle ne se fâchait pas; et ce n'était qu'à Tistet Védène qu'elle en voulait[25] . . . Celui-là, par 10 exemple, quand elle le sentait derrière elle, son sabot lui démangeait, et vraiment il y avait bien de quoi.[26] Ce vaurien de Tistet lui jouait de si vilains tours! Il avait de si cruelles inventions après boire! . . .

Est-ce qu'un jour il ne s'avisa pas de la faire monter avec lui au clocheton de la maîtrise, là-haut, tout là-haut, à la pointe du palais! . . . Et ce que je vous dis là n'est pas un conte, deux cent mille Provençaux l'ont vu. Vous figurez-vous la terreur de cette malheureuse mule, lorsque, après avoir tourné pendant une heure à l'aveuglette dans un escalier en colimaçon et grimpé je 20 ne sais combien de marches, elle se trouva tout à coup sur une plate-forme éblouissante de lumière, et qu'à mille pieds au-dessous d'elle elle aperçut tout un Avignon fantastique, les baraques du marché pas plus grosses que des noisettes, les soldats du Pape devant leur caserne comme des fourmis rouges, et là-bas, sur un fil d'argent un petit pont microscopique où l'on dansait, où l'on dansait . . . Ah! pauvre bête! quelle panique! Du cri qu'elle en poussa, toutes les vitres du palais tremblèrent.

— Qu'est ce qu'il y a? qu'est-ce qu'on lui fait? s'écria le bon Pape en se précipitant sur son balcon.   30

Tistet Védène était déjà dans la cour, faisant mine de pleurer et de s'arracher les cheveux:

— Ah! grand Saint-Père, ce qu'il y a! Il y a que votre mule . . . Mon Dieu! qu'allons-nous devenir? Il y a que votre mule est montée dans le clocheton . . .

---

[25] à . . . voulait: *against Tistet that she bore a grudge.*
[26] bien de quoi: *there was ample reason for it.*

— Toute seule ? ? ?

— Oui, grand Saint-Père, toute seule . . . Tenez! regardez-la,
là-haut . . . Voyez-vous le bout de ses oreilles qui passe? . . .
On dirait deux hirondelles . . .

— Miséricorde! fit le pauvre Pape en levant les yeux . . .
Mais elle est donc devenue folle! Mais elle va se tuer . . . Veux-
tu bien descendre, malheureuse! . . .

Pécaïre! elle n'aurait pas mieux demandé, elle, que de descendre
. . .; mais par où? L'escalier, il n'y fallait pas songer: ça se
10 monte encore, ces choses-là; mais, à la descente, il y aurait de
quoi[27] se rompre cent fois les jambes . . . Et la pauvre mule se
désolait, et, tout en rôdant sur la plate-forme avec ses gros yeux
pleins de vertige, elle pensait à Tistet Védène:

— Ah! bandit, si j'en réchappe . . . quel coup de sabot
demain matin!

Cette idée de coup de sabot lui redonnait un peu de cœur au
ventre;[28] sans cela elle n'aurait pas pu se tenir . . . Enfin on
parvint à la tirer de là-haut; mais ce fut toute une affaire. Il
fallut la descendre avec un cric, des cordes, une civière. Et vous
20 pensez quelle humiliation pour la mule d'un pape de se voir
pendue à cette hauteur, nageant des pattes dans le vide comme
un hanneton au bout d'un fil. Et tout Avignon qui la regardait.

La malheureuse bête n'en dormit pas de la nuit.[29] Il lui semblait
toujours qu'elle tournait sur cette maudite plate-forme, avec les
rires de la ville au-dessous, puis elle pensait à cet infâme Tistet
Védène et au joli coup de sabot qu'elle allait lui détacher le
lendemain matin. Ah! mes amis, quel coup de sabot! De Pampérigouste[30] on en verrait la fumée . . . Or, pendant qu'on lui
préparait cette belle réception à l'écurie, savez-vous ce que faisait
30 Tistet Védène? Il descendait le Rhône en chantant sur une
galère papale et s'en allait à la cour de Naples[31] avec la troupe
de jeunes nobles que la ville envoyait tous les ans près de la

[27] il y . . . quoi: *there would have been a good chance.*
[28] un peu . . . ventre: *a little courage* (colloq.).
[29] n'en . . . nuit: *didn't sleep a wink all night.*
[30] **Pampérigouste**: a fictitious name, probably suggested by Pampelune in Spain.
[31] **Naples**: Queen Joan of Naples (1343–1382).

reine Jeanne pour s'exercer à la diplomatie et aux belles manières.
Tistet n'était pas noble; mais le Pape tenait à le récompenser des
soins qu'il avait donnés à sa bête, et principalement de l'activité
qu'il venait de déployer pendant la journée du sauvetage.

C'est la mule qui fut désappointée le lendemain!

— Ah! le bandit! il s'est douté de quelque chose![32] . . .
pensait-elle en secouant ses grelots avec fureur . . . ; mais c'est
égal, va, mauvais! tu le retrouveras au retour, ton coup de sabot
. . . je te le garde!

Et elle le lui garda.   10

Après le départ de Tistet, la mule du Pape retrouva son train
de vie tranquille et ses allures d'autrefois. Plus de Quiquet, plus
de Béluguet à l'écurie. Les beaux jours du vin à la française
étaient revenus, et avec eux la bonne humeur, les longues siestes,
et le petit pas de gavotte[33] quand elle passait sur le pont
d'Avignon. Pourtant, depuis son aventure, on lui marquait
toujours un peu de froideur dans la ville. Il y avait des chuchotements sur sa route; les vieilles gens hochaient la tête, les enfants
riaient en se montrant le clocheton. Le bon Pape lui-même
n'avait plus autant de confiance en son amie, et, lorsqu'il se   20
laissait aller à faire un petit somme sur son dos, le dimanche, en
revenant de la vigne, il gardait toujours cette arrière-pensée:
«Si j'allais me réveiller là-haut, sur la plate-forme!» La mule
voyait cela et elle en souffrait, sans rien dire; seulement, quand
on prononçait le nom de Tistet Védène devant elle, ses longues
oreilles frémissaient, et elle aiguisait avec un petit rire le fer de
ses sabots sur le pavé . . .

Sept ans se passèrent ainsi; puis, au bout de ces sept années,
Tistet Védène revint de la cour de Naples. Son temps n'était pas
encore fini là-bas; mais il avait appris que le premier moutardier   30
du Pape[34] venait de mourir subitement en Avignon, et, comme
la place lui semblait bonne, il était arrivé en grande hâte pour
se mettre sur les rangs.

---

[32] **il . . . chose:** *he suspected something.*

[33] **pas de gavotte:** *short, quick gavotte steps.*

[34] **premier . . . Pape:** the pope's chief mustard-maker—a fanciful sinecure
resembling similar posts given by kings to their favorites.

Quand cet intrigant de Védène entra dans la salle du palais,
le Saint-Père eut peine à le reconnaître, tant il avait grandi et
pris du corps.[35] Il faut dire aussi que le bon Pape s'était fait
vieux[36] de son côté, et qu'il n'y voyait pas bien sans besicles.

Tistet ne s'intimida pas.

— Comment! grand Saint-Père, vous ne me reconnaissez plus?
. . . C'est moi, Tistet Védène! . . .

— Védène? . . .

— Mais oui, vous savez bien . . . celui qui portait le vin
10 français à votre mule.

— Ah! oui . . . oui . . . je me rappelle . . . Un bon petit
garçonnet, ce Tistet Védène! . . . Et maintenant, qu'est-ce qu'il
veut de nous?

— Oh! peu de chose, grand Saint-Père . . . Je venais vous
demander . . . A propos, est-ce que vous l'avez toujours, votre
mule? Et elle va bien? . . . Ah! tant mieux! . . . Je venais vous
demander la place du premier moutardier qui vient de mourir.

— Premier moutardier, toi! . . . Mais tu es trop jeune. Quel
âge as-tu donc?

20 — Vingt ans deux mois, illustre pontife, juste cinq ans de plus
que votre mule . . . Ah! la brave bête! . . . Si vous saviez
comme je l'aimais cette mule-là! . . . comme je me suis langui
d'elle en Italie! . . . Est-ce que vous ne me la laisserez pas voir?

— Si, mon enfant, tu la verras, fit le bon Pape tout ému . . .
Et puisque tu l'aimes tant, cette brave bête, je ne veux plus que
tu vives loin d'elle. Dès ce jour, je t'attache à ma personne en
qualité de premier moutardier . . . Mes cardinaux crieront, mais
tant pis! j'y suis habitué . . . Viens nous trouver demain, à la
sortie des vêpres, nous te remettrons les insignes de ton grade
30 en présence de notre chapitre, et puis . . . je te mènerai voir la
mule, et tu viendras à la vigne avec nous deux . . . hé! hé!
Allons! va . . .

Si Tistet Védène était content en sortant de la grande salle,
avec quelle impatience il attendit la cérémonie du lendemain,
je n'ai pas besoin de vous le dire. Pourtant il y avait dans le

[35] **pris du corps:** *grown fat.*
[36] **s'était fait vieux:** *had grown old.*

palais quelqu'un de plus heureux encore et de plus impatient
que lui: c'était la mule. Depuis le retour de Védène jusqu'aux
vêpres du jour suivant, la terrible bête ne cessa de se bourrer
d'avoine[37] et de tirer au mur avec ses sabots de derrière.[38] Elle
aussi se préparait pour la cérémonie . . .

Et donc, le lendemain, lorsque vêpres furent dites, Tistet
Védène fit son entrée dans la cour du palais papal. Tout le haut
clergé était là, les cardinaux en robes rouges, l'avocat du diable[39]
en velours noir, les abbés de couvent avec leurs petites mitres,
les marguilliers de Saint-Agrico,[40] les camails violets de la 10
maîtrise, le bas clergé aussi, les soldats du Pape en grand uniforme,
les trois confréries de pénitents, les ermites du mont Ventoux[41]
avec leurs mines farouches et le petit clerc qui va derrière en
portant la clochette, les frères flagellants nus jusqu'à la ceinture,
les sacristains fleuris en robes de juges, tous, tous, jusqu'aux
donneurs d'eau bénite, et celui qui allume, et celui qui éteint[42]
. . . il n'y en avait pas un qui manquât . . . Ah! c'était une belle
ordination! Des cloches, des pétards, du soleil, de la musique,
et toujours ces enragés de tambourins qui menaient la danse,
là-bas, sur le pont d'Avignon . . .   20

Quand Védène parut au milieu de l'assemblée, sa prestance et
sa belle mine y firent courir un murmure d'admiration. C'était
un magnifique Provençal, mais des blonds, avec de grands
cheveux frisés au bout et une petite barbe follette qui semblait
prise aux copeaux de fin métal tombé du burin de son père, le
sculpteur d'or. Le bruit courait que dans cette barbe blonde les
doigts de la reine Jeanne avaient quelquefois joué; et le sire de
Védène avait bien, en effet, l'air glorieux et le regard distrait des
hommes que les reines ont aimés . . . Ce jour-là, pour faire

---

[37] **se bourrer d'avoine:** *to stuff itself with oats.*

[38] **tirer . . . derrière:** *to practice kicking at the wall with its hind legs.*

[39] **l'avocat du diable:** the devil's advocate who in the course of canonization argues against the proposed saint.

[40] **les . . . Saint-Agrico:** members of the lay body administering the temporal affairs of St. Agrico, parish of Avignon.

[41] **les . . . Ventoux:** the hermits living on Mt. Ventoux to the north of Avignon.

[42] **celui . . . éteint:** the sacristan.

honneur à sa nation, il avait remplacé ses vêtements napolitains
par une jaquette bordée de rose à la Provençale, et sur son
chaperon tremblait une grande plume d'ibis de Camargue.[43]

Sitôt entré, le premier moutardier salua d'un air galant, et se
dirigea vers le haut perron, où le Pape l'attendait pour lui remettre les insignes de son grade: la cuiller de buis jaune et l'habit
de safran. La mule était au bas de l'escalier, toute harnachée et
prête à partir pour la vigne . . . Quand il passa près d'elle,
Tistet Védène eut un bon sourire et s'arrêta pour lui donner deux
10 ou trois petites tapes amicales sur le dos, en regardant du coin
de l'œil si le Pape le voyait. La position était bonne . . . La
mule prit son élan:

— Tiens! attrape, bandit! Voilà sept ans que je te le garde!

Et elle vous lui détacha un coup de sabot si terrible, si terrible,
que de Pampérigouste même on en vit la fumée, un tourbillon
de fumée blonde où voltigeait une plume d'ibis; tout ce qui
restait de l'infortuné Tistet Védène! . . .

Les coups de pied de mule ne sont pas aussi foudroyants
d'ordinaire; mais celle-ci était une mule papale; et puis, pensez
20 donc! elle le lui gardait depuis sept ans . . . Il n'y a pas de plus
bel exemple de rancune ecclésiastique.

EXERCICES

I. Répondez aux questions suivantes:

1. Où se passe l'histoire précédente?
2. Où est-ce que l'auteur en a trouvé le sujet?
3. Décrivez Avignon au temps des papes.
4. Que faisait le pape tous les dimanches après-midi?
5. Qu'est-ce que le pape aimait le plus au monde, après sa vigne?
6. Est-ce que la mule était une belle bête? Décrivez-la.
7. Que fit Tistet Védène?
8. Qui buvait alors le bon vin à la française préparé pour la mule?
9. Quel mauvais tour Tistet joua-t-il un jour à la mule?
10. Quelle récompense reçut Tistet pour l'activité déployée pendant
le sauvetage?
11. Lorsqu'il revint de Naples, quel poste important osa-t-il solliciter?
12. Racontez la vengeance de la mule.

[43] **Camargue:** cattle-raising island formed by the delta of the Rhône.

II. Racontez l'incident d'où est tirée chacune des citations suivantes:

1. Personne n'a pu me renseigner à ce sujet, pas même Francet Mamaï.
2. J'ai passé là quelques journées délicieuses.
3. C'était, du matin au soir, des processions, des pèlerinages.
4. La seule Jeanneton qu'on lui ait jamais connue, à ce bon père, c'était sa vigne.
5. Il marquait le pas de la danse avec sa barrette.
6. Tout Avignon la respectait, et, quand elle allait dans les rues, il n'y avait pas de bonnes manières qu'on ne lui fît.
7. Pendant six mois, on le vit traîner sa jaquette dans tous les ruisseaux d'Avignon.
8. Tistet Védène troqua sa vieille jaquette jaune contre une belle aube en dentelles et un camail de soie violette.
9. Alors le martyre de la pauvre bête commençait.
10. Du cri qu'elle en poussa, toutes les vitres du palais tremblèrent.
11. Après le départ de Tistet, la mule du Pape retrouva son train de vie tranquille.
12. Elle aussi se préparait pour la cérémonie.
13. La position était bonne . . . la mule prit son élan.

III. Employez les expressions suivantes dans des phrases qui résumeront l'histoire de la Mule du Pape:

1. sur le bout du doigt
2. une bibliothèque admirablement montée
3. déguster par petits coups
4. en valoir la peine
5. être bien en cour
6. s'en tenir à
7. mettre des ailes à quelqu'un
8. en vouloir à quelqu'un
9. faire mine de
10. avoir de quoi
11. se faire vieux
12. prendre son élan
13. un coup de pied
14. se diriger vers

LE REMPLAÇANT

FRANÇOIS COPPÉE

François Coppée (1842–1908) est bien mieux connu par ses vers que par sa prose. Appartenant nominalement à l'école parnassienne il n'en a guère observé les préceptes de recherche attentive de l'art et d'impersonnalité. Son œuvre, d'une simplicité touchant parfois à la banalité, est imprégnée tout entière de sentiments personnels qu'expriment d'ailleurs le titre d'un de ses poèmes, Intimités, *et, comme les romans de Daudet, de l'amour des humbles* (Les Humbles). *Coppée a obtenu un grand succès au théâtre avec son drame romantique:* Pour la Couronne. *Parmi ses œuvres en prose il faut noter* La Bonne Souffrance *(1898), où une inspiration nouvelle, due à la conversion de l'auteur au catholicisme, se fait sentir, et des* Contes en prose.

IL AVAIT dix ans à peine quand on l'arrêta, une première fois, pour vagabondage.

Il dit aux juges ceci:

— Je m'appelle Jean-François Leturc, et voilà six mois que je suis auprès de l'homme qui chante, entre deux lanternes, sur la place de la Bastille, en frottant une corde à boyau.[1] Je dis le refrain en même temps que lui, et ensuite c'est moi qui crie: «Demandez le recueil de chansons nouvelles, dix centimes, deux sous!» Il était toujours en ribote[2] et me battait; voilà pourquoi
10 les agents m'ont trouvé, l'autre nuit, dans les démolitions. Avant, j'étais avec celui qui vend du poil à gratter. Ma mère était blanchisseuse, elle se nommait Adèle. C'était une bonne ouvrière

---

[1] **une . . . boyau:** *strumming a guitar* (catgut string).
[2] **en ribote:** *drunk.*

et qui m'aimait bien. Elle gagnait de l'argent parce qu'elle avait
la clientèle des garçons de café et que ces gens-là ont besoin de
beaucoup de linge. Le dimanche, elle me couchait de bonne
heure, pour aller au bal; mais, en semaine, elle m'envoyait chez
les Frères[3] où j'ai appris à lire. Enfin, voilà. Le sergent de ville
qui battait son quart[4] dans notre rue s'arrêtait toujours devant
la fenêtre pour lui parler. Un bel homme, avec la médaille de
Crimée.[5] Ils se sont mariés, et tout a marché de travers.[6] Il
m'avait pris en grippe[7] et excitait maman contre moi. Tout le
monde me flanquait des calottes,[8] et c'est alors que, pour fuir la 10
maison, j'ai passé des journées entières sur la place Clichy,[9] où
j'ai connu les saltimbanques. Mon beau-père perdit sa place,
maman ses pratiques; elle alla au lavoir pour nourrir son homme.
C'est là qu'elle est devenue poitrinaire, rapport à la buée. Elle
est morte à Lariboisière.[10] C'était une bonne femme. Depuis ce
temps-là, j'ai vécu avec le marchand de poil à gratter et le racleur
de corde à boyau. — Est-ce qu'on va me mettre en prison?

Il parla ainsi carrément, cyniquement, comme un homme.
C'était un petit galopin déguenillé, haut comme une botte, le
front caché sous une étrange tignasse jaune.   20

Personne ne le réclamant, on le mit aux Jeunes Détenus.[11]

Peu intelligent, paresseux, surtout maladroit de ses mains, il
ne put apprendre là qu'un mauvais métier, rempailleur de chaises.
Pourtant il était obéissant, d'un naturel passif et taciturne, et ne
semblait pas trop profondément corrompu dans cette école de
vice. Mais lorsque, arrivé à sa dix-septième année, il fut relancé
sur le pavé parisien, il y retrouva, pour son malheur, ses camarades de prison, tous affreux drôles exerçant les professions de
la boue. C'étaient des éleveurs de dogues pour la chasse aux rats

---

[3] **Frères:** parochial school run by the Brothers of the Christian Doctrine.
[4] **battait son quart:** *walked his beat.*
[5] **Crimée:** the Crimean War (1854–1855).
[6] **marché de travers:** *went wrong.*
[7] **pris en grippe:** *came to hate me.*
[8] **me . . . calottes:** *boxed my ears* (colloq.).
[9] **place Clichy:** a popular square in the Montmartre section of Paris.
[10] **Lariboisière:** a public hospital in Paris.
[11] **Jeunes Détenus:** the reformatory.

dans les égouts; des cireurs de souliers, les nuits de bal, dans le
passage de l'Opéra; des lutteurs amateurs se laissant volontairement *tomber* par les hercules de foire;[12] des pêcheurs à la ligne,
en plein soleil, sur les trains de bois. Il fit un peu de tout cela, et,
quelques mois après sa sortie de la maison de correction, il fut
de nouveau arrêté pour un petit vol: une paire de vieux souliers
enlevée à un étalage. Résultat: un an de prison à Sainte-Pélagie,[13]
où il servit de brosseur aux détenus politiques.

Il vécut, étonné, dans ce groupe de prisonniers, tous très jeunes
10 et négligemment vêtus, qui parlaient à voix haute et portaient
la tête d'une façon si solennelle. Ils se réunissaient dans la cellule
du plus âgé d'entre eux, garçon d'une trentaine d'années, incarcéré depuis longtemps déjà et comme installé à Sainte-Pélagie:
une grande cellule, tapissée de caricatures coloriées, et par la
fenêtre de laquelle on voyait tout Paris, ses toits, ses clochers et
ses dômes, et, là-bas, la ligne lointaine des coteaux, bleue et
vague sur le ciel. Il y avait aux murailles quelques planches
chargées de volumes et tout un vieil attirail de salle d'armes:
masques crevés, fleurets rouillés, plastrons et gants perdant leur
20 étoupe. C'est là que les *politiques* dînaient ensemble, ajoutant à
l'immuable «soupe et le bœuf» des fruits, du fromage, et des litres
de vin que Jean-François allait acheter à la cantine: repas
tumultueux, interrompus de violentes disputes, où l'on chantait
en chœur au dessert la *Carmagnole*[14] et le *Ça ira!*[15] On prenait
cependant un air de dignité les jours où l'on faisait place à un
nouveau venu, traité d'abord gravement de citoyen, mais dès le
lendemain tutoyé et appelé par son petit nom. Il se disait là des
grands mots: Corporation, Solidarité, et des phrases tout à fait
inintelligibles pour Jean-François, telles que celle-ci, par exemple,
30 qu'il entendit une fois proférer impérieusement par un affreux
petit bossu qui noircissait du papier toutes les nuits:

---

[12] **se laissant . . . foire:** *allowing themselves to be knocked out by strong
men at the local fair.*
[13] **Saint-Pélagie:** a Parisian prison for political prisoners.
[14] **Carmagnole:** a revolutionary dance and song popular in France in 1793.
[15] **Ça ira:** a popular French revolutionary song whose refrain repeated the
words *Ça ira.*

— C'est dit. Le cabinet est ainsi composé: Raymond à l'instruction publique, Martial à l'intérieur, et moi aux affaires étrangères.

Son temps fait, il erra de nouveau à travers Paris, surveillé de loin par la police, à la façon de ces hannetons que les enfants cruels font voler au bout d'un fil. Il devenait un de ces êtres fuyants et craintifs que la loi, avec une sorte de coquetterie, arrête et relâche tour à tour, un peu comme ces pêcheurs platoniques qui, pour ne pas dépeupler leur vivier, rejettent bien vite à l'eau le poisson sortant à peine du filet. Sans se douter qu'on fît tant d'honneur à son chétif individu, il avait un dossier spécial dans les mystérieux cartons de la rue de Jérusalem,[16] ses nom et prénoms étaient écrits en belle bâtarde[17] sur le papier gris de la couverture, et les notes et rapports, soigneusement classés, lui donnaient ces appellations graduées: le nommé Leturc, l'inculpé Leturc, et enfin le condamné Leturc.

Il resta deux ans hors de prison, dînant à la Californie,[18] couchant dans les garnis à la nuit et quelquefois dans les fours à chaux, et prenant part, avec ses semblables, à d'interminables parties de bouchon[19] sur les boulevards, près des barrières. Il portait la casquette grasse[20] en arrière, les pantoufles de tapisserie[21] et la courte blouse blanche. Quand il avait cinq sous, il se faisait friser. Il dansait chez Constant, à Montparnasse,[22] achetait deux sous, pour le revendre quatre, à la porte de Bobino, le valet de cœur ou l'as de trèfle servant de contre-marque, ouvrait à l'occasion une portière de voiture, entraînait des rosses au marché aux chevaux. Tous les malheurs! il tira au sort[23] et amena un bon numéro. Qui sait si l'atmosphère d'honneur qu'on

---

[16] **rue de Jérusalem:** police headquarters.
[17] **en . . . bâtarde:** a clear, bold, horizontal style of writing.
[18] **à la Californie:** a little local restaurant.
[19] **parties de bouchon:** a game similar to pitching pennies.
[20] **casquette grasse:** *greasy cap.*
[21] **les . . . tapisserie:** *carpet slippers.*
[22] **Montparnasse:** Constant's dance hall was in Montparnasse, the artist quarter of Paris. Jean-François resold the return check to the dance hall at the Bobino Gate.
[23] **tira au sort:** he drew lots for exemption from military service.

respire au régiment, si la discipline militaire, ne l'auraient pas
sauvé? Repris, dans un coup de filet, avec de jeunes rôdeurs qui
dévalisaient les ivrognes endormis sur les trottoirs, il se défendit
très énergiquement d'avoir pris part à leurs expéditions. C'était
peut-être vrai. Mais ses antécédents lui tinrent lieu de preuve, et
il fut envoyé pour trois ans à Poissy.[24] Là, il fabriqua de grossiers
jouets d'enfant, se fit tatouer les pectoraux et apprit l'argot et le
Code pénal. Nouvelle libération, nouveau plongeon dans le
cloaque parisien, mais bien court, cette fois, car au bout de six
10 semaines tout au plus il fut de nouveau compromis dans un vol
nocturne, aggravé d'escalade et d'effraction, affaire ténébreuse
où il avait joué un rôle obscur, moitié dupe et moitié receleur.
En somme, sa complicité parut évidente, et il fut condamné à
cinq années de travaux forcés. Son chagrin, dans cette aventure,
fut surtout d'être séparé d'un vieux chien qu'il avait ramassé sur
un tas d'ordures et guéri de la gale. Cette bête l'avait aimé.

Toulon,[25] le boulet au pied, le travail dans le port, les coups
de bâton, les sabots sans paille, la soupe aux gourganes[26] datant
de Trafalgar,[27] pas d'argent pour le tabac, et l'horrible sommeil
20 du lit de camp grouillant de forçats, voilà ce qu'il connut pendant
cinq étés torrides et cinq hivers souffletés par le mistral. Il sortit
de là ahuri, fut envoyé en surveillance à Vernon, où il travailla
quelque temps sur la rivière; puis, vagabond incorrigible, il
rompit son ban[28] et revint encore à Paris.

Il avait sa masse,[29] cinquante-six francs, c'est-à-dire le temps
de la réflexion. Pendant sa longue absence, ses anciens et horribles
camarades s'étaient dispersés. Il était bien caché et couchait dans
une soupente, chez une vieille femme à qui il s'était donné comme
un marin las de la mer, ayant perdu ses papiers dans un récent
30 naufrage, et qui voulait essayer d'un autre état. Sa face hâlée, ses
mains calleuses et quelques termes de bord qu'il lâchait de temps
à autre, rendaient ce roman assez vraisemblable.

---

[24] **Poissy**: prison in the suburbs of Paris.
[25] **Toulon**: a prison ship located in the harbor at Toulon.
[26] **gourganes**: a kind of lima bean.
[27] **Trafalgar**: the battle of Trafalgar (1805). The beans were very old.
[28] **il . . . ban**: *he broke his parole.*
[29] **sa masse**: funds earned in jail.

Un jour qu'il s'était risqué à flâner par les rues, et que le hasard de la marche l'avait conduit jusque dans ce Montmartre où il était né, un souvenir inattendu l'arrêta devant la porte de l'école des Frères dans laquelle il avait appris à lire. Comme il faisait très chaud, cette porte était ouverte, et, d'un seul regard, le farouche passant put reconnaître la paisible salle d'étude. Rien n'était changé: ni la lumière crue tombant par le grand châssis,[30] ni le crucifix au-dessus de la chaire, ni les gradins réguliers avec les planchettes garnies d'encriers de plomb, ni le tableau des poids et mesures, ni la carte géographique sur laquelle étaient 10 même encore piquées les épingles indiquant les opérations d'une ancienne guerre. Distrait, et sans réfléchir, Jean-François lut, sur la planche noircie, cette parole de l'Évangile[31] qu'une main savante y avait tracée comme exemple d'écriture:

— Il y a plus de joie au ciel pour un pécheur qui se repent que pour cent justes qui persévèrent.

C'était sans doute l'heure de la récréation, car le Frère professeur avait quitté sa cathèdre, et, assis sur le bord d'une table, il semblait conter une histoire à tous les gamins qui l'entouraient, attentifs et levant les yeux. Quelle physionomie innocente et gaie 20 que celle de ce jeune homme imberbe, en longue robe noire, en rabat blanc, en gros vilains souliers, et dont les cheveux bruns mal coupés se retroussaient par derrière! Toutes ces figures pâlottes d'enfants du peuple qui le regardaient paraissaient moins enfantines que la sienne, surtout lorsque, charmé d'une candide plaisanterie de prêtre qu'il venait de faire, il partait d'un bon et franc éclat de rire qui montrait ses dents saines et bien rangées, et si communicatif, que tous les écoliers éclataient bruyamment à leur tour. Et c'était simple et doux, ce groupe dans ce rayon joyeux qui faisait étinceler les yeux clairs et les boucles 30 blondes.

Jean-François le considéra quelque temps en silence, et, pour la première fois, dans cette nature sauvage, toute d'instinct et d'appétit,[32] s'éveilla une mystérieuse et douce émotion. Son cœur,

[30] **le grand châssis:** *the large window.*
[31] **l'Évangile:** *the Gospel.*
[32] **toute . . . d'appétit:** *made up entirely of primitive instincts and desires.*

ce rude cœur cuirassé, que la trique du chiourme[33] ou la lourde
poigne de l'argousin[34] tombant sur l'épaule ne faisait plus tressaillir, battit jusqu'à l'oppression. Devant ce spectacle, où il
revoyait son enfance, ses paupières se fermèrent douloureusement, et, contenant un geste violent, en proie à la torture du
regret, il s'éloigna à grands pas.

Les mots écrits sur le tableau noir lui revinrent alors à la
pensée.

— S'il n'était pas trop tard, après tout? murmura-t-il. Si je
10 pouvais encore, comme les autres, mordre honnêtement dans
mon pain bis,[35] dormir mon somme sans cauchemar? Bien malin
le mouchard qui me reconnaîtrait! Ma barbe, que je rasais là-bas,
a repoussé maintenant drue et forte. On peut se terrer dans la
grande fourmilière, et la besogne n'y manque pas. Quiconque
ne crève point tout de suite dans l'enfer du bagne en sort agile
et robuste, et j'y ai appris à monter aux cordages avec des charges
sur le dos. On bâtit partout ici, et les maçons ont besoin d'aides.
Trois francs par jour, je n'en ai jamais tant gagné. Qu'on m'oublie,
c'est tout ce que je demande.

20   Il suivit sa courageuse résolution, il y fut fidèle, et, trois mois
après, c'était un autre homme. Le maître pour lequel il travaillait
le citait comme son meilleur compagnon. Après la longue journée
passée sur l'échelle, au grand soleil, dans la poussière, à ployer
et à redresser constamment les reins pour prendre le moellon des
mains de l'homme placé à ses pieds et le repasser à l'homme
placé au-dessus de sa tête, il rentrait manger la soupe à la gargote,
éreinté, les jambes lourdes, les mains brûlantes et les cils collés
par le plâtre, mais content de lui et portant son argent bien gagné
dans le nœud de son mouchoir. Il sortait maintenant sans rien
30 craindre, car son masque blanc le rendait méconnaissable, et puis
il avait observé que le regard méfiant du policier s'arrête peu sur
le vrai travailleur. Il était silencieux et sobre. Il dormait le bon
sommeil de la bonne fatigue. Il était libre.

Enfin, récompense suprême! il eut un ami.

---

[33] **la trique du chiourme:** *the jailer's stick.*
[34] **la . . . l'argousin:** *prison guard.*
[35] **pain bis:** *black bread.*

C'était un garçon maçon comme lui, nommé Savinien, un petit paysan limousin, aux joues rouges, venu à Paris le bâton sur l'épaule, avec le paquet au bout, qui fuyait le marchand de vin et allait à la messe le dimanche. Jean-François l'aima pour sa santé, pour sa candeur, pour son honnêteté, pour tout ce que lui-même avait perdu et depuis si longtemps. Ce fut une passion profonde, contenue, qui se traduisait par des soins et des pré-venances de père. Savinien, lui, nature mobile et égoïste, se laissait faire, satisfait seulement d'avoir trouvé un camarade qui partageait son horreur du cabaret. Les deux amis logeaient 10 ensemble dans un garni assez propre; mais leurs ressources étant très bornées, ils avaient dû admettre dans leur chambre un troisième compagnon, vieil Auvergnat[36] sombre et rapace, qui trouvait encore moyen d'économiser, sur son maigre salaire, de quoi acheter du bien dans son pays.

Jean-François et Savinien ne se quittaient presque pas. Les jours de repos, ils allaient faire ensemble de longues promenades aux environs de Paris et dîner sous la tonnelle, dans une de ces guinguettes où il y a beaucoup de champignons dans les sauces et d'innocents rébus au fond des assiettes. Jean-François se 20 faisait alors conter par son ami tout ce qu'ignorent ceux qui sont nés dans les villes. Il apprenait le nom des arbres, des fleurs et des plantes, l'époque des différentes récoltes; il écoutait avidement les mille détails du grand labeur bucolique: les semailles d'au-tomne, le labourage d'hiver, les fêtes splendides de la moisson et de la vendange, et les fléaux battant le sol, et le bruit des moulins au bord de l'eau, et les chevaux las menés à l'abreuvoir, et les chasses matinales dans le brouillard, et surtout les longues veillées autour du feu de sarment, abrégées par les histoires merveilleuses. Il découvrait en lui-même une source d'imagination 30 jusqu'alors inconnue, trouvant une volupté singulière au seul récit de ces choses douces, calmes et monotones.

Une crainte le troublait pourtant, celle que Savinien ne vînt à connaître son passé. Parfois il lui échappait un mot ténébreux d'argot, un geste ignoble, vestiges de son horrible existence

---

[36] **Auvergnat:** an inhabitant of Auvergne, a French province situated in the center of France.

d'autrefois, et il éprouvait la douleur d'un homme de qui les anciennes blessures se rouvrent, d'autant plus qu'il croyait voir alors, chez Savinien, s'éveiller une curiosité malsaine. Quand le jeune homme, déjà tenté par les plaisirs que Paris offre aux plus pauvres, l'interrogeait sur les mystères de la grande ville, Jean-François feignait l'ignorance et détournait l'entretien; mais il concevait alors sur l'avenir de son ami une vague inquiétude.

Elle n'était point sans fondement, et Savinien ne devait pas rester longtemps le naïf campagnard qu'il était lors de son arrivée
10 à Paris. Si les joies grossières et bruyantes du cabaret lui répugnaient toujours, il était profondément troublé par d'autres désirs pleins de dangers pour l'inexpérience de ses vingt ans. Quand vint le printemps, il commença à chercher la solitude et erra d'abord devant l'entrée illuminée des bals de barrières, qu'il voyait franchir par les couples de fillettes en cheveux, se tenant par la taille et se parlant tout bas. Puis, un soir que les lilas embaumaient et que l'appel des quadrilles était plus entraînant, il franchit le seuil, et, dès lors, Jean-François le vit changer peu à peu de mœurs et de physionomie. Savinien devint plus coquet,
20 plus dépensier; souvent il empruntait à son ami sa misérable épargne, qu'il oubliait de lui rendre. Jean-François, se sentant abandonné, à la fois indulgent et jaloux, souffrait et se taisait. Il ne se croyait pas le droit d'adresser des reproches; mais son amitié pénétrante avait de cruels, d'insurmontables pressentiments.

Un soir qu'il gravissait l'escalier de son garni, absorbé dans ses préoccupations, il entendit, dans la chambre où il allait entrer, un dialogue de voix irritées parmi lesquelles il reconnut celle du vieil Auvergnat, qui logeait avec lui et Savinien. Une ancienne
30 habitude de méfiance le fit s'arrêter sur le palier, et il écouta pour connaître la cause de ce trouble.

— Oui, disait l'Auvergnat avec colère, je suis sûr qu'on a ouvert ma malle et qu'on y a volé les trois louis que j'avais cachés dans une petite boîte; et celui qui a fait le coup ne peut être qu'un des deux compagnons qui couchent ici, à moins que ce ne soit Maria, la servante. La chose vous regarde autant que moi, puisque vous êtes le maître de la maison, et c'est vous que je

traînerai en justice si vous ne me laissez pas tout de suite chambarder les valises des deux maçons. Mon pauvre magot! il était
encore hier à sa place, et je vais vous dire comment il est fait,
pour que, si nous le retrouvons, on ne m'accuse pas encore
d'avoir menti. Oh! je les connais, mes trois belles pièces d'or,
et je les vois comme je vous vois. Il y en a une plus usée que les
autres, d'un or un peu vert, et c'est le portrait du grand Empereur;
l'autre, c'est celui d'un gros vieux qui a une queue et des épaulettes; et la troisième, où il y a dessus un Philippe en favoris, je
l'ai marquée avec mes dents. C'est qu'on ne me triche pas, moi. 10
Savez-vous qu'il ne m'en fallait plus que deux autres comme ça
pour payer ma vigne. Allons! fouillez avec moi dans les nippes
des camarades, ou je vais appeler la garde, fouchtra!

— Soit! répondit la voix du patron de l'hôtel, nous allons
chercher avec Maria. Tant pis si vous ne trouvez rien et si les
maçons se fâchent. C'est vous qui m'aurez forcé.

Jean-François avait l'âme remplie d'épouvante. Il se rappelait
la gêne et les petits emprunts de Savinien, l'air sombre qu'il lui
avait trouvé depuis quelques jours. Cependant il ne voulait pas
croire à un vol. Il entendait l'Auvergnat haleter, dans l'ardeur de 20
sa recherche, et il serrait ses poings fermés contre sa poitrine,
comme pour comprimer les battements de son cœur.

— Les voilà! hurla tout à coup l'avare victorieux. Les voilà!
mes louis, mon cher trésor! Et dans le gilet des dimanches de ce
petit hypocrite de Limousin.[37] Voyez, patron! ils sont bien comme
je vous ai dit. Voilà le Napoléon, et l'homme à la queue, et le
Philippe[38] que j'ai mordu. Regardez l'encoche. Ah! le petit
gueux! avec son air de sainte-nitouche. J'aurais plutôt soupçonné
l'autre. Ah! le scélérat! faudra qu'il aille au bagne.

En ce moment, Jean-François entendit le pas bien connu de 30
Savinien qui montait lentement l'escalier.

«Il va se trahir, pensa-t-il. Trois étages. J'ai le temps.»

Et, poussant la porte, il entra, pâle comme un mort, dans la

---

[37] **Limousin:** an inhabitant of Limoges, a French city famous for its
porcelain, or of the province of Limousin.
[38] **Napoléon . . . Philippe:** gold coins with heads of Napoleon, Louis
XVIII, and Louis Philippe.

chambre, où il vit l'hôtelier et la bonne stupéfaite, dans un coin, et l'Auvergnat à genoux parmi les hardes en désordre, qui baisait amoureusement ses pièces d'or.

— En voilà assez, fit-il d'une voix sourde. C'est moi qui ai pris l'argent et qui l'ai mis dans la malle du camarade. Mais c'est trop dégoûtant. Je suis un voleur et non pas un Judas.[39] Allez chercher la police. Je ne me sauverai pas. Seulement, il faut que je dise un mot en particulier à Savinien, que voilà.

Le petit Limousin venait en effet d'arriver et, voyant son crime 10 découvert, se croyant perdu, il restait là, les yeux fixes, les bras ballants.

Jean-François lui sauta violemment au cou, comme pour l'embrasser; il colla sa bouche à l'oreille de Savinien, et lui dit d'une voix basse et suppliante:

— Tais-toi!

Puis, se tournant vers les autres:

— Laissez-moi seul avec lui. Je ne m'en irai pas, vous dis-je. Enfermez-nous, si vous voulez, mais laissez-nous seuls.

Et, d'un geste qui commandait, il leur montra la porte. Ils 20 sortirent.

Savinien, brisé par l'angoisse, s'était assis sur un lit et baissait les yeux sans comprendre.

— Écoute, dit Jean-François, qui vint lui prendre les mains. Je devine. Tu as volé les trois pièces d'or pour acheter quelque chiffon à une fille. Cela t'aurait valu six mois de prison. Mais on ne sort de là que pour y rentrer, et tu serais devenu un pilier de correctionnelles[40] et de cours d'assises.[41] Je m'y entends. J'ai fait sept ans aux Jeunes Détenus, un an à Sainte-Pélagie, trois ans à Poissy, cinq ans à Toulon. Maintenant, n'aie pas peur. Tout est 30 arrangé. J'ai mis l'affaire sur mon dos.

— Malheureux! s'écria Savinien; mais l'espérance renaissait déjà dans ce lâche cœur.

— Quand le frère aîné est sous les drapeaux, le cadet ne part pas, reprit Jean-François. Je suis ton remplaçant, voilà tout. Tu

---

[39] **Judas:** a traitor (Judas was the apostle who betrayed Jesus).
[40] **correctionnelles:** a court that judges misdemeanors.
[41] **cours d'assises:** a court that judges criminal offenses.

m'aimes un peu, n'est-ce pas? Je suis payé. Pas d'enfantillage.
Ne refuse pas. On m'aurait bouclé[42] un de ces jours; car je suis
en rupture de ban.[43] Et puis, vois-tu, cette vie-là, ce sera moins
dur pour moi que pour toi; ça me connaît, et je ne me plains pas
si je ne te rends pas ce service pour rien et si tu me jures que tu
ne le feras plus. Savinien, je t'ai bien aimé, et ton amitié m'a
rendu bien heureux, car c'est grâce à elle que, tant que je t'ai
connu, je suis resté honnête et pur, et tel que j'aurais toujours
été, peut-être, si j'avais eu comme toi un père pour me mettre un
outil dans la main, une mère pour m'apprendre mes prières. 10
Mon seul regret, c'était de t'être inutile et de te tromper sur mon
compte. Aujourd'hui, je me démasque en te sauvant. Tout est
bien. Allons, adieu! ne pleurniche pas, et embrasse-moi, car
j'entends déjà les grosses bottes sur l'escalier. Ils reviennent avec
la rousse,[44] et il ne faut pas que nous ayons l'air de nous connaître
si bien devant ces gens-là.

Il serra brusquement Savinien contre sa poitrine; puis il le
repoussa loin de lui, lorsque la porte se rouvrit toute grande.

C'était l'hôtelier et l'Auvergnat qui amenaient les sergents de
ville. Jean-François s'élança sur le palier, tendit ses mains aux 20
menottes et s'écria en riant:

— En route, mauvaise troupe!

Aujourd'hui il est à Cayenne,[45] condamné à perpétuité, comme
récidiviste.

EXERCICES

I. Répondez aux questions suivantes:

    1. Racontez l'enfance de Jean-François Leturc.
    2. Quels métiers variés avait-il faits?
    3. Pour quel délit fut-il condamné à un an de prison?
    4. Combien de temps resta-t-il hors de prison?
    5. Que lut-il, en passant, sur le tableau noir de l'école des Frères?
    6. Quelle résolution prit-il aussitôt?

[42] **On . . . bouclé:** *They would have locked me in* (slang).
[43] **je suis . . . ban:** *I have broken my parole.*
[44] **la rousse:** *the police* (slang).
[45] **Cayenne:** the French penal colony in French Guiana.

7. Racontez l'amitié de Jean-François et de Savinien.
8. Qu'entendit Jean-François un soir en gravissant l'escalier de son garni?
9. Qu'avait-on volé à l'Auvergnat?
10. Quelle décision héroïque prit alors Jean-François?

II. Racontez «Le Remplaçant» en vous servant des bouts de phrases suivantes:

1. Sa mère était blanchisseuse.
2. Elle l'envoyait chez les frères.
3. Il l'avait pris en grippe.
4. Personne ne le réclamait.
5. Il fut relancé sur le pavé parisien.
6. Il fut de nouveau arrêté.
7. Son temps fait, il erra de nouveau à travers Paris.
8. Quand il avait cinq sous, il se faisait friser.
9. «Si je pouvais encore, comme les autres, mordre honnêtement dans mon pain bis.»
10. Le maître pour lequel il travaillait le citait comme son meilleur compagnon.
11. Les deux amis logeaient ensemble dans un garni assez propre.
12. Il concevait alors, sur l'avenir de son ami, une vague inquiétude.
13. Je suis sûr qu'on a ouvert ma malle.
14. En ce moment Jean-François entendit le pas bien connu.
15. Quand le frère aîné est sous les drapeaux, le cadet ne part pas.
16. C'était l'hôtelier et l'Auvergnat qui amenaient les sergents de ville.

III. Employez les expressions suivantes dans un paragraphe basé sur «Le Remplaçant»:

1. prendre un air
2. le petit nom
3. tirer au sort
4. rompre son ban
5. partir d'un bon éclat de rire
6. se laisser faire
7. prendre en grippe
8. gravir l'escalier
9. faire un coup
10. aller au bagne
11. mettre l'affaire sur le dos de quelqu'un
12. sous les drapeaux

LES PÊCHES

ANDRÉ THEURIET

André Theuriet (1833–1907), qui n'appartient pas à la grande littérature, est cependant un des conteurs les plus charmants du dix-neuvième siècle. Il a écrit des romans qui ont connu un assez grand succès: Mon Oncle Flo, L'Abbé Daniel, *etc., dans lesquels, tantôt comique, tantôt sentimental, Theuriet traite des sujets familiers et sans prétention. Theuriet a publié aussi de nombreux contes:* Contes pour les jeunes et pour les vieux *et* Contes tendres, *dont les titres indiquent assez exactement la nature.*

I

LA PREMIÈRE fois que je revis, après vingt-cinq ans, mon vieux camarade Vital Herbelot, ce fut dans un banquet des anciens élèves d'un lycée de province où nous avions fait nos études. Ces sortes de réunions se ressemblent presque toutes: poignées de mains, reconnaissances bruyantes, tutoiements qu'on est étonné de reprendre après un silence d'un quart de siècle; constatations mélancoliques des changements apportés par les années dans les physionomies et les fortunes; puis le discours solennel du président, les toasts, les évocations des souvenirs du collège, dont le temps a évaporé les amertumes, pour ne laisser subsister que la 10 meilleure saveur des jours où chacun de nous tenait dans sa main une boîte de Pandore[1] pleine d'espérances dorées . . .

Je fus passablement surpris de trouver un Vital Herbelot tout différent de celui dont j'avais gardé souvenance. Je l'avais connu

---

[1] **boîte de Pandore:** *Pandora's box,* from which all human ills escaped, leaving hope alone (Greek mythology).

mince et timide, tiré à quatre épingles, correct et réservé, réunis-
sant toutes les qualités aimables d'un jeune surnuméraire qui
veut faire son chemin dans l'administration où sa famille l'a
placé. Je revoyais un gaillard solide, au cou et au teint hâlés,
ayant l'œil vif, la voix haute, nette et éclatante d'un homme qui
n'est pas habitué à peser ses paroles. Avec ses cheveux coupés en
brosse,[2] son costume de drap anglais, sa barbe poivre et sel en
éventail,[3] il avait dans toute sa personne quelque chose d'aisé,
de décidé, qui ne sentait en rien le fonctionnaire.

10   «Ah! çà, lui demandai-je, qu'es-tu devenu? N'es-tu plus dans
l'administration?

— Non, mon ami, répondit-il, je suis tout bêtement cultivateur
. . . J'exploite à une demi-lieue d'ici, à Chanteraine, une propriété
assez importante, où je sème du blé et où je récolte un petit vin[4]
dont je te ferai goûter quand tu viendras me voir.

— En vérité! m'écriai-je, toi, fils et petit-fils de bureaucrates,
toi qu'on citait comme le modèle des employés et auquel on
prédisait un brillant avenir, tu as abandonné ta carrière?

— Mon Dieu, oui.

20   — Comment cela est-il arrivé?

— Mon cher, répliqua-t-il en riant, les grands effets sont
souvent produits par les causes les plus futiles . . . J'ai donné
ma démission pour deux pêches.

— Deux pêches?

— Ni plus ni moins, et quand nous aurons pris le café, si tu
veux m'accompagner jusqu'à Chanteraine, je te conterai cela.»

II

Après le café, nous quittâmes la salle du banquet et tandis
qu'en fumant un cigare nous longions le canal, par une tiède
après-midi de la fin d'août, mon ami Vital commença son récit:

— Tu sais, me dit-il, que mon père, vieil employé, ne voyait
rien de comparable à la carrière des bureaux. Aussi, dès que je

---

[2] **coupés en brosse:** *cut short and straight on top, like a brush.*
[3] **poivre . . . éventail:** *black and white, cut round, like a fan.*
[4] **je récolte un petit vin:** *I raise grapes which make a nice little wine.*

fus débarrassé de mon baccalauréat, on n'eut rien de plus pressé
que de me mettre comme surnuméraire dans l'administration
paternelle. Je ne me sentais pas de vocation bien déterminée[5] et
je m'engageai docilement sur cette banale grand'route de la
bureaucratie, où mon père et mon grand-père avaient lentement,
mais sûrement cheminé. J'étais un garçon laborieux, discipliné,
élevé dès le berceau dans le respect des employés supérieurs et
la déférence qu'on doit aux autorités; je fus donc bien noté par
mes chefs et je conquis rapidement mes premiers grades adminis-
tratifs. Quand j'eus vingt-cinq ans, mon directeur, qui m'avait 10
pris en affection, m'attacha à ses bureaux et mes camarades
envièrent mon sort. On parlait déjà de moi comme d'un futur
employé supérieur et on me prédisait le plus bel avenir. C'est
alors que je me mariai. J'épousai une jeune fille fort jolie, et, ce
qui vaut mieux, très bonne et très aimante, — mais sans fortune.
C'était un tort grave aux yeux du monde d'employés dans lequel
je vivais. On y est très positif, on ne voit guère dans le mariage
qu'une bonne affaire et on y prend volontiers pour règle que
«si le mari apporte à déjeuner, la femme doit apporter à dîner.»
Ma femme et moi, nous avions à peine à nous deux de quoi 20
chichement souper. On cria très haut que j'avais fait une sottise.
Plus d'un brave bourgeois de mon entourage déclara net que
j'étais fou et que je gâchais à plaisir une belle situation. Néanmoins, comme ma femme était très gentille et très bonne enfant,[6]
comme nous vivions modestement, et qu'à force d'économies
nous réussissions à joindre les deux bouts, on ne songea plus à
condamner mon imprévoyance et la société locale daigna continuer à nous accueillir.

III

Mon directeur était riche, il aimait la représentation, recevait
souvent, donnait de superbes dîners et de temps à autre invitait
à une sauterie, les familles des fonctionnaires et des notables de

---

[5] **Je ne me sentais . . . déterminée:** *I did not feel that I had any definite
talent.*
[6] **très bonne enfant:** *good-natured, easy to live with.*

la ville. A cette époque, ma femme très souffrante dut garder la maison, et bien que j'eusse préféré lui tenir compagnie, je fus obligé d'assister aux réceptions habituelles, car mon chef n'admettait pas qu'on déclinât ses invitations, et, chez lui, ses employés devaient s'amuser par ordre.

Un soir, il y eut grand bal à la direction; il me fallut donc bon gré, mal gré, prendre mon habit noir.

A l'heure du départ, tout en faisant artistiquement le nœud de ma cravate blanche, ma femme m'adressa force recommandations:
10 «Ce sera très beau . . . N'oublie pas de bien regarder afin de tout me raconter en détail: les noms des dames qui seront à la soirée, leurs toilettes et le menu du souper . . . Car il y aura un souper; il paraît qu'on a fait venir de Paris quantité de bonnes choses . . . des primeurs; on parle de pêches qui ont coûté trois francs pièce[7] . . . Oh! ces pêches! . . . Sais-tu! si tu étais gentil, tu m'en rapporterais une . . .»

J'essayai de lui remontrer que la chose était peu pratique et combien il était difficile à un monsieur en habit noir d'introduire un de ces fruits dans sa poche, sans risquer d'être vu et mis à
20 l'index . . . Plus j'élevais d'objections et plus elle s'entêtait dans sa fantaisie:

«Rien de plus facile au contraire! . . . Au milieu du va-et-vient des soupeurs, personne ne s'en apercevra . . . Tu en prendras une comme pour toi et tu la dissimuleras adroitement . . . Ne hausse pas les épaules! . . . C'est vrai, c'est un enfantillage, mais c'est si peu ce que je te demande . . . Promets-moi de m'en rapporter au moins une, jure-le moi! . . .»

Le moyen d'opposer un refus catégorique à[8] une jeune femme qu'on aime, qui, à peine convalescente, va passer seule sa soirée
30 et penser à celles qui dansent, là-bas! . . .

Je finis par murmurer une promesse vague et me hâtai de partir, mais au moment où je prenais le bouton de la porte, elle me rappela. Je vis son beau visage pâle, ses grands yeux bleus tournés doucement vers moi, et elle me dit encore avec un sourire:

«Tu me le promets? . . .»

---

[7] **pièce:** *each.*
[8] **Le moyen . . . catégorique:** *How could one refuse categorically the request.*

IV

Un très beau bal: des fleurs partout, des toilettes fraîches, un orchestre excellent. Le préfet, le président du tribunal, les officiers de la garnison, tout le dessus du panier se trouvait là. Mon directeur n'avait rien épargné pour donner de l'éclat à cette fête dont sa femme et sa fille faisaient gracieusement les honneurs. A minuit, on servit le souper et, par couples, les danseurs passèrent dans la salle du buffet. Je m'y faufilai en palpitant, et, à peine entré, j'aperçus en belle place, au milieu de la table, les fameuses pêches envoyées de Paris.

Elles étaient magnifiques, les pêches! Disposées en pyramide 10 dans une corbeille de faïence de Lunéville,[9] espacées et séparées par des feuilles de vigne, elles étalaient avec orgueil leur couleur appétissante où des rougeurs foncées diapraient le blanc verdâtre de la peau veloutée. Rien qu'à les voir,[10] on devinait la fine saveur parfumée de la chair rosée et fondante. De loin je les caressais de l'œil[11] et je songeais aux joyeuses exclamations qui m'accueilleraient au retour, si je parvenais à rapporter à la maison un échantillon de ces fruits exquis. Elles excitaient l'admiration générale; plus je les contemplais, plus mon désir prenait la forme d'une idée fixe, et plus fort s'enfonçait dans mon 20 cerveau la résolution d'en prendre une ou deux. Mais comment?

. . . Les domestiques préposés au service faisaient bonne garde autour de ces rares et coûteuses primeurs. Mon directeur s'était réservé le plaisir d'offrir lui-même ses pêches à quelques privilégiés. De temps en temps, sur un signe de mon chef, un maître d'hôtel prenait une pêche délicatement, la coupait à l'aide d'un couteau à lame d'argent, et présentait les deux moitiés sur une assiette de Sèvres[12] à la personne désignée. Je suivais avidement ce manège et je voyais en tremblant s'effondrer la pyramide. Néanmoins on n'épuisa pas le contenu de la corbeille. Soit que la consigne eût 30

[9] **Lunéville:** a town in the department of Meurthe and Moselle in the northeast of France. It specializes in crockery.

[10] **Rien . . . voir:** *Only by looking at them.*

[11] **je les . . . de l'oeil:** *I looked at them longingly.*

[12] **Sèvres:** a town near Versailles renowned for the manufacture of fine porcelain.

été adroitement exécutée, soit qu'on y mît de la discrétion, quand
les soupeurs, rappelés par un prélude de l'orchestre, se précipitè-
rent dans le salon, il restait encore une demi-douzaine de belles
pêches sur le lit de feuilles vertes.

Je suivis la foule, mais ce n'était qu'une fausse sortie. J'avais
laissé mon chapeau dans une encoignure, — un chapeau haut de
forme qui m'avait considérablement gêné pendant toute la soirée.
Je rentrai sous prétexte de le reprendre et, comme j'étais un peu
de la maison, les domestiques ne se méfièrent pas de moi.
10 D'ailleurs ils étaient occupés à transporter à l'office la vaisselle
et les verres qui avaient servi aux soupeurs, et à un certain
moment, je me trouvai seul près du buffet. Il n'y avait pas une
minute à perdre. Après un furtif coup d'œil à droite et à gauche
je m'approchai de la corbeille, je fis rouler prestement deux
pêches dans mon chapeau, où je les tamponnai à l'aide de mon
mouchoir, puis — très calme en apparence, très digne, bien que
j'eusse un affreux battement de cœur, — je quittai la salle à
manger en appliquant soigneusement l'orifice de mon couvre-chef
contre ma poitrine, l'y maintenant à l'aide de ma main droite
20 passée dans l'ouverture de mon gilet, ce qui me donnait une pose
très majestueuse et presque napoléonienne.

V

Mon projet était de traverser doucement le salon, de m'esquiver
à l'anglaise, et, une fois dehors, de rapporter victorieusement à
la maison les deux pêches enveloppées dans mon mouchoir.

La chose n'était pas aussi facile que je l'avais pensé tout
d'abord. On venait de commencer le cotillon.[13] Tout autour du
grand salon il y avait un double cordon d'habits noirs et de
dames mûres, entourant un second cercle formé par les chaises
des danseuses; puis, au milieu, un large espace vide où valsaient
les couples. C'était cet espace qu'il me fallait traverser pour
10 gagner la porte de l'antichambre.

Je m'insinuais timidement dans les interstices des groupes, je
serpentais entre les chaises avec la souplesse d'une couleuvre . . .

---

[13] **le cotillon:** an old-fashioned square dance.

Je tremblais à chaque instant qu'un brutal coup de coude ne vînt déranger la position de mon couvre-chef et ne fît choir mes pêches. Je les sentais ballotter dans l'intérieur de la coiffe, et j'en avais chaud aux oreilles et aux cheveux.[14] Enfin, après bien des peines et bien des transes, j'entrai dans le cercle au moment où on organisait une nouvelle figure: la danseuse est placée au centre des danseurs qui exécutent autour d'elle une ronde en lui tournant le dos; elle doit tenir un chapeau à la main et en coiffer au passage celui des cavaliers avec lequel elle désire valser. A peine avais-je fait deux pas, que la fille de mon directeur, qui conduisait 10 le cotillon avec un jeune conseiller de préfecture, s'écria:

«Un chapeau! Il nous manque un chapeau!»

En même temps elle m'aperçut avec mon tuyau de poêle[15] collé sur ma poitrine; je rencontrai son regard et tout mon sang se figea . . .

«Ah! me dit-elle, vous arrivez à point, monsieur Herbelot! . . . Vite, votre chapeau! . . .»

Avant que j'eusse pu seulement balbutier un mot, elle s'empara de mon chapeau . . . si brusquement que, du même coup, les pêches roulèrent sur le parquet, entraînant mon mouchoir et 20 deux ou trois feuilles de vigne . . .

Tu vois d'ici le tableau. Les danseuses riaient sous cape[16] en contemplant mon méfait et ma mine déconfite; mon directeur fronçait le sourcil, les gens graves chuchotaient en me montrant du doigt, et je sentais mes jambes fléchir . . . J'aurais voulu m'enfoncer dans le parquet et disparaître.

La jeune fille se pinça les lèvres pour réprimer un éclat de rire, puis me rendant mon chapeau:

«Monsieur Herbelot, me dit-elle d'une voix ironique, ramassez donc vos pêches!»   30

Les rires alors partirent de tous les coins du salon, les domestiques eux-mêmes se tenaient les côtes,[17] et, pâle, hagard,

---

[14] **j'en avais . . . aux cheveux:** *the very thought of them made the back of my ears and head feel uncomfortably hot.*

[15] **tuyau de poêle:** *high silk hat* (colloq.).

[16] **sous cape:** *slyly.*

[17] **se tenaient les côtes:** *were holding their sides from laughing.*

chancelant, je m'enfuis, écrasé de confusion; j'étais si égaré que
je ne trouvais plus la porte, et je m'en allai, la mort dans le cœur,[18]
conter mon désastre à ma femme.

VI

Le lendemain, l'histoire courait la ville. Quand j'entrai dans
mon bureau, mes camarades m'accueillirent par un: «Herbelot,
ramassez vos pêches!...» qui me fit monter le rouge au visage.
Je ne pouvais hasarder un pas dans la rue, sans entendre derrière
moi une voix moqueuse murmurer: «C'est le monsieur aux
pêches!...» La place n'était plus tenable, et huit jours après je
donnai ma démission.

Un oncle de ma femme exploitait une propriété aux environs
de ma ville natale. Je le priai de me prendre comme auxiliaire.
10 Il y consentit et nous nous installâmes à Chanteraine . . . Que
te dirai-je encore?... Je mis résolument la main à l'œuvre, me
levant avec l'aube et ne plaignant pas ma peine.[19] Il paraît que
j'avais plus de vocation pour la culture que pour les paperasses,
car je devins en peu de temps un agriculteur sérieux. Le domaine
prospéra si bien, qu'à sa mort, notre oncle nous le laissa par
testament. Depuis je l'ai arrondi[20] et je l'ai amené à l'état
satisfaisant où tu vas le voir . . .

Nous étions arrivés à Chanteraine. Nous y pénétrâmes par un
verger plein de fruits. Les branches chargées de pommes et de
20 poires pliaient jusqu'à terre. A l'extrémité du clos, une prairie en
pente dévalait vers la rivière bleuissante, au delà de laquelle se
relevait un coteau de vigne où les raisins commençaient à grossir
et où les oiseaux chantaient. A gauche, derrière les arbres, un
ronflement de batteuse[21] indiquait l'emplacement des granges et,
quand nous eûmes traversé le potager, nous aperçûmes la façade
blanche de la maison d'habitation, où grimpaient en espalier des
pêchers couverts de belles pêches mûrissantes.

[18] **la mort . . . coeur:** *my heart barely beating.*
[19] **ne plaignant . . . peine:** *not grudging my work, working very hard.*
[20] **arrondi:** *increased.*
[21] **batteuse:** *threshing machine.*

«Tu le vois, me dit Vital Herbelot, je rends un culte aux pêches. Je leur dois mon bonheur. Sans elles je serais resté un pauvre fonctionnaire, tremblant au moindre froncement de sourcils de son directeur et vivant toujours dans la crainte de ne pouvoir nourrir ou élever ses enfants; tandis que maintenant je suis mon maître, je cultive mon blé, et tu vas voir ma famille . . .»

Au même moment, j'entendis de joyeux rires de garçons et de filles dans l'intérieur du logis. Et à la fenêtre du rez-de-chaussée, dans l'encadrement des espaliers couverts de pêches, Mme Herbelot apparut, robuste et belle encore aux approches de la quarantaine, — pêche mûre elle-même et dorée par la chaude lumière d'un magnifique soleil couchant.

EXERCICES

I. **Répondez aux questions suivantes:**

1. Où l'auteur revit-il son camarade Vital Herbelot?
2. Décrivez l'apparence de Vital Herbelot.
3. Quelle profession exerçait maintenant Herbelot?
4. Pourquoi s'était-il engagé d'abord dans la bureaucratie?
5. Pourquoi Herbelot n'avait-il pas fait un bon mariage aux yeux de ses collègues?
6. Quelles recommandations Mme Herbelot fit-elle à son mari avant la soirée?
7. Décrivez la soirée chez le directeur.
8. Comment Herbelot s'y prit-il, pour emporter les pêches?
9. Est-ce que ce stratagème réussit?
10. Quelles furent les conséquences de cette humiliation?

II. **Traduisez les phrases suivantes:**

1. The director often gave fine dinners to the important people of the town.
2. My wife asked me to bring back to her a lot of peaches.
3. At midnight when the dancers left, I noticed the famous peaches in the middle of the table.
4. I approached the basket and rolled two peaches into my hat.
5. I had to cross the drawing room when the girls were choosing partners.
6. They took possession of my hat and the peaches rolled on the floor.

7. When I walked along the street my comrades whispered: "He's the peach man."
8. I had to hand in my resignation.
9. My wife begged me to become a farmer.
10. He showed me his peach trees filled with ripening peaches.

III. Cherchez des synonymes en français pour les expressions suivantes:

1. un banquet
2. passablement
3. garder souvenance
4. tiré à quatre épingles
5. chichement
6. déclarer net
7. une sauterie
8. joindre les deux bouts
9. s'entêter
10. se faufiler
11. faire bonne garde
12. être de la maison
13. arriver à point
14. rire sous cape
15. donner sa démission

LE TAMBOUR DE ROQUEVAIRE

PAUL ARÈNE

Comme Jean Aicard et Alphonse Daudet, Paul Arène (1843–1896) est né en Provence mais a vécu surtout à Paris. On peut l'appeler à bon droit un écrivain régionaliste car les descriptions de la Provence, des Provençaux, de leurs mœurs, abondent dans son œuvre. Avec un sens très aigu du comique beaucoup d'esprit et un talent très sûr d'observateur, on peut justement le comparer à Alphonse Daudet, bien qu'il n'ait pas atteint la popularité de ce dernier. Paul Arène a écrit des romans dont le plus célèbre est sans doute Jean des figues, *et des contes tels que* Contes de Noël *et* Contes de Paris et de la Provence.

«BRIGADIER . . .

— C'est-il vous, Picardan?
— Oui, brigadier. Et même qu'il y a du nouveau.
— Attendez alors, que je mette mes bottes.»
Là-dessus, le brigadier ferma la fenêtre du rez-de-chaussée aux vitres de laquelle le garde Picardan avait cogné, et disparut un instant pour reparaître sur le perron de la caserne, non plus en bonnet de coton, comme un bon gendarme qui va se livrer au repos du soir, mais sanglé d'un baudrier, coiffé d'un tricorne et prêt à traquer le délinquant, malgré les ténèbres, d'ailleurs 10 relatives, dont une nuit d'août transparente couvrait les collines et les champs autour du village de Roquevaire.
Ils partirent, marchant côte à côte, sans parler.
Quand ils eurent dépassé les dernières maisons, quand Roquevaire ne fut plus sur le fond bleu du ciel piqué d'innombrables étoiles qu'une masse noire que dominaient la tour carrée et la

cage en fer travaillée à jour de l'horloge municipale, dans cette cage onze heures sonnèrent, notes d'argent dans le grand silence.

«Ainsi nos gaillards sont au plant de Font-Sèche?

— Oui, brigadier.

— Tous les quatre?

— Comme toujours.

— Suffit!. . . Faudra voir une bonne fois[1] à tirer leur affaire au clair.»[2]

Puis le silence retomba, interrompu seulement par le pas
10 rythmé du brigadier et le claquement sec du sarment de vigne recourbé en crosse, que Picardan — héritier inconscient des vieux centurions romains — portait comme insigne de ses fonctions.

Après le cimetière, à l'endroit où la route commence à grimper, Picardan dit:

«Chut! écoutons . . .»

Un bruit sourd, comparable au roulement d'un tambour voilé, s'entendait de l'autre côté de la hauteur. Le bruit cessa, puis recommença, par intervalles réguliers, de plus en plus distinct,
20 de plus en plus nourri, à mesure que le gendarme et le garde montaient.

Ils avaient maintenant quitté le grand chemin, et coupaient en biais, l'oreille aux aguets, guidés par le son, un plateau inculte dominant la plaine.

«Encore quelques pas, et, de la crête, nous allons les voir.

— Il faudrait trouver, pour se cacher, n'importe quoi: un rocher, un arbre . . .»

Mais en fait d'arbres, le plateau n'avait que des lavandes[3] maigres et rares; des cailloux au lieu de rochers. Il est même
30 étonnant que le mistral,[4] qui souffle dur sur les hauteurs en ce bienheureux pays de Provence, eût laissé là tant de cailloux.

«Attention, fit le garde, voici que la diablerie commence.»

---

[1] **une bonne fois:** *once for all.*
[2] **tirer . . . clair:** *to clarify their business.*
[3] **lavandes:** lavender grows abundantly on the hills of Provence.
[4] **mistral:** a cold northeastern wind, common to the Rhône Valley and Provence.

En effet, là-bas, dans les oliviers, quelque chose d'inaccoutumé se passe. Entre les troncs que l'éclat multiplié des constellations baigne d'une vague lueur, quatre hommes ou plutôt quatre fantômes se suivent à la file indienne.[5] Tout à coup, et comme obéissant à un mot d'ordre, la procession s'arrête. Le premier des fantômes, porteur d'une lanterne sourde, en promène le reflet de droite à gauche, lentement et circulairement. Le second aussitôt roule de son tambour. Le troisième, balançant un ustensile qui paraît être un arrosoir, fait jaillir vers le sol, dans la clarté de la lanterne, une pluie de diamants liquides. Alors le quatrième — 10 celui-ci armé d'un panier — tombe à genoux . . . Et, l'incantation finie, tout rentre dans le silence et l'ombre, jusqu'à ce qu'un nouveau roulement, un nouveau jet de vive lumière viennent trahir sur un autre point de la plaine la présence de ces étranges promeneurs.

«Que pensez-vous, brigadier?

— Qu'il faut se coucher en tirailleurs, observer et attendre.»

Ils n'attendirent pas longtemps. Presque sous leurs pieds, au bas de l'escarpement formé par le´ bord extrême du plateau, soudain la lanterne luisit et le tambour sonna.   20

«En avant! cria le brigadier.

— En avant!» répéta le garde.

Prêts à prendre leur élan, ils se dressèrent. Mais au même moment, derrière eux, la lune apparaissant par-dessus les collines, étendit sur tout le plateau sa blanche nappe de lumière; et deux gigantesques ombres portées, l'une coiffée d'un simple képi, l'autre d'un tricorne[6] en bataille, s'allongèrent démesurément dans la direction de la plaine restée obscure, comme si les deux représentants de l'autorité, grandis soudain de plusieurs coudées, se fussent étalés à plat, face contre terre.   30

Les fantômes avaient-ils entendu les voix du gendarme et du garde? Avaient-ils aperçu leur double silhouette? . . . Mais en moins de temps qu'il n'en faut pour le dire, le tambour se tut, la lanterne s'éteignit, et le garde avec le gendarme, malgré la hâte

---

[5] **file indienne:** *one after the other, Indian file.*

[6] **tricorne:** a three-cornered hat formerly worn by the French gendarmes.

qu'ils y mirent, ne purent, arrivés sur les lieux, que constater de nombreuses traces de pas autour d'un rond encore humide.

Cette nuit, le brigadier ne dormit guère, et sa femme en fut effrayée.

Il songeait que depuis deux mois, chaque samedi, quatre particuliers[7] suspects se livraient nuitamment à d'inexplicables sarabandes, et que le moment était venu, pour l'honneur de la gendarmerie, de mettre bon ordre à tout cela.

Qui pouvaient bien être ces particuliers?

10 Des fantômes?... Non! Les gendarmes ne croient pas aux fantômes.

Des chercheurs de trésors?... L'hypothèse à première vue parut séduisante au brigadier. Pourtant l'arrosoir, le tambour le déconcertaient. On n'arrose pas les trésors; on ne cherche pas de trésors au son du tambour.

Des sorciers, alors? Mettons des sorciers! Avec des sorciers, tout s'expliquait.

Puis il réfléchit qu'après tout, la chose pouvait bien se rattacher à la politique. En effet le sentier bordé de murs en pierres sèches 20 par où évidemment, car il n'y avait que celui-là, les rôdeurs avaient pris la fuite, menait droit au *Mas de l'Agasse*.[8] Or, ce Mas de l'Agasse appartenait au sieur Baculas, tueur de tourdres, bon vivant, qui aimait par farce à faire courir les gendarmes et que les gendarmes avaient à l'œil un peu à cause de cela, et aussi, quoiqu'on fût en république, à cause de ses opinions scandaleusement avancées.

Pincer Baculas, quelle joie!

«On verra voir,»[9] se dit le brigadier.

Et, son plan dressé, sa résolution prise, il s'endormit du sommeil des justes.

Le lendemain, beau jour de dimanche, le brigadier, rasé de frais, coquet dans sa petite tenue,[10] avec l'air aimable et l'allure d'un guerrier point méchant qui se promène pour son plaisir, se

---

[7] **particuliers:** *persons* (colloq.).
[8] **Mas . . . Agasse:** *the farm of the Magpie.*
[9] **On verra voir:** *We shall see* (colloq.).
[10] **petite tenue:** *ordinary uniform.*

dirigea, dès que le soleil fut assez haut, du côté du Mas de
l'Agasse.

Le toit fumait.

«Les particuliers y sont!»

Ce disant, il huma l'air et renifla en chien chasseur qui se sent
sur la bonne piste.

Comment douter d'ailleurs? D'un premier rapide coup d'œil
jeté dans l'intérieur du cabanon par la porte laissée grande
ouverte, ne venait-il pas d'apercevoir — suspendues au mur en
manière de panoplie — les plus probantes des pièces à conviction: 10
un grand panier, un arrosoir, l'œil convexe et rond d'une lanterne,
sans compter le tambour qu'une serviette voilait.

Les criminels ne se troublèrent pas, au contraire.

«Tiens, le brigadier?

— Bonjour, brigadier!

— Brigadier, entrez, si un coup de vin frais ne vous fait pas
peur.»

Le brigadier entra, décidé à observer les hommes et les choses.

Sauf la lanterne et le tambour — car la présence de l'arrosoir
et du panier n'avait en somme rien d'extraordinaire — un cabanon 20
comme les autres; une de ces cigalières sans ombre où les bons
Provençaux, restés musulmans par plus d'un coin, passent leurs
dimanches délicieusement à se réjouir entre amis, face à face avec
la nature et surtout loin de leurs épouses. Sur les murs blanchis
à la chaux et décorés d'ustensiles de cuisine, se lisaient des
inscriptions joyeuses: «Buvons! — Chantons! — Égayons-nous!»
Des listes de convives, au crayon, avec une croix à côté du nom
des morts, rappelaient la date et le souvenir des déjeuners mar-
quants dont le cabanon fut le théâtre. Au milieu de la cheminée,
une pendule peinte en trompe-l'œil, sans aiguilles, s'enguirlandait 30
de la philosophique devise: «Ici le cadran n'a pas d'heures.»

Sous la surveillance de trois hommes attentifs à entretenir les
braises, trois casseroles glougloutaient. Le quatrième, Baculas
lui-même, bras nus, le front emperlé de sueur, broyait l'aïoli[11]
dans un coin.

---

[11] aïoli: mayonnaise with garlic, a specialty of Provence.

Tout à coup, d'un geste d'Hercule déposant sa massue, il planta le pilon de bois au centre de l'odorante et tremblotante pommade, et comme le pilon tint debout:

«Tous à table, l'aïoli est pris.»[12]

Puis, se retournant, et comme redescendu aux choses terrestres:

«Tiens! c'est vous, brigadier ... Vous ne refuserez pas de goûter notre aïoli?»

Le brigadier accepta sans trop se faire prier, bien que sa délicatesse s'offusquât de partager le pain et le sel avec des 10 escogriffes qu'il espérait bien appréhender au collet avant peu.

«Et la morue? disait Baculas. — La morue est prête. — Fait-elle la pierre à fusil?[13] — Elle fait la pierre à fusil. — Bon! Et les haricots verts? Les pommes de terre? — Les haricots verts, les pommes de terre sont à point. — Et les cacalauses? (cacalause est le nom qu'ont les escargots en langue d'oc). — Flairez plutôt, elles embaument — Alors il n'y a plus qu'à manger.»

Tous prirent place; et Baculas, avant de s'asseoir, prononça en guise de bénédicité la phrase classique:

«Souvenons-nous, braves gens, que les anciens Romains fai-20 saient nicher les escargots et mangeaient l'aïoli trois fois par semaine, ce qui ne les empêcha pas d'être des conquérants distingués, et de mourir vieux à l'occasion.»

Le brigadier pensait à part soi: Je crois, nom d'un cheval, qu'on se fiche de la gendarmerie!

«Voyons, brigadier, qu'avez-vous? Quelque chose vous préoccupe. Vous mangez, un œil sur l'assiette, l'autre sur la lanterne et le tambour; et pas plus tard qu'hier soir, du haut du plateau de Font-Sèche, avec ce brigand de Picardan, vous nous espionniez ... Ne niez pas. On vous a vus: votre tricorne cachait la lune. 30 — Croyez, messieurs ...

— Ah! vous avez voulu savoir nos secrets, vous avez voulu pénétrer nos mystères? Eh bien, vous saurez, vous pénétrerez ... Camarades, qu'on ferme la porte! ... Et quand tout vous sera révélé, jurez, brigadier, que vous ne nous trahirez point.»

[12] **l'aïoli est pris:** *the* aïoli *has taken, that is, has thickened.*
[13] **pierre à fusil:** yellow and consistent, as silex, formerly used to fire guns.

Le brigadier était seul, il n'avait pas son sabre, il jura.

«Apprenez donc, brigadier, commença Baculas d'une voix tonnante, que pareillement aux Romains leurs aïeux, les fils de la Provence furent toujours friands d'escargots. A Roquevaire surtout! car nulle part on n'estime l'escargot autant qu'à Roquevaire.

«Malheureusement, l'escargot est un gibier capricieux, qui choisit ses heures. L'escargot ne montre ses cornes qu'en temps de pluie . . . Quelle misère lorsqu'il ne pleut pas!

«L'hiver, passe encore! Avec du temps et de la patience, on 10 finit toujours par en dénicher quelques douzaines dans les trous de mur où ils sont endormis.

«Mais l'été — à moins d'une ondée providentielle qui vienne une fois par hasard rafraîchir le toit en tuiles rouges du cabanon et ses arbustes poussiéreux sur lesquels les cigales crient comme si elles étaient en train de frire à la chaleur — l'été, avec un terrain sec et dur qu'un coup de mine n'entamerait pas, nul moyen de se procurer les intéressants gastéropodes . . . Là, brigadier, que feriez-vous?»

Interloqué, le brigadier oublia de répondre, se demandant où 20 son interlocuteur voulait en venir.

«Et pourtant, continuait Baculas, le moyen existe, grâce auquel on peut persuader aux escargots enfouis sous terre de venir se promener à la surface du sol. Mais pour le trouver, ce moyen, il fallait toute l'ingéniosité native des Provençaux en général et des Roquevairois en particulier . . . Inutile de chercher à deviner, brigadier, puisque vous n'êtes pas de Roquevaire.

«Voici d'ailleurs succinctement la manière dont s'organisent, entre Roquevairois initiés, ces petites expéditions nocturnes.

«On part quatre, à la queue leu leu, d'un pas uniforme, comme 30 hier vous avez pu nous voir faire; et, l'un dissimulant une lanterne sourde, le second portant un tambour, le troisième un arrosoir et le quatrième un panier de taille, on va se perdre sous les oliviers. Aux endroits propices, l'homme à la lanterne démasque sa lanterne, et, d'un coup de poignet rapide, en promène vivement la lueur sur le sol; l'homme au tambour exécute un sourd roulement, l'homme à l'arrosoir arrose en mesure. Trompé par ce

simulacre d'éclair suivi de tonnerre et de pluie, le naïf escargot
sort de ses retraites. Il est alors délicatement cueilli par le
quatrième compère qui le jette dans son panier.

— Drôle de chasse! fit le brigadier vexé au fond sans vouloir
le laisser paraître.

— Chasse amusante, reprit Baculas implacable, et qui ne
nécessite pas de permis.»

L'histoire est-elle vraie? Pourquoi non! . . . Je me suis borné
à la transcrire telle qu'elle me fut racontée par le grand Mimile,
10 un Marseillais[14] pur sang qui n'a pas son pareil pour déchiffrer
les devinettes. En tout cas, une chose que je puis affirmer, c'est
que, dans toute la Provence, alors qu'il éclaire et qu'il tonne, les
bonnes gens, après s'être signés ou non, ne manquent jamais
d'ajouter en regardant l'averse crever les nuages:

«*Voilà le tambour de Roquevaire qui bat le rappel des escargots.*»

EXERCICES

I. **Répondez aux questions suivantes:**

1. Que se passait-il ce soir-là dans les oliviers?
2. De quel spectacle le brigadier et le gendarme furent-ils les
   témoins?
3. A qui appartenait le *Mas de l'Agasse*?
4. Comment les criminels reçurent-ils le brigadier?
5. Décrivez le menu du repas servi au cabanon.
6. Quel discours prononça Baculas avant le repas?
7. Est-ce que l'escargot est un gibier facile à prendre?
8. Quels procédés employait Baculas pour prendre les escargots?
9. Pourquoi l'escargot sort-il de sa retraite?
10. Que pensez-vous de l'histoire racontée par Baculas?

II. **Complétez les phrases suivantes en consultant le texte:**

1. Ils partirent, marchant . . . .
2. Après le cimetière . . . .
3. En effet, là-bas, dans les oliviers . . . .
4. Le premier des fantômes . . . .

[14] **Marseillais:** an inhabitant of Marseilles, the great Mediterranean port.
These inhabitants have the reputation of telling exaggerated, imaginative
stories.

5. Prêts à prendre . . . .
6. Mais en moins de temps . . . .
7. Cette nuit, le brigadier . . . .
8. Qui pouvaient bien . . . .
9. Le lendemain, beau jour de dimanche . . . .
10. D'un premier rapide coup d'œil . . . .
11. Le brigadier entra . . . .
12. Tout à coup, d'un geste d'Hercule . . . .
13. Puis se retournant . . . .
14. Tous prirent place . . . .
15. «Voyons, brigadier . . . .»
16. «Camarades, qu'on ferme . . . .»
17. «Malheureusement . . . .»
18. «On part quatre . . . .»
19. «Aux endroits propices . . . .»
20. «Il est alors . . . .»

III. Traduisez les phrases suivantes en français:

1. The rolling of a drum could be heard on the other side of the hill.
2. We'll have to find some place to hide.
3. The drum stopped beating and the lantern was extinguished.
4. The police could not understand these nightly expeditions.
5. The road taken by the prowlers led to the plain.
6. In the little cabin he saw a large basket, a watering can, a lantern, and a drum.
7. On the walls could be read gay inscriptions and a list of guests.
8. The chief of police accepted Baculas' invitation without too much urging.
9. "Why do you want to know our secrets?"
10. "We shall reveal them to you if you swear not to betray us."
11. Since the people of Roquevaire are very fond of snails, and snails appear only during the rain, we hunt snails with a watering can.

LES ÂNES DE L'AUTRE MONDE

PAUL ARÈNE

— MAIS, COQUIN de sort,[1] monsieur le curé, comment ne voulez-vous pas que l'on grogne, quand ce sont toujours les mêmes qui ne font rien et toujours les mêmes qui travaillent; et quand tout le temps, sur l'échine, on sent l'écorchure du bât?

— Prends patience, Bénézet! Cette vie n'est qu'un passage; les riches, dans l'autre monde, deviendront les ânes des pauvres.

— Et l'on pourra choisir?

— Certainement.

— En ce cas, je retiens le gros Damase, vous savez bien,
10 Damase qui l'année passée me fit vendre?[2] L'avoir pour âne . . .
Ah! rien que l'idée seule me console . . . Mais est-ce vrai, au moins? Qui a dit què dans l'autre monde . . .?

— Roumanille,[3] le bon Roumanille alors qu'il était encore sur terre et qu'il faisait son almanach.

— Roumanille l'a dit? Ah! ça, c'est parole d'Evangile. Grand merci, monsieur le curé.

— Allons, Bénézet, du courage.

Bénézet reprit donc sa pioche, confiant et réconforté.

Le soleil lui semblait plus clair, la terre lui paraissait plus
20 belle; et comme on était au printemps, il prit plaisir à regarder bien que rien de tout cela ne lui appartint, sauf un maigre champ dont les enchères n'avaient pas voulu — la verdure du jeune blé dans la plaine et les collines, blanches à cause des amandiers croulant sous le poids des fleurs, comme si on y avait mis sécher toutes les lessives de la contrée.

---

[1] **coquin de sort:** *for heaven's sake.*
[2] **me fit vendre:** *had my properties seized and sold at auction.*
[3] **Roumanille:** (1818–1891) one of the founders of the new Provençal literature, known for his short stories which were published in the *Provençal Almanach.*

— Tant mieux! songeait-il; pourvu que le beau temps dure, et si les abeilles ne laissent rien perdre, on ne manquera ni d'amandes fines ni de miel pour le nougat du grand souper.[4]

Puis il se mit bravement à l'ouvrage.

Bénézet était homme d'imagination. Il avait exercé l'état de berger dans sa jeunesse. Aussi les paroles de Roumanille rappelées par le curé, cette espérance de conduire un jour le gros Damase, son persécuteur devenu son âne, là-haut, par les chemins bleus du paradis, l'induisirent soudain en d'extraordinaires rêveries.

Il se disait: 10

— Au fond, les pauvres ont la part bonne. Les riches sottement mangent leur pain blanc le premier.[5] Tant pis pour eux, pardi! À chacun son tour, c'est justice.

Et Bénézet congratula sérieusement Bénézet qui lui, malin, avait su rester pauvre, tandis que ce benêt de Damase . . .

Les chemins bleus du paradis, il les voyait distinctement, bordés de frais buissons où luisaient, en guise de fleurs, des étoiles, comme s'il y était déjà; et Damase trottait, et Bénézet, à califourchon sur Damase, reconnaissable encore malgré qu'il eut l'oreille longue et le poil bourru, lui criait: 20

— Hue! Damase, sue tes écus; il n'est rien de tel[6] que de trotter pour fondre les mauvaises graisses.

Contentement passe richesse![7] affirme assez justement le proverbe; il l'engendre aussi quelquefois.

Qui ne vous a pas dit que Bénézet se trouva si content d'être assuré d'avoir plus tard, bâté et bridé, dans son écurie, cet usurier de Damase, qu'il en devint comme un autre homme.

Lui qui trouvait la terre trop basse, et, à l'envers du Créateur, ne travaillait qu'un jour sur sept, on le vit, levé avant l'aube, rester dans son champ à travailler comme un cheval sans y 30 prendre garde jusqu'à l'heure du soleil failli.

Le travail ne l'ennuyait plus, depuis qu'en travaillant il pensait à Damase.

---

[4] **le grand souper:** the meal taken Christmas night, after Midnight Mass, called *Réveillon*.

[5] **mangent . . . premier:** *eat their cake first.*

[6] **il n'est . . . tel:** *there is nothing like it.*

[7] **Contentement passe richesse!:** *Better to be happy than rich!*

Il déserta le cabaret qui se partageait avec l'huissier le meilleur de ses économies, si bien que, un peu de chance aidant, la récolte ayant été bonne, et les produits de la terre s'étant bien vendus, il se trouva, au bout de l'année, pauvre mais un peu moins pauvre.

Puis, un héritage lui tomba du ciel; le voilà, ma foi! presque riche.

Alors Bénézet s'inquiéta.

Et, voyez comment s'arrangent les choses!

10   Tandis que le destin souriait ainsi à Bénézet, tout, au contraire, allait mal pour l'infortuné Damase. Ses vers à soie manquèrent, ses olives ne réussirent pas, des bohémiens qu'il n'avait pas voulu loger incendièrent ses gerbiers sur l'aire, la crue emporta son moulin, et un banquier peu scrupuleux acheva de lui enlever ce qui lui restait de fortune.

— Canaille! pensait Bénézet, il aura deviné ou bien quelqu'un lui aura dit que je voulais l'avoir pour âne, et dès à présent, il s'arrange de façon que l'âne, là-haut, ce soit moi. Adieu le repos et la joie!

20   Maintenant Bénézet évitait de rencontrer Damase, qui toujours lui jetait, du moins se l'imaginait-il, des regards narquois et singuliers.

Déjà Bénézet se sentait âne, et qui pis est, l'âne de Damase. Il avait un bât, un bridon; et Damase, le gros Damase, le menait à grands coups de trique par les chemins du paradis non plus bordés, hélas! dè frais buissons fleuris d'étoiles, mais de chardons durs et piquants que sa mâchoire d'âne ne broyait qu'avec peine et où ses lèvres s'ensanglantaient.

À la fin pourtant, n'y tenant plus, Bénézet retourne à la cure.

30   M. le Curé se promenait, en douillette, dans le jardin. Il lisait tantôt son bréviaire, et tantôt, le livre fermé à demi, avec l'index entre les pages, il constatait d'un œil paterne les progrès de ses groseillers.

— Bien le bonjour, Monsieur le Curé!

— C'est toi, Bénézet, bien le bonjour. Et quelle importante affaire t'amène?

— Importante, oui! Monsieur le Curé, j'en perds le manger et le boire. Vous connaissez le changement: Damase est pauvre, je suis riche . . .

— Et tu as peur qu'une fois là-haut, tout comme tu l'avais choisi, Damase ne te choisisse pour âne. Dame! toi-même le disais: à chacun son tour, c'est justice. Tu te reposes maintenant, le bât ne t'écorche plus. Préférerais-tu redevenir pauvre?

— Pauvre, non, pas précisément . . . Mais je me suis vu âne en rêve, et je ne puis me faire à l'idée d'être nourri, pendant l'éternité, par Damase, ou bien par un autre, de coups de trique et de chardons. Rien que de penser à ces chardons, coquin de 10 sort! la langue me pèle.

Le curé s'était mis à rire:

— Sois bon riche pendant que tu vis, partage avec les malheureux, et Dieu, dans son infinie bonté, t'épargnera les coups de trique. Quant aux chardons, rassure-toi! Là-haut tout est délicieux. Il n'y a pas sur terre plat d'évêque qui vaille, pour la succulence, un chardon brouté dans le ciel.

Depuis, Bénézet vécut tranquille et ne craignit plus de rencontrer Damase.

EXERCICES

I. Répondez aux questions suivantes:

1. Pourquoi Bénézet se plaint-il au curé?
2. Comment le curé le console-t-il?
3. Après sa conversation avec le curé, comment Bénézet se met-il à l'ouvrage?
4. Comment Bénézet se voyait-il maintenant au paradis?
5. Quels changements dans sa vie commençaient à inquiéter Bénézet?
6. Quels malheurs ont changé la vie de Damase?
7. Pourquoi Bénézet commence-t-il à s'inquiéter de nouveau?
8. Quand il retourne chez le curé, que faisait celui-ci?
9. De quoi Bénézet avait-il peur maintenant?
10. Comment le curé le rassure-t-il?

II. Traduisez les phrases suivantes en français:

1. The peasant took up his pick axe and went back to work again, confident and comforted.

2. He took pleasure in looking at the green color of the wheat in the plain.
3. The roads of paradise were bordered with stars instead of flowers.
4. Bénézet saw himself astride a donkey which was trotting joyfully along the road.
5. When the harvest was good he sold the products from his land.
6. The donkey crunched with difficulty the hard thistles that he found along the road.
7. "Rich men who are good share their wealth with unfortunate people," the parish priest said.

III. Avec les bouts de phrases qui suivent reconstruisez l'histoire que vous venez de lire :

1. on grogne.
2. cette vie n'est qu'un passage.
3. le soleil lui semblait plus clair.
4. au fond, les pauvres ont la part bonne.
5. les chemins bleus du paradis.
6. il se trouva au bout de l'année, pauvre, mais un peu moins pauvre.
7. maintenant Bénézet évitait de rencontrer Damase.
8. n'y tenant plus, Bénézet retourne à la cure.
9. mais je me suis vu âne en rêve!
10. rien que de penser à ces chardons, la langue lui pèle.
11. Là-haut tout est délicieux.

MAILLECOTTIN ET LA CHAÎNE*

JULES ROMAINS

Jules Romains, né en 1885, est un des écrivains les plus prolifiques de l'époque contemporaine. Auteur de poèmes, d'essais, de pièces de théâtre dont plusieurs ont acquis une grande popularité (Dr. Knock), de romans, il est surtout connu par son ouvrage monumental, Les Hommes de Bonne Volonté *(1932–1946) en 27 volumes. Dans ce roman-fleuve,[1] Jules Romains présente vingt-cinq ans d'histoire contemporaine, de 1907 à 1932, en décrivant la vie politique, littéraire, religieuse, économique de son pays. Toutes les classes de la société y apparaissent, depuis les classes dirigeantes où l'on trouve les hommes d'état, les savants, les penseurs, jusqu'aux classes ouvrières. Jules Romains est le fondateur de l'école unanimiste qui veut rattacher la littérature à la sociologie en considérant l'homme non plus comme individu mais comme être social, appartenant à une classe, à un milieu dont il représente, même inconsciemment, les idées, les passions, et les préjugés. Les deux textes suivants sont extraits du dernier volume, intitulé* Le 7 Octobre, *des* Hommes de Bonne Volonté. *En fait, c'est par «Le long des rues, à la rencontre du matin» que se termine l'ouvrage et donc le roman tout entier.*

MAILLECOTTIN EST debout, les mains croisées derrière le dos. Il vient de quitter la petite loge vitrée, fermée sur trois côtés qui lui sert de poste de commande; mais il ne tardera pas à y retourner; car il s'y sent tout de même plus à l'aise, ou moins mal à l'aise.

Debout comme ça, les mains derrière le dos, ou marchant à

---

* Courtesy of Librairie Ernest Flammarion.

[1] **roman-fleuve:** a cycle or series of novels with the same characters.

petits pas le long de la chaîne, il se fait l'effet d'un garde-chiourme. Rester dans le dos des copains qui travaillent, avec l'air de guetter une défaillance . . . il ne vous manque plus qu'un fouet à la main, comme dans ce dessin que Maillecottin regardait une fois et qui représentait, paraît-il, la construction du temple de Louxor, au temps des Pharaons.

Ce n'est pas qu'on puisse se passer de quelqu'un dans cette fonction-là. Les copains s'en rendent bien compte. Qu'un pépin se produise à la hauteur de l'un d'eux — que ce soit dans la 10 chaîne elle-même, ou dans l'arrivage des pièces, ou par une faute de la main-d'œuvre — aucun des hommes de la chaîne n'a la liberté de mouvements, ni souvent la liberté d'esprit, pour intervenir. Le principal intéressé est celui que l'incident paralyse le plus. Chacun d'eux est rivé à sa place. Cependant les secondes irréparables s'écoulent. Et tout le long de la chaîne se propage le désarroi. Il est encore moins question qu'un des hommes quitte la chaîne pour aller au téléphone.

Lui, Maillecottin, posté comme il est, attentif comme il est, saisit l'incident à la fraction de seconde où il se produit. Il peut 20 aussitôt se porter à l'aide du camarade embarrassé, donner un ordre, ici ou là, courir au téléphone si l'accroc est plus grave. Il a deux appareils sur le pupitre de sa loge vitrée. L'un d'eux est relié au standard, et permet d'obtenir la communication avec tel ou tel service. L'autre, pour les cas d'extrême urgence, a un fil direct avec l'ingénieur en chef.

Il arrive qu'une journée entière s'écoule sans que Maillecottin ait à intervenir pour autre chose que des babioles. Et si parfois il va regarder de près une des opérations, c'est pour justifier sa présence, ou éviter que l'attention du camarade ne s'endorme. 30 C'est alors qu'il se dit le plus amèrement: «J'ai l'air d'un fainéant . . . d'un garde-chiourme . . . Les camarades doivent en avoir assez de me sentir comme ça dans leur dos.» Il sait pourtant bien qu'à la fin de ses journées sans incident sa fatigue nerveuse est considérable. Mais on a de vieux préjugés, n'est-ce pas, qu'il est difficile de vaincre. Oh! ce n'est pas lui qui a sollicité la place. Loin de là.

Un jour, au début de juillet, Bertrand l'a fait appeler. Le

patron en personne, et seul, l'a reçu dans son grand bureau du
bâtiment A.

— Asseyez-vous, Maillecottin. Vous savez que la nouvelle
chaîne va fonctionner dans quinze jours. C'est une installation
magnifique. Les Américains n'ont pas mieux. J'ai besoin de vous.
Nous nous connaissons depuis au moins vingt ans, et je ne crois
pas que nous soyons mal ensemble.[2] Je vous considère comme un
des meilleurs ouvriers de nos usines. Je sais, je sais . . . Vous
m'avez refusé plusieurs fois de l'avancement. J'ai trouvé cela
absurde, mais je ne vous en ai pas voulu. Même s'il m'avait fallu 10
débaucher encore plus de monde, je ne me serais jamais séparé
de vous. Je me suis ingénié au contraire à vous procurer des
avantages. Je vous ai mis à des fabrications spéciales, où je
pouvais augmenter votre salaire ou vous attribuer des primes sans
faire crier les camarades. Mais il y a une limite, vous le savez
bien. D'un autre côté, avec les tours archi-perfectionnés que nous
avons maintenant, le travail est moins intéressant pour un homme
comme vous. Vous êtes forcé de l'avouer. La machine est si
habile que l'habileté de celui qui la mène compte beaucoup
moins. Alors voilà. Je vous demande d'être un des chefs de secteur 20
de la nouvelle chaîne. M. Girard vous expliquera plus en détail
le mécanisme de la chose. Vous verrez, pour un garçon comme
vous, ce n'est pas sorcier. Nous ferons des essais d'une semaine,
à débit très ralenti. Vous aurez le temps de vous familiariser.
Mon idée est de vous confier le secteur de chaîne qui correspond
au montage du bloc moteur. C'est peut-être le plus intéressant.
Si vous préférez autre chose, vous me le direz. Ne me refusez pas.
Vous resterez cent pour cent un travailleur. N'ayez pas de
scrupules absurdes. Ce n'est pas de votre faute ni de la mienne si
l'industrie évolue. Nous devons marcher ou périr. Vous aurez 30
encore un outil entre les mains, mais il sera plus grand. Vous ne
serez pas là pour embêter vos camarades. Vous serez là pour les
aider. Je suppose que vous n'êtes pas très militariste, mais
j'espère que la comparaison ne vous choquera pas: dans la tranchée, le lieutenant était aussi utile que ses hommes; sinon plus;

---

[2] **mal ensemble:** *on bad terms.*

il courait les mêmes risques, sinon de plus grands; et ses hommes
le savaient bien. Avez-vous jamais rencontré un poilu qui vous
ait dit que son lieutenant était un bon à rien, un exploiteur qui
se tournait les pouces? Alors c'est entendu.» Bertrand s'était mis
à rire. «Ça ne vous empêchera pas de garder vos idées[3] . . .
Est-ce que vous croyez que quand les Soviets seront en état
d'installer une chaîne comme la nôtre, il ne leur faudra pas des
chefs de secteur?» Il s'était levé. «Je vais même vous confier une
chose, en ami. Moi, qui vous parle, je ne souhaite certes pas la
10 révolution. Mais je la crains moins que d'autres . . . J'ai idée
que les Soviets ne seraient pas fâchés de me garder comme
directeur général de mes usines.»

Maillecottin avait failli répondre qu'en invoquant les Soviets
on ne le chatouillait pas exactement à l'endroit sensible.[4] Mais
l'on a sa pudeur. Ce n'est pas dans le bureau du grand patron
qu'on s'explique sur de pareilles nuances. Dans le bureau du
grand patron, on est solidaire des Soviets.

Enveloppé dans le grondement de la chaîne, au guet de ces
structures qui s'avancent et se complètent lentement, prêt comme
20 le pêcheur en haute mer à bondir sur l'incident possible, à le
harponner. Maillecottin reste par instants capable de rêver, du
coin de la cervelle. Oh! des rêveries qui ne s'échappent pas loin,
qui ne se détachent pas de la besogne, qui en font partie comme
en fait partie le grondement que répercute le grand hall vitré.

Il a lu plus d'une fois ce que des gens, qui ne sont pas des
ouvriers, ont écrit du travail à la chaîne. Ils en parlent comme
d'un enfer. Ils parlent des ouvriers de la chaîne comme des forçats,
baignant huit heures par jour dans un fracas de catastrophe, liés
à une machine monstrueuse, qui happe leur effort seconde par
30 seconde, qui exige implacablement, qui ne tolère pas un instant
que l'œil se détourne, que la main serrant l'outil se décontracte.
Il s'interroge. Il ne sait pas ce qu'il doit penser. Ces gens ont sans
doute raison. Pour lui, le grondement de la chaîne n'a rien de
formidable. Il le trouverait même plutôt coulant et discret, quand

---

[3] **garder vos idées**: that is, Maillecottin's communistic ideas.
[4] **on ne le . . . endroit sensible**: *they rubbed him the wrong way.*

on pense à la taille du monstre. Le vacarme des ateliers d'autrefois était certainement plus pénible, parce qu'il était fait d'une multitude d'accrochages, de grincements, de désordres élémentaires. C'était lui qui ressemblait à une catastrophe perpétuelle. La chaîne gronde; mais elle est calme. Une oreille exercée est capable d'y saisir le moindre signe d'anomalie. La chaîne avance implacablement; mais elle n'a aucune hâte. Elle laisse à l'œil et à la main tout le temps qu'il faut. Elle ne cherche point à vous surprendre. Il n'est pas exact que les camarades aient un visage affolé. Un visage tendu quelquefois; oui. Certains plus favorisés 10 que d'autres (par leur place dans la chaîne, par leur nature) ont l'air de jouer; à un jeu qui ne plaisante pas, qui n'aime pas les distraits. Maillecottin a vu par hasard des parties de tennis, assez souvent des parties de football. Il n'a pas l'impression que la balle de tennis ou le ballon de football, attendent le bon plaisir du joueur.

Il se revoit devant son tour, sous la grande baie vitrée, avant la guerre. Ça, c'est le rêve. Une machine qui était à vous, comme le cheval au cavalier; à vous seul. Qui se laissait conduire. Qui était très perfectionnée sans l'être trop. Qui vous laissait à vous le 20 soin du fin réglage, le mérite de la suprême perfection. Rien ne vous empêchait de stopper si vous sentiez la fatigue. Une machine qu'on aimait. C'est bizarre. On s'imaginerait qu'il suffit d'aller toujours de l'avant pour faire mieux. Pas sûr. Et pourtant, est-ce qu'on peut reculer? Est-ce qu'on peut même rester stationnaire? Non. Les autres vous poussent. Dans son genre, en plus grand, la civilisation, c'est un truc comme la chaîne. Sauf que pour la chaîne il y a eu des ingénieurs, et un ingénieur en chef. Ils savaient ce qu'ils voulaient; et ils continuent à surveiller la marche, pour intervenir en cas de besoin. Tandis que là . . .   30

EXERCICES

I. Répondez aux questions suivantes:

    1. Décrivez Maillecottin quand il surveille ses copains.
    2. Quels services Maillecottin peut-il offrir aux hommes de la chaîne?
    3. Décrivez sa petite loge vitrée.

4. Qu'est-ce que Bertrand lui dit un jour au début de juillet?
5. Pourquoi Maillecottin n'a-t-il jamais obtenu d'avancement?
6. Pourquoi son patron est-il obligé enfin de le nommer chef de secteur?
7. Qu'est-ce que Bertrand lui confie en ami?
8. Qu'est-ce que Maillecottin a lu au sujet du travail à la chaîne?
9. Quelle différence Maillecottin trouve-t-il entre les idées des théoristes et sa propre expérience?
10. Quelle comparaison fait-il entre la chaîne et une partie de tennis ou de football?
11. Comment la chaîne ressemble-t-elle à la civilisation?

II. Traduisez les phrases suivantes:

1. He likes to go to the aid of a friend in trouble.
2. It happens sometimes that he thinks that he looks like an idler.
3. He was able to increase his salary by assigning bonuses to Maillecottin.
4. Is it your fault if you cannot remain 100 percent a worker?
5. He had to admit that working on the assembly line was not interesting to him.
6. In the trenches the lieutenant is never a good-for-nothing.
7. "The Soviets would be glad to keep you as director of their factories," he told him.
8. A fisherman on the high seas is always ready to harpoon his fish.
9. Are the workers on the assembly line happier than those who formerly worked in the workshops?
10. Do you believe that it is necessary merely to keep moving ahead?

III. Expliquez en français le sens des expressions suivantes:

1. Une petite loge vitrée.
2. Il s'y sent plus à l'aise.
3. Les copains s'en rendent bien compte.
4. Il peut courir au téléphone si l'accroc est plus grave.
5. Je me suis ingénié à vous procurer des avantages.
6. Il vous expliquera en détail le mécanisme de la chose.
7. C'était un exploiteur qui se tournait les pouces.
8. Pour un garçon comme vous ce n'est pas sorcier.
9. Ce n'est pas le bureau du grand patron.
10. Une oreille exercée est capable d'y saisir le moindre signe d'anomalie.
11. Il n'est pas exact que les camarades aient un visage tendu.
12. Rien ne vous empêchait de stopper.

LE LONG DES RUES, À LA RENCONTRE DU MATIN*

JULES ROMAINS

«DÉJÀ MINUIT moins le quart,» dit Jallez.[1] «Je suis bien étonné que le maître d'hôtel n'ait pas fait une apparition discrète. En général, ils aiment se débarrasser des gens vers les onze heures.

— Têtes sans cervelle que vous êtes tous!» s'écria Caulet. «Je parie que vous avez oublié, tous tant que vous êtes, que nous revenons ce soir à l'heure d'hiver; donc qu'on nous fait cadeau d'une heure de vie en plus. À minuit il ne sera que onze heures. Il s'ensuit qu'il n'est que onze heures moins le quart.

Ils s'émerveillèrent de la situation.

— Grenier,» continua Caulet en s'adressant à Jerphanion, 10 «nous a demandé d'être à l'aéroport à huit heures . . .

— Si tôt que cela!» dit Odette.

— Oui, par précaution. Il se peut que Daladier[2] n'arrive que plus tard. Mais nous lui devons bien cette politesse de ne pas le faire attendre . . . Ce que je voulais dire, c'est que les huit heures en question sont aussi de l'heure d'hiver; et que nous aurons notre compte de sommeil.

— C'est étonnant comme il est encore capable de raisonner après tout ce qu'il a bu.

— C'est toi, Budissin, qui te permets ces sarcasmes? Eh bien, 20 je te promets de ne pas te lâcher ce soir, avant que tu ne sois saoul comme le roi Auguste. Ha! Ha! tu verras ce que c'est que

---

* Courtesy of Librarie Ernest Flammarion.

[1] **Jallez:** one of the most important characters, with Jerphanion, of *Les Hommes de Bonne Volonté*. Both have been friends since their student days at the École Normale Supérieure. Jerphanion has followed a political career and Jallez has become a writer. Odette is Jerphanion's wife.

[2] **Daladier:** prime minister of France at the time of these events.

de se frotter à moi. Je propose que nous partions d'ici, pour ne pas trop embêter le maître d'hôtel, et que nous fassions une descente vers les vieux quartiers. Il ne pleut pas. Le temps est doux. Nous pouvons aller à pied. La charmante ivresse de ces dames sera dissipée par la marche. Elles seront en état de boire de nouveau.

Ces dames protestèrent qu'elles ne boiraient plus une goutte. Mais au demeurant la proposition fut acceptée.

Ils descendirent par le faubourg Saint-Denis.[3]

10 Caulet et Bartlett[4] avaient pris la tête. Puis venaient Jerphanion et Budissin. Enfin Jallez entre Françoise[5] et Odette, à chacune de qui il donnait le bras.

Caulet, lui aussi, avait saisi le bras de Bartlett, et il lui déclarait d'une voix sonore:

— Mon vieux Bartlett, je vous aime bien. Je vous ai observé du coin de l'œil. Vous buviez comme un pape. Et pas une mèche de vos cheveux ne s'est déplacée.

— J'ai si peu de cheveux!

— J'adore les gens impeccables. Il faut que je vous dise aussi:
20 j'aime beaucoup l'Angleterre. Je crois que vous et nous, nous pouvons sauver l'Europe. Mais dame, il n'y a pas de temps à perdre. Un bon conseil: Foutez-moi dehors[6] tous vos conservateurs.

— Je suis moi-même conservateur.

— Ah! ça ne fait rien. Vous avez bien un nommé Churchill?

— Oui. Je le connais un peu personnellement.

— Alors, parfait. Mettez Churchill au pouvoir; et tapez sur le crâne à tous les autres, conservateurs, travaillistes, libéraux et le reste. Vous m'en direz des nouvelles.[7]

Passé le boulevard, ils commencèrent à rencontrer les épanche-
30 ments de la vie nocturne des Halles.[8] Cette fraîcheur odorante,

---

[3] **faubourg Saint-Denis:** one of the most important avenues in Paris, on the right bank.

[4] **Bartlett:** an English newspaperman, friend of Jallez.

[5] **Françoise:** Jallez' fiancée.

[6] **Foutez-moi dehors:** *throw out* (colloq.).

[7] **Vous . . . nouvelles:** *You won't regret it.*

[8] **Halles:** the big central market in Paris for produce, meats, and fish which operates mostly during the night.

cette agitation dans la pénombre donnaient de l'allégresse à la marche.

Ils atteignirent la rue de Rivoli[9] et se laissèrent bientôt happer par la lumière d'un assez vaste café d'angle. Ce n'était pas de la lumière au sens ordinaire; c'était un hurlement de clarté. Dans l'ombre, le café s'ouvrait comme la gueule d'un four électrique.

— Cela nous réveillera,» dirent-ils.

Ils s'installèrent dans un compartiment où régnaient une longue table de marbre rose et des banquettes de velours frappé vert. Mais le vert et le rose étaient volatilisés dans la furieuse incan- 10 descence qui tombait du plafond.

Caulet s'aperçut qu'il avait faim. Il apprit du garçon que parmi les plats «prêts à la minute,» il y avait un pot-au-feu et que ce pot-au-feu, dans une plate-côte de choix qui venait tout droit des halles, était une des gloires de la maison. Caulet commanda une forte portion de plate-côte. Il réclama aussi des cornichons, du gros sel, de la moutarde Bornibus. Les autres hommes ne voulurent que de la bière. Françoise, entendant parler d'eau-de-vie de mirabelle, dit qu'elle aimait beaucoup la mirabelle, et en général ces eaux-de-vie de l'est. Odette fut tentée aussi. 20 Quant à Caulet, il estima qu'un demi de bière brune était ce qui convenait le mieux à sa plate-côte, mais qu'un recours aux eaux-de-vie de l'est était à prévoir pour la conclusion.

La vue de sa plate-côte donna envie aux autres hommes, qui réclamèrent chacun, même Bartlett, «une petite bouchée.» Caulet, tout en s'indignant de cet appétit retardataire et hypocrite, distribua à chacun un morceau, commanda une seconde plate-côte, ainsi qu'un couvert de supplément.

— C'est inutile!» disaient les autres.

— Pardon. Je veux m'y retrouver. Et puis dans cinq minutes, 30 vous en voudrez encore, même ces dames. Elles tâchent de garder un air angélique. Mais ma plate-côte leur fait déjà chavirer les yeux.

Plus tard le garçon les persuada de goûter d'une tarte, qui était aussi une des gloires de la maison. A ce propos, Caulet eut

---

[9] **rue de Rivoli:** one of the most fashionable streets in Paris.

le plaisir de se faire assurer qu'une autre gloire de la maison
était un vin de Moselle.[10] Le vin de Moselle était en somme
appelé par la tarte. Mais un nouveau recours aux eaux-de-vie de
l'est s'ensuivait presque inévitablement.

Il était minuit cinquante-cinq quand ils sortirent du four
électrique. Ils furent d'accord pour observer qu'en somme cette
collation ne leur avait pas fait de mal, qu'ils se sentaient plutôt
moins lourds, d'esprit plus lucide.

— Pourtant,» dit Odette à voix timide, «je crois qu'il serait
10 temps de rentrer . . . Il faut que Jean dorme un peu avant de
reprendre son avion.

— Son avion! son avion!» s'écria Caulet. «Est-ce que je n'ai
pas besoin de sommeil? Je déclare pourtant avec fermeté que je
n'irai pas me coucher maintenant. Est-ce que vous croyez que je
ne vais pas profiter de l'heure d'hiver?

— Vous, vous dormez en avion. C'est bien commode.

— Il n'aura qu'à dormir aussi. Je propose que nous fassions un
tour à travers le carreau des Halles. Le plus beau moment
approche. Voyez-moi ça! les petites rues débordent. La rue de
20 Rivoli s'emplit de choux-fleurs et d'asperges.

— Il n'y a pas d'asperges en ce moment,» protesta Odette.

— Femme de peu de foi! En tous cas ce serait un crime de
quitter les Halles à l'instant de leur apogée. Bartlett, regardez-moi
ces files de camions dissimulés partout. Cela me fait penser à une
veille d'attaque générale dans la prochaine guerre.

— Taisez-vous! Oiseau de mauvaise augure. Sombre crétin.

— Odette, je vous ferai rentrer cette injure dans la gorge,[11] à
l'aide de quelques boissons que je vous offrirai tout à l'heure.
Car c'est mon jour de munificence. Profitez-en. Je compte vous
30 rendre tous les dîners que je prendrai chez vous cet hiver.

À mi-voix Jallez demandait à Françoise:

— Cela ne t'ennuie pas que nous restions encore un peu? Tu
n'es pas trop fatiguée? Dis-le bien franchement.

— Cela ne m'ennuie pas du tout, au contraire. Cela m'amuse

---

[10] **vin de Moselle:** the Moselle wines and the Rhine wines are among the
most renowned German wines.
[11] **je vous . . . gorge:** *I shall make you swallow that insult.*

beaucoup. Je resterai tant que tu voudras. Tout à l'heure, dans le café, j'ai téléphoné à Sartrouville. J'ai dit que j'allais manquer sûrement le dernier train.

Ils circulèrent à travers les Halles et leurs abords. Chaque rue était piaillante comme une ferme, féconde comme un jardin potager. Les trottoirs produisaient la salade par monticules, la pomme de terre par grappes de cent kilos. Une telle vivacité vous assaillait de partout qu'il n'était pas question de dormir. L'on s'étonnait même que le sommeil fut une routine aussi entrée.[12] Il y avait sûrement moyen de dérober au sommeil tout ce temps 10 qu'on lui abandonnait par habitude.

Au cours de l'un des circuits, Odette et Françoise s'étant emparées de Bartlett, et Caulet de Budissin, à qui il répétait: «Est-ce que tu es saoul? Je tiens à le savoir. Je suis pourtant sûr que tu n'as pas vidé les verres sous la table. N'essaye pas de me tromper . . . Je ne te laisserai partir que quand tu seras bien réellement saoul! . . . Mets-toi ça dans la tête . . .» Jallez et Jerphanion marchaient côte à côte.

Jerphanion dit:

— Figure-toi que j'ai pensé tout à l'heure qu'il y a vingt-cinq 20 ans, presque jour pour jour, que nous nous sommes connus. Un quart de siècle. C'est assez formidable, tu ne trouves pas?

— Oui, c'est émouvant . . . poignant . . . mélancolique . . . Et c'est assez bien d'y penser ici . . . et à cette heure-ci . . . parce que . . .

— Parce que?

— Parce que . . . je ne sais pas . . . il y a un lyrisme qui nous protège, qui transfigure tout. En ce moment j'ai de nouveau l'impression que nous allons sauver le monde. Pas toi?

— Si.   30

— Le sauver par tous les bouts. Et j'ai l'impression que ce serait une gloire . . . une gloire . . . Je vois cette gloire monter derrière les toits des Halles. Une lueur qui enveloppe le fer noir. Et je nous vois dans dix ans, dans quinze ans . . . je n'ose pas dire dans un autre quart de siècle, nous promenant ici de nouveau,

---

[12] **routine aussi entrée:** *such a strong habit.*

à cette heure-ci . . . ayant fait chacun des choses beaucoup plus grandes et toujours de vieux frères, comme maintenant.

Vers trois heures moins le quart, Caulet déclara qu'il avait besoin de nourriture, que tout le monde en avait besoin; que venir de nuit aux Halles et n'y point souper — non dans une boîte pour gens du monde, certes, mais dans un vrai bon vieux bistrot pour marchands — c'était une monstruosité qui défiait l'imagination. D'ailleurs il avait à rendre ses dîners de l'hiver prochain.

10   Odette consulta Jerphanion, espérant à demi qu'il allait dire: «Moi, je rentre.» Mais Jean avait ce regard bienheureux qui semble apercevoir dans les temps des profondeurs inconnues, des dimensions inépuisables. Elle se rejeta sur Bartlett:

— Vous n'êtes pas d'avis qu'il est bien tard, cher ami?

— Je n'en suis pas particulièrement frappé,» répondit Bartlett avec politesse.

Elle s'enquit auprès de Françoise:

— Et vous, ma petite fille, vous devez tomber de sommeil?

— Oh non! Je m'amuse, si vous saviez, je m'amuse! Et j'aime-
20 rais tant souper dans un de ces endroits pour marchands!

Odette ne demandait qu'à se laisser convaincre. Quant à Budissin, qu'elle n'avait pas interrogé, il déclara spontanément, d'un ton d'honnête homme:

— Caulet ne veut me laisser partir que quand je serai réellement saoul. Alors, le fait est que je ne suis pas réellement saoul.

Caulet prétendit que pour une affaire aussi sérieuse il ne fallait pas aller à l'aventure.

Au coin de la rue de la Ferronnerie, il arrêta un homme d'âge, qui avait tout l'air d'un marchand, souleva son chapeau, et, les
30 pieds dans les débris de légumes, lui dit, d'une voix courtoise et confidentielle:

— Je suis de Montlhéry.[13] Oui. Je ne suis pas marchand. Je suis venu avec des amis . . . Je sais qu'il y a un endroit très bon où les marchands de Montlhéry vont casser la croûte. Un endroit

---

[13] **Montlhéry:** a small town in the *département* of Seine-et-Oise, about 20 miles from Paris.

tout ce qu'il y a de bon. On m'a dit ça. Mais voilà, je ne me
rappelle plus où ça peut être. J'ai pensé que des fois . . .[14]
L'homme parut intéressé:
— Attendez . . . attendez donc un petit peu . . . Un endroit
tout ce qu'il y a de bon . . . et où se réunissent les marchands de
Montlhéry . . . Attendez . . .
J'ai bien idée que chez la mère Auchène . . . Oh! il doit y
aller des marchands de Montlhéry, presque sûr. Mais pour vous
dire que c'est plutôt là que vous en trouverez . . .
— Je serais content, naturellement, de trouver des gens de 10
Montlhéry dit Caulet sur le ton de concession, «mais si cet
endroit que vous dites est tout ce qu'il y a de bon, c'est encore le
principal.»
— Pour être bon, il est bon,» dit l'autre, qui avait jeté un coup
d'œil sur la compagnie de Caulet. «Mais je vois que vous avez de
jolies petites dames avec vous . . . C'est pas un endroit élégant,
loin de là. Des marchands et des marchandes, rien d'autre. Faut
pas[15] y chercher le beau monde. La mère Auchène vous mettra
peut-être une nappe sur la table. Mais c'est tout.
— Nous ne cherchons pas le beau monde,» affirma Caulet. 20
«Ces petites dames sont de la campagne comme moi.» Il ajouta:
«Si ce n'est pas abuser de votre bonté, je pourrais peut-être dire
à la mère Auchène que je viens de votre part? Des fois qu'elle
nous traiterait mieux . . .»
— C'est ça! Dites-le-lui.
— Alors . . . quel nom que je dirai?
— C'est vrai. Dites-lui: le père Galuron, elle saura.
Ils prirent de la soupe à l'oignon, bien que l'idée leur eut
semblé d'abord bien conventionnelle. Mais la mère Auchène, à
qui Caulet s'était présenté comme un des plus vieux amis du 30
père Galuron, «je l'ai connu il y a plus de vingt ans au baptême
de sa petite nièce,» avait paru très étonnée, et même scandalisée
qu'on vint chez elle, sur recommandation spéciale, sans vouloir
goûter de sa soupe à l'oignon.

---

[14] **J'ai . . . des fois:** *I thought that perhaps* . . . . Caulet imitates here the
speech of peasants.
[15] **Faut pas:** colloquial for **Il ne faut pas.**

À la vérité la dite soupe à l'oignon était en son genre aussi peu commune que la plate-côte du four électrique.

On leur servit ensuite une abondante saucisse aux choux. Quand s'était posée la question du vin, la mère Auchène avait dit à mi-voix :

— Le père Galuron vous a peut-être parlé de mon champagne rouge ?

— De votre champagne rouge ? . . . oui, oui, en effet.

— Je ne le propose pas à tout le monde. J'en ai très peu. Mais
10 puisque vous venez de la part du père Galuron . . . Ordinaire‐
ment je le fais dix francs la bouteille, et même douze . . . Mais comme vous venez de la part du père Galuron, je vous le laisserai à huit . . . C'est un vin que vous ne trouverez pas n'importe où.

Caulet, ayant fait connaître que son intention était décidément de se saouler, commanda trois bouteilles de ce champagne rouge, et ils convinrent tous les sept, après l'avoir goûté, qu'on pouvait aller loin avant de dénicher une rareté pareille.

De temps en temps, Françoise, très atteinte par les charmes divers de cette aventure, se penchait tendrement sur l'épaule de
20 Jallez, et lui demandait un baiser, qu'on lui donnait sans égard pour les convenances habituelles. Odette, encouragée, prit les mêmes libertés avec Jerphanion. Caulet déclara qu'il était honteux de tourmenter par de tels spectacles des célibataires qui n'avaient que le vin et le tabac comme ressources. Bartlett et Budissin ne laissaient voir ni trouble ni amertume.

Le repas se termina par du fromage de Coulommiers,[16] dont la mère Auchène apporta un vaste demi-cercle. Il s'établit entre le Coulommiers et le champagne rouge la course qui est de tradition. Le champagne rouge, sous la forme d'une quatrième
30 bouteille, eut le dernier mot. L'on avait renoncé au dessert, la mère Auchène ayant avoué qu'elle n'avait que des desserts de confection du type mousse au chocolat ou crème renversée.

— Je n'imagine pas,» dit Caulet avec force, «qu'aucun de nous ait l'intention d'aller se coucher. Il est quatre heures. Je ne suis pas complètement saoul. Budissin non plus, ce qui est un défi à

[16] **Coulommiers:** a town in the *département* of Seine-et-Marne, famous for its cheeses which belong to the variety known as Brie.

mon amour-propre. De plus nous avons à tirer tous les avantages
de l'heure d'hiver. C'est bien simple. Grenier nous attend à huit
heures au Bourget.[17] Le Parti Radical[18] nous appelle. Vous allez
tous nous accompagner. Nous prendrons tranquillement notre
petit déjeuner au buffet. Un aéroport au matin, c'est plein de
poésie. En somme il nous reste à employer les trois heures
d'intervalle tout en faisant le trajet, qui nous mangera bien près
d'une heure à lui seul. C'est un jeu.

Odette essaya de protester:

— Nous sommes morts, Caulet. Vous n'avez pas pitié de nous. 10

— Pitié de vous,» tonna Caulet. «Moi qui ai passé la nuit
dernière presque blanche[19] pour garder le contact avec un groupe
de militants! . . . Jerphanion et moi, qui n'avons pas hésité à
faire un énorme aller et retour en avion, dans la brume, au péril
de notre vie . . . pour passer la soirée avec vous! Et vous ne
voulez pas nous accompagner!

— Nous voulons bien! Ce n'est pas cela . . . Mais . . .
D'abord ce pauvre Jean ne va pas débarquer au Banquet de
Clôture sans même s'être lavé!

— Et moi? Je n'ai pas besoin de me laver? Nous nous laverons 20
à l'hôtel, et à l'eau de Vichy,[20] dont c'est le seul usage raisonnable.
Nous aurons le temps. Je sais que Daladier voudra se reposer à
l'hôtel.

— Oui, mais d'ici à sept heures, il va y avoir un moment
difficile à passer.

Il y eut en effet une période un peu creuse, que l'on eut quelque
peine à combler. L'idée la plus ingénieuse fut de se faire transporter au sommet de la Butte,[21] d'où l'on assista au lever du
soleil, qui avait lieu à six heures exactement. Le soleil se montra

---

[17] **Le Bourget:** the airport of Paris before the opening of the much larger
Orly Field.

[18] **Parti Radical:** abbreviation for *Parti Radical-Socialiste*, which was for a
long time the largest political party in France. Daladier was a member of that
party. In spite of its name, it was really a moderate party.

[19] **nuit . . . blanche:** *a sleepless night.*

[20] **eau de Vichy:** Vichy is famous for its mineral waters.

[21] **la Butte:** the hill of Montmartre, which dominates Paris.

au-dessus de la falaise de Belleville. Il était enveloppé d'une
légère brume, et rougeâtre; mais au total digne du dérangement.
L'on réussit à trouver à l'entrée nord de la Place du Tertre un
débit ouvert, dont les percolateurs fonctionnaient déjà. Cela prit
encore une dizaine de minutes; et l'on se sentit presque pressé
par le temps, ce qui formait au sortir de cette nuit une nouveauté
ragaillardissante.

Une heure plus tard, ils étaient attablés tous les sept dans le
café-bar de l'aéroport. Ils regardaient par les grandes vitres le
10 paysage des hangars et des pistes. Au loin deux appareils étaient
posés sur le béton. Le lieu combinait les sortilèges du désert et
ceux de l'usine. Jallez disait, à personne en particulier:

— Ce monde moderne serait tout de même quelque chose de
bien épatant si[22] . . .

Aucun des autres n'avait besoin qu'il expliquât le si. Aucun
non plus n'avait sous la main une réponse.

EXERCICES

I. Répondez aux questions suivantes:

1. Pourquoi Jallez et Caulet discutent-ils l'heure?
2. Pourquoi veulent-ils quitter le restaurant avant la fermeture?
3. Pourquoi préfèrent-ils ne pas aller en taxi?
4. Quelles sont les personnes qui composent le groupe?
5. Pourquoi s'arrêtent-ils à un grand café, rue de Rivoli, et
   qu'est-ce qu'ils y font?
6. Quels différents plats le garçon leur propose-t-il comme
   spécialités de la maison?
7. Quelle discussion suit leur départ du grand café?
8. Pourquoi Françoise ne s'inquiète-t-elle pas de l'heure avancée?
9. Depuis combien de temps Jallez et Jerphanion se connaissaient-
   ils?
10. Quand ils arrivent près des Halles pourquoi arrêtent-ils un
    homme qui avait tout l'air d'un marchand?
11. Quel conseil leur donne-t-il?
12. Qu'est-ce que la mère Auchène leur propose à manger et à boire?
13. Pourquoi se décident-ils à ne pas se coucher?
14. Combien de temps leur reste-t-il entre le repas chez la mère
    Auchène et leur rendez-vous au Bourget?

[22] The *if* means here if there were no threats of war over the world.

15. D'où assistent-ils au lever du soleil et comment passent-ils le reste de la nuit?

II. Traduisez les phrases suivantes en français:

1. We must not annoy the head waiter.
2. I shall not drink one drop more.
3. Let us sit down on those long green velvet seats in front of the marble table.
4. We all agreed that we would take a turn around the Market Place and see the trucks filled with cauliflowers and asparagus.
5. They wanted to have a snack in a little old restaurant especially for merchants.
6. If you tell her that I have recommended her to you she will give you her onion soup and red champagne.
7. We made the round trip by airplane in the fog and arrived at the airport at six o'clock.
8. We found some percolators already preparing coffee in a little snack bar in the Place du Tertre.

III. Employez les phrases suivantes dans un résumé de l'histoire que vous venez de lire:

1. Nous revenons ce soir à l'heure d'hiver.
2. Je te promets de ne pas te lâcher ce soir.
3. Au demeurant la proposition fut acceptée.
4. Pas une mèche de vos cheveux ne s'est déplacée.
5. C'était un hurlement de clarté.
6. Parmi les plats «prêts à la minute» il y avait un pot-au-feu.
7. Le vin de Moselle était en somme appelé par la tarte.
8. Cela ne m'ennuie pas du tout, au contraire.
9. Est-ce que tu es saoul?
10. J'aimerais tant souper dans un de ces endroits pour marchands.
11. Cet endroit que vous dites est tout ce qu'il y a de bon.
12. Mais comme vous venez de la part du père Galuron.
13. Elle n'avait que des desserts de confection du type mousse au chocolat.
14. Moi qui ai passé la nuit dernière presque blanche pour garder le contact avec un groupe de militants.
15. Le soleil se montra au-dessus de la falaise de Belleville.
16. Ils regardaient par les grandes vitres le paysage des hangars et des pistes.

LE LOUP*

MARCEL AYMÉ

Marcel Aymé, né en 1902, est l'auteur de nombreux contes, essais, romans parmi lesquels il faut signaler La Table aux crevés *(1928) et* La Jument verte *(1933). Il a écrit aussi des ouvrages satiriques tels que* Le Passe-Muraille *(1943) et* Le Confort intellectuel *(1949). Mais Marcel Aymé s'est surtout distingué dans le conte, genre qui l'a fait comparer à Charles Perrault et à La Fontaine, et où il montre de l'humour, de la verve, et de l'imagination.* Les Contes du Chat perché, *d'où est extrait le conte «Le Loup,» sont sans doute le meilleur exemple de son talent dans ce genre.*

CACHÉ DERRIÈRE la haie, le loup surveillait patiemment les abords de la maison. Il eut enfin la satisfaction de voir les parents sortir de la cuisine. Comme ils étaient sur le seuil de la porte, ils firent une dernière recommandation.

— Souvenez-vous, disaient-ils, de n'ouvrir la porte à personne, qu'on vous prie ou qu'on vous menace. Nous serons rentrés à la nuit.

Lorsqu'il vit les parents bien loin au dernier tournant du sentier, le loup fit le tour de la maison en boitant d'une patte, 10 mais les portes étaient bien fermées. Du côté des cochons et des vaches, il n'avait rien à espérer. Ces espèces n'ont pas assez d'esprit pour qu'on puisse les persuader de se laisser manger. Alors, le loup s'arrêta devant la cuisine, posa ses pattes sur le rebord de la fenêtre et regarda l'intérieur du logis.

Delphine et Marinette jouaient aux osselets devant le fourneau.

* Librairie Gallimard, tous droits réservés.

Marinette, la plus petite, qui était aussi la plus blonde, disait à
sa soeur Delphine :

— Quand on n'est rien que deux, on ne s'amuse pas bien. On
ne peut pas jouer à la ronde.

. . . .

— Ah! si on était trois . . .
Comme les petites lui tournaient le dos, le loup donna un coup
de nez sur le carreau pour faire entendre qu'il était là. Laissant
leurs jeux, elles vinrent à la fenêtre en se tenant par la main.

— Bonjour, dit le loup. Il ne fait pas chaud dehors. Ça pince,
vous savez.   10

La plus blonde se mit à rire, parce qu'elle le trouvait drôle
avec ces oreilles pointues et ce pinceau de poils hérissés sur le
haut de la tête. Mais Delphine ne s'y trompa point. Elle murmura
en serrant la main de la plus petite :

— C'est le loup.

— Le loup? dit Marinette, alors on a peur?

— Bien sûr, on a peur.

Tremblantes, les petites se prirent par le cou, mêlant leurs
cheveux blonds et leurs chuchotements. Le loup dut convenir
qu'il n'avait rien vu d'aussi joli depuis le temps qu'il courait par 20
bois et par plaines. Il en fut tout attendri.

— Mais qu'est-ce que j'ai? pensait-il, voilà que je flageolle sur
mes pattes.

À force d'y réfléchir, il comprit qu'il était devenu bon, tout à
coup. Si bon et si doux qu'il ne pourrait plus jamais manger
d'enfants.

Le loup pencha la tête du côté gauche, comme on fait quand
on est bon, et prit sa voix la plus tendre :

— J'ai froid, dit-il, et j'ai une patte qui me fait bien mal. Mais
ce qu'il y a, surtout, c'est que je suis bon. Si vous vouliez m'ouvrir 30
la porte, j'entrerais me chauffer à côté du fourneau et on passerait
l'après-midi ensemble.

Les petites se regardaient avec un peu de surprise. Elles
n'auraient jamais soupçonné que le loup pût avoir une voix aussi
douce. Déjà rassurée, la plus blonde fit un signe d'amitié, mais

Delphine, qui ne perdait pas si facilement la tête, eut tôt fait de
se ressaisir.

— Allez-vous-en, dit-elle, vous êtes le loup.

— Vous comprenez, ajouta Marinette avec un sourire, ce n'est
pas pour vous renvoyer, mais nos parents nous ont défendu
d'ouvrir la porte, qu'on nous prie ou qu'on nous menace.

Alors le loup poussa un grand soupir, ses oreilles pointues se
couchèrent de chaque côté de sa tête. On voyait qu'il était triste.

— Vous savez, dit-il, on raconte beaucoup d'histoires sur le
10 loup, il ne faut pas croire tout ce qu'on dit. La vérité, c'est que
je ne suis pas méchant du tout.

Il poussa encore un grand soupir qui fit venir des larmes dans
les yeux de Marinette.

Les petites étaient ennuyées de savoir que le loup avait froid
et qu'il avait mal à une patte. La plus blonde murmura quelque
chose à l'oreille de sa soeur, en clignant de l'œil du côté du loup,
pour lui faire entendre qu'elle était de son côté, avec lui. Delphine
demeura pensive, car elle ne décidait rien à la légère.

— Il a l'air doux comme ça, dit-elle, mais je ne m'y fie pas.
20 Rappelle-toi «le loup et l'agneau»[1] . . . L'agneau ne lui avait
pourtant rien fait.

Et comme le loup protestait de ses bonnes intentions, elle lui
jeta par le nez:[2]

— Et l'agneau, alors? . . . Oui, l'agneau que vous avez mangé?

Le loup n'en fut pas démonté.

— L'agneau que j'ai mangé, dit-il. Lequel?

Il disait ça tout tranquillement, comme une chose toute simple
et qui va de soi, avec un air et un accent d'innocence qui faisaient
froid dans le dos.[3]

30 — Comment? vous en avez donc mangé plusieurs! s'écria
Delphine. Eh bien! c'est du joli!

— Mais naturellement que j'en ai mangé plusieurs! Je ne vois
pas où est le mal . . . Vous en mangez bien, vous!

---

[1] **le loup et l'agneau:** allusion to a fable of La Fontaine bearing that title
in which the wolf found a pretext to eat the lamb.

[2] **par le nez:** *at its face.*

[3] **faisaient . . . dos:** *made shivers run up their back.*

Il n'y avait pas moyen de dire le contraire. On venait justement de manger du gigot au déjeuner de midi.

— Allons, reprit le loup, vous voyez bien que je ne suis pas méchant. Ouvrez-moi la porte, on s'assiéra en rond autour du fourneau, et je vous raconterai des histoires. Depuis le temps que je rôde au travers des bois et que je cours sur les plaines, vous pensez si j'en connais . . . Rien qu'en vous racontant ce qui est arrivé l'autre jour aux trois lapins de la lisière, je vous ferais bien rire.

Les petites se disputaient à voix basse. La plus blonde était 10 d'avis qu'on ouvrît la porte au loup, et tout de suite. On ne pouvait pas le laisser grelotter sous la bise avec une patte malade. Mais Delphine restait méfiante.

— Enfin, disait Marinette, tu ne vas pas lui reprocher encore les agneaux qu'il a mangés. Il ne peut pourtant pas se laisser mourir de faim!

— Il n'a qu'à manger des pommes de terre,[4] répliquait Delphine.

Marinette se fit si pressante, elle plaida la cause du loup avec tant d'émotion dans la voix et tant de larmes dans les yeux, que sa soeur aînée finit par se laisser toucher. Déjà Delphine se 20 dirigeait vers la porte. Elle se ravisa dans un éclat de rire, et haussant les épaules, dit à Marinette consternée:

— Non, tout de même, ce serait trop bête!

Delphine regarda le loup bien en face.

— Dites donc, Loup, j'avais oublié le petit Chaperon Rouge.[5] Parlons-en un peu du petit Chaperon Rouge, voulez-vous?

Le loup baissa la tête avec humilité. Il ne s'attendait pas à celle-là. On l'entendit renifler derrière la vitre.

— C'est vrai, avoue-t-il, je l'ai mangé, le petit Chaperon Rouge. Mais je vous assure que j'en ai déjà eu bien du remords. Si 30 c'était à refaire . . .

— Oui, oui, on dit toujours ça.

Le loup se frappa la poitrine à l'endroit du coeur. Il avait une belle voix grave.

---

[4] **Il n'a . . . terre:** *Why doesn't he eat potatoes?*
[5] **petit Chaperon Rouge:** Little Red Riding Hood. Allusion to a short story of Perrault bearing that title.

— Ma parole, si c'était à refaire, j'aimerais mieux mourir de faim.

— Tout de même, soupira la plus blonde, vous avez mangé le petit Chaperon Rouge.

— Je ne vous dis pas, consentit le loup. Je l'ai mangé, c'est entendu. Mais c'est un péché de jeunesse. Il y a si longtemps, n'est-ce pas? A tout péché miséricorde . . . Et puis, si vous saviez les tracas que j'ai eus à cause de cette petite! Tenez, on est allé jusqu'à dire que j'avais commencé par manger la grand'mère,
10 eh bien! ce n'est pas vrai, du tout . . .

Ici, le loup se mit à ricaner, malgré lui, et probablement sans bien se rendre compte qu'il ricanait.

— Je vous demande un peu! manger de la grand'mère, alors que j'avais une petite fille bien fraîche qui m'attendait pour mon déjeuner! Je ne suis pas si bête . . .

Au souvenir de ce repas de chair fraîche, le loup ne put se tenir de passer plusieurs fois sa grande langue sur ses babines, découvrant de longues dents pointues qui n'étaient pas pour rassurer les deux petites.[6]
20 — Loup, s'écria Delphine, vous êtes un menteur! Si vous aviez tous les remords que vous dites, vous ne vous lécheriez pas ainsi les babines!

Le loup était bien penaud de s'être pourléché au souvenir d'une gamine potelée et fondant sous la dent. Mais il se sentait si bon, si loyal, qu'il ne voulut pas douter de lui-même.

— Pardonnez-moi, dit-il, c'est une mauvaise habitude que je tiens de famille, mais ça ne veut rien dire . . .

— Tant pis pour vous si vous êtes mal élevé, déclara Delphine.

— Ne dites pas ça, soupira le loup, j'ai tant de regrets.
30 — C'est aussi une habitude de famille de manger les petites filles? Vous comprenez, quand vous promettez de ne plus jamais manger d'enfants, c'est à peu près comme si Marinette promettait de ne plus jamais manger de dessert.

Marinette rougit, et le loup essaya de protester:

— Mais puisque je vous jure . . .

---

[6] **qui n'étaient . . . petites:** *which did not reassure the little girls at all.*

— N'en parlons plus et passez votre chemin. Vous vous réchaufferez en courant.

Alors le loup se mit en colère parce qu'on ne voulait pas croire qu'il était bon.

— C'est quand même un peu fort, criait-il, on ne veut jamais entendre la voix de la vérité! C'est à vous dégoûter d'être honnête. Moi je prétends qu'on n'a pas le droit de décourager les bonnes volontés comme vous le faites. Et vous pouvez dire que si jamais je remange de l'enfant, ce sera par votre faute.

En l'écoutant, les petites ne songeaient pas sans beaucoup 10 d'inquiétude au fardeau de leurs responsabilités et aux remords qu'elles se préparaient peut-être. Mais les oreilles du loup dansaient si pointues, ses yeux brillaient d'un éclat si dur, et ses crocs entre les babines retroussées, qu'elles demeuraient immobiles de frayeur.

Le loup comprit qu'il ne gagnerait rien par des paroles d'intimidation. Il demanda pardon de son emportement et essaya de la prière. Pendant qu'il parlait, son regard se voilait de tendresse, ses oreilles se couchaient; et son nez qu'il appuyait au carreau lui faisait une gueule aplatie, douce comme un mufle de vache.   20

— Tu vois bien qu'il n'est pas méchant, disait la petite blonde.

— Peut-être, répondait Delphine, peut-être.

Comme la voix du loup devenait suppliante, Marinette n'y tint plus[7] et se dirigea vers la porte. Delphine, effrayée, la retint par une boucle de ses cheveux. Il y eut des gifles données, des gifles rendues. Le loup s'agitait avec désespoir derrière la vitre, disant qu'il aimait mieux s'en aller que d'être le sujet d'une querelle entre les deux plus jolies blondes qu'il eût jamais vues. Et, en effet, il quitta la fenêtre et s'éloigna, secoué par de grands sanglots.

— Quel malheur, songeait-il, moi qui suis si bon, si tendre 30 . . . elles ne veulent pas de mon amitié. Je serais devenu meilleur encore, je n'aurais même plus mangé d'agneaux.

Cependant, Delphine regardait le loup qui s'en allait clochant sur trois pattes, transi par le froid et par le chagrin. Prise de remords et de pitié, elle cria par la fenêtre:

[7] **Marinette . . . plus:** *Marinette could not stand it any longer.*

— Loup! on n'a plus peur . . . Venez vite vous chauffer!

Mais la plus blonde avait déjà ouvert la porte et courait à la rencontre du loup.

— Mon Dieu! soupirait le loup, comme c'est bon d'être assis au coin du feu. Il n'y a vraiment rien de meilleur que la vie en famille. Je l'avais toujours pensé.

Les yeux humides de tendresse, il regardait les petites qui se tenaient timidement à l'écart. Après qu'il eut léché sa patte endolorie, exposé son ventre et son dos à la chaleur du foyer, il
10 commença de raconter des histoires. Les petites s'étaient approchées pour écouter les aventures du renard, de l'écureuil, de la taupe ou des trois lapins de la lisière. Il y en avait de si drôles que le loup dut les redire deux et trois fois.

Marinette avait déjà pris son ami par le cou, s'amusant à tirer ses oreilles pointues, à le caresser à lisse-poil et à rebrousse-poil. Delphine fut un peu longue à se familiariser, et la première fois qu'elle fourra, par manière de jeu, sa petite main dans la gueule du loup, elle ne put se défendre de remarquer:

— Ah! comme vous avez de grandes dents . . .

20 Le loup eut un air si gêné que Marinette lui cacha la tête dans ses bras.

Par délicatesse, le loup ne voulut rien dire de la grande faim qu'il avait au ventre.

— Ce que je peux être bon, songeait-il avec délices, ce n'est pas croyable.

Après qu'il eut raconté beaucoup d'histoires, les petites lui proposèrent de jouer avec elles.

— Jouer? dit le loup, mais c'est que je ne connais pas de jeux, moi.

30 En un moment, il eut appris à jouer à la main chaude,[8] à la ronde, . . . Il chantait avec une assez belle voix de basse les couplets de *Compère Guilleri*, ou de *La Tour, prends garde*.[9] Dans la cuisine, c'était un vacarme de bousculades, de cris, de grands rires et de chaises renversées. Il n'y avait plus la moindre gêne

[8] **jouer à la main chaude:** a game the object of which is to find in whose hand something is hidden.

[9] **«Compère . . ., La Tour . . .»:** popular French songs for children.

entre les trois amis qui se tutoyaient comme s'ils s'étaient toujours
connus.

— Loup, c'est toi qui t'y colles![10]

— Non, c'est toi! tu as bougé, ella a bougé . . .

— Un gage pour le loup!

Le loup n'avait jamais tant ri de sa vie, il riait à s'en décrocher
la mâchoire.

— Je n'aurais pas cru que c'était si amusant de jouer, disait-il.
Quel dommage qu'on ne puisse pas jouer comme ça tous les
jours!   10

— Mais, Loup, répondaient les petites, tu reviendras. Nos
parents s'en vont tous les jeudis après-midi. Tu guetteras leur
départ et tu viendras taper au carreau comme tout à l'heure.

Pour finir, on joua au cheval. C'était un beau jeu. Le loup
faisait le cheval, la plus blonde était montée à califourchon sur
son dos, tandis que Delphine le tenait par la queue et menait
l'attelage à fond de train au travers des chaises. La langue
pendante, la gueule fendue jusqu'aux oreilles, essoufflé par la
course et par le rire qui lui faisait saillir les côtés, le loup demandait parfois la permission de respirer.   20

— Pouce! disait-il d'une voix entrecoupée, laissez-moi rire
. . . je n'en peux plus . . . Ah! non, laissez-moi rire!

Alors, Marinette descendait de cheval, Delphine lâchait la
queue du loup et, assis par terre, on se laissait aller à rire jusqu'à
s'étrangler.

La joie prit fin vers le soir, quand il fallut songer au départ
du loup. Les petites avaient envie de pleurer, et la plus blonde
suppliait:

— Loup, reste avec nous, on va jouer encore. Nos parents ne
diront rien, tu verras . . .   30

— Ah non! disait le loup. Les parents, c'est trop raisonnable.
Ils ne comprendraient jamais que le loup ait pu devenir bon. Les
parents, je les connais.

— Oui, approuva Delphine, il vaut mieux ne pas t'attarder.
J'aurais peur qu'il t'arrive quelque chose.

---

[10] **qui t'y colles:** *who are stuck, condemned to remain motionless.*

Les trois amis se donnèrent rendez-vous pour le jeudi suivant.
Il y eut encore des promesses et de grandes effusions. Enfin,
lorsque la plus blonde lui eut noué un ruban bleu autour du cou,
le loup gagna la campagne et s'enfonça dans le bois.

Sa patte endolorie le faisait encore souffrir, mais, songeant au
prochain jeudi qui le ramènerait auprès des deux petites, il
fredonnait sans souci de l'indignation des corbeaux somnolant
sur les plus hautes branches :

> Compère Guilleri,
10 > Te lairras-tu mouri[11] . . .

En rentrant à la maison, les parents reniflèrent sur le seuil de
la cuisine.

— Nous sentons ici comme une odeur de loup, dirent-ils.

Et les petites se crurent obligées de mentir et de prendre un
air étonné, ce qui ne manque jamais d'arriver quand on reçoit
le loup en cachette de ses parents.

— Comment pouvez-vous sentir une odeur de loup ? protesta
Delphine. Si le loup était entré dans la cuisine, nous serions
mangées toutes les deux.

20 — C'est vrai, accorda son père, je n'y avais pas songé. Le loup
vous aurait mangées.

Mais la plus blonde, qui ne savait pas dire deux mensonges
d'affilée, fut indignée qu'on osât parler du loup avec autant de
perfidie.

— Ce n'est pas vrai, dit-elle en tapant du pied, le loup ne
mange pas les enfants, et ce n'est pas vrai non plus qu'il soit
méchant. La preuve . . .

Heureusement que Delphine lui donna un coup de pied dans
les jambes, sans quoi elle allait tout dire.

30 Là-dessus, les parents entreprirent tout un long discours où il
était surtout question de la voracité du loup. La mère voulut en
profiter pour conter une fois de plus l'aventure du petit Chaperon
Rouge, mais, aux premiers mots qu'elle dit, Marinette l'arrêta.

— Tu sais, maman, les choses ne se sont pas du tout passées

---

[11] **te lairras-tu mouri**: a stanza of Compère Guilleri. Popular language for
te laisseras-tu mourir.

comme tu crois. Le loup n'a jamais mangé la grand'mère. Tu
penses bien qu'il n'allait pas se charger l'estomac juste avant de
déjeuner d'une petite fille bien fraîche.

— Et puis, ajouta Delphine, on ne peut pas lui en vouloir
éternellement, au loup . . .

— C'est une vieille histoire . . .

— Un péché de jeunesse . . .

— Et à tout péché miséricorde.

— Le loup n'est plus ce qu'il était dans le temps.

— On n'a pas le droit de décourager les bonnes volontés.   10
Les parents n'en croyaient pas leurs oreilles.

Le père coupa court à ce plaidoyer scandaleux en traitant ses
filles de tête-en-l'air. Puis, il s'appliqua à démontrer par des
exemples bien choisis que le loup resterait toujours le loup, qu'il
n'y avait point de bon sens à espérer de le voir jamais s'améliorer
et que, s'il faisait un jour figure d'animal débonnaire, il en serait
encore plus dangereux.

Tandis qu'il parlait, les petites songeaient aux belles parties de
cheval et de paume placée qu'elles avaient faites en cet après-
midi, et à la grande joie du loup qui riait, gueule ouverte, jusqu'à 20
perdre le souffle.

— On voit bien, concluait le père, que vous n'avez jamais eu
affaire au loup . . .

Alors, comme la plus blonde donnait du coude à sa sœur, les
petites éclatèrent d'un grand rire, à la barbe de leur père. On les
coucha sans souper, pour les punir de cette insolence, mais
longtemps après qu'on les eut bordées dans leurs lits, elles riaient
encore de la naïveté de leurs parents.

Les jours suivants, pour distraire l'impatience où elles étaient
de revoir leur ami, et avec une intention ironique qui n'était pas 30
sans agacer leur mère, les petites imaginèrent de jouer au loup.
La plus blonde chantait sur deux notes les paroles consacrées:

«Promenons-nous le long du bois, pendant que le loup y est
pas. Loup y es-tu? m'entends-tu? quoi fais-tu?»[12]

---

[12] **Promenons-nous . . .:** a popular game played by French children.
Children are supposed to flee as soon as the wolf is ready to come out of
the woods. Notice the omission of **ne**.

Et Delphine, cachée sous la table de la cuisine, répondait: «Je mets ma chemise.» Marinette posait la question autant de fois qu'il était nécessaire au loup pour passer une à une toutes les pièces de son harnachement, depuis les chaussettes jusqu'à son grand sabre. Alors, il se jetait sur elle et la dévorait.

Tout le plaisir du jeu était dans l'imprévu, car le loup n'attendait pas toujours d'être prêt pour sortir du bois. Il lui arrivait aussi bien de sauter sur sa victime alors qu'il était en manche de chemise, ou n'ayant même pour tout vêtement qu'un chapeau 10 sur la tête.

Les parents n'appréciaient pas tout l'agrément du jeu. Excédés d'entendre cette rengaine, ils l'interdirent le troisième jour, donnant pour prétexte qu'elle leur cassait les oreilles. Bien entendu, les petites ne voulurent pas d'autre jeu, et la maison demeura silencieuse jusqu'au jour du rendez-vous.

Le loup avait passé toute la matinée à laver son museau, à lustrer son poil, et à faire bouffer la fourrure de son cou. Il était si beau que les habitants du bois passèrent à côté de lui sans le reconnaître d'abord.

20   Lorsqu'il gagna la plaine, deux corneilles qui bayaient au clair du midi, comme elles font presque toutes après déjeuner, lui demandèrent pourquoi il était si beau.

— Je vais voir mes amies, dit le loup avec orgueil. Elles m'ont donné rendez-vous pour le début de l'après-midi.

— Elles doivent être bien belles, que tu aies fait si grande toilette.

— Je crois bien! Vous n'en trouverez pas, sur toute la plaine, qui soient aussi blondes.

Les corneilles en bayaient maintenant d'admiration, mais une 30 vieille pie jacassière, qui avait écouté la conversation, ne put s'empêcher de ricaner.

— Loup, je ne connais pas tes amies, mais je suis sûre que tu auras su les choisir bien dodues, et bien tendres . . . ou je me trompe beaucoup.

— Taisez-vous, péronnelle! s'écria le loup en colère. Voilà pourtant comme on vous bâtit une réputation, sur des commérages de vieille pie. Heureusement, j'ai ma conscience pour moi!

En arrivant à la maison, le loup n'eut pas besoin de cogner au carreau; les deux petites l'attendaient sur le pas de la porte. On s'embrassa longuement, et plus tendrement encore que la dernière fois, car une semaine d'absence avait rendu l'amitié impatiente.

— Ah! Loup, disait la plus blonde, la maison était triste, cette semaine. On a parlé de toi tout le temps.

— Et tu sais, Loup, tu avais raison: nos parents ne veulent pas croire que tu puisses être bon.

— Ça ne m'étonne pas. Si je vous disais que tout à l'heure, une vieille pie . . .   10

— Et pourtant, Loup, on t'a bien défendu, même que nos parents nous ont envoyées au lit sans souper.

— Et dimanche, on nous a défendu de jouer au loup.

Les trois amis avaient tant à se dire qu'avant de songer aux jeux, ils s'assirent à côté du fourneau. Le loup ne savait plus où donner de la tête.[13] Les petites voulaient savoir tout ce qu'il avait fait dans la semaine, s'il n'avait pas eu froid, si sa patte était bien guérie, s'il avait rencontré le renard, la bécasse, le sanglier.

— Loup, disait Marinette, quand viendra le printemps, tu nous emmèneras dans les bois, loin, là où il y a toutes sortes de bêtes. 20 Avec toi, on n'aura pas peur.

— Au printemps, mes mignonnes, vous n'aurez rien à craindre dans les bois. D'ici là, j'aurai si bien prêché les compagnons de la forêt que les plus hargneux seront devenus doux comme des filles. Tenez, pas plus tard qu'avant-hier, j'ai rencontré le renard qui venait de saigner tout un poulailler. Je lui ai dit que ça ne pouvait plus continuer comme ça, qu'il fallait changer de vie. Ah! je vous l'ai sermonné d'importance![14] Et lui qui fait tant le malin d'habitude, savez-vous ce qu'il m'a répondu? «Loup, je ne demande qu'à suivre ton exemple. Nous en reparlerons un peu 30 plus tard, et quand j'aurai eu le temps d'apprécier toutes tes bonnes œuvres, je ne tarderai plus à me corriger.» Voilà ce qu'il m'a répondu, tout renard qu'il est.[15]

---

[13] ne savait . . . tête: *did not know what to do next, could not keep up with the questions.*
[14] je vous . . . d'importance: *I gave him a good sermon.*
[15] tout . . . est: *even if he is a fox (is sly).*

— Tu es si bon, murmura Delphine.

— Oh! oui, je suis bon, il n'y a pas à dire le contraire. Et pourtant, voyez ce que c'est, vos parents ne le croiront jamais. Ça fait de la peine, quand on y pense.

Pour dissiper la mélancolie de cette réflexion, Marinette proposa une partie de cheval. Le loup se donna au jeu avec plus d'entrain encore que le jeudi précédent. La partie de cheval terminée, Delphine demanda :

— Loup, si on jouait au loup ?

10 Le jeu était nouveau pour lui, on lui en expliqua les règles, et tout naturellement, il fut désigné pour être le loup. Tandis qu'il était caché sous la table, les petites passaient et repassaient devant lui en chantant le refrain :

«Promenons-nous le long du bois, pendant que le loup y est pas. Loup y es-tu ? m'entends-tu ? quoi fais-tu ?»

Le loup répondait en se tenant les côtés, la voix étranglée par le rire :

— Je mets mon caleçon.

Toujours riant, il disait qu'il mettait sa culotte, puis ses bre-
20 telles, son faux-col, son gilet. Quand il en vint à enfiler ses bottes, il commença d'être sérieux.

— Je boucle mon ceinturon, dit le loup, et il éclata d'un rire bref. Il se sentait mal à l'aise, une angoisse lui étreignait la gorge, ses ongles grattèrent le carrelage de la cuisine. Devant ses yeux luisants, passaient et repassaient les jambes des deux petites. Un frémissement lùi courut sur l'échine, ses babines se froncèrent.

— . . . Loup y es-tu ? m'entends-tu ? quoi fais-tu ?

— Je prends mon grand sabre ! dit-il d'une voix rauque, et déjà les idées se brouillaient dans sa tête. Il ne voyait plus les
30 jambes des fillettes, il les humait.

— . . . Loup y es-tu ? m'entends-tu ? quoi fais-tu ?

— Je monte à cheval et je sors du bois !

Alors le loup, poussant un grand hurlement, fit un bond hors de sa cachette, la gueule béante et les griffes dehors. Les petites n'avaient pas encore eu le temps de prendre peur, qu'elles étaient déjà dévorées.

Heureusement, le loup ne savait pas ouvrir les portes, il

demeura prisonnier dans la cuisine. En rentrant, les parents n'eurent qu'à lui ouvrir le ventre pour délivrer les deux petites. Mais, au fond, ce n'était pas de jeu.[16]

Delphine et Marinette lui en voulaient un peu de ce qu'il les eût mangées sans plus d'égards, mais elles avaient si bien joué avec lui qu'elles prièrent les parents de le laisser s'en aller. On lui recousit le ventre solidement avec deux mètres d'une bonne ficelle frottée d'un morceau de suif, et une grosse aiguille à matelas. Les petites pleuraient parce qu'il avait mal, mais le loup disait en retenant ses larmes :   10

— Je l'ai bien mérité, allez, et vous êtes encore trop bonnes de me plaindre. Je vous jure qu'à l'avenir on ne me prendra plus à être gourmand. Et d'abord, quand je verrai des enfants je commencerai par me sauver.

On croit que le loup a tenu parole. En tout cas, l'on n'a pas entendu dire qu'il ait mangé de petite fille depuis son aventure avec Delphine et Marinette.

EXERCICES

I. Répondez aux questions suivantes :

1. Pourquoi les parents de Delphine et Marinette leur disaient-ils de ne pas ouvrir la porte pendant leur absence ?
2. Pourquoi Marinette la plus blonde préférait-elle avoir une troisième personne avec elles ?
3. Quelles raisons le loup donnait-il pour convaincre les petites filles de le laisser entrer ?
4. Comment le loup a-t-il répondu aux questions de Delphine et de Marinette au sujet de l'agneau et du Petit Chaperon Rouge ?
5. Pourquoi les petites ont-elles fini par le laisser entrer ?
6. Comment ont-ils passé le temps et comment le loup s'est-il conduit ?
7. Pourquoi et comment les parents ont-ils puni les deux petites quand ils sont rentrés ?
8. Quand le loup est revenu, le jeudi prochain, quel jeu ont-ils tous joué ensemble ?
9. Décrivez le jeu et les conséquences tragiques de la seconde journée.

[16] **ce n'était pas de jeu :** *that was not fair play.*

10. Comment les parents ont-ils enfin sauvé les enfants et pourquoi n'ont-ils pas puni le loup?

II. Racontez en français l'incident d'où est tirée chacune des citations suivantes:
   1. Il eut enfin la satisfaction de voir les parents sortir de la cuisine.
   2. Delphine et Marinette jouaient aux osselets devant le fourneau.
   3. À force d'y réfléchir, il comprit qu'il était devenu bon, tout à coup.
   4. Alors le loup poussa un grand soupir, ses oreilles pointues se couchèrent de chaque côté de sa tête.
   5. Déjà Delphine se dirigeait vers la porte. Elle se ravisa sans un éclat de rire, et haussant les épaules, dit à Marinette consternée: «Non, tout de même, ce serait trop bête!»
   6. Le loup était bien penaud de s'être pourléché au souvenir d'une gamine potelée et fondant sous la dent.
   7. Il y eut des gifles données, des gifles rendues.
   8. En un moment, il eut appris à jouer à la main chaude, à la ronde.
   9. Les trois amis se donnèrent rendez-vous pour le jeudi suivant.
   10. — Comment pouvez-vous sentir une odeur de loup? protesta Delphine. Si le loup était entré dans la cuisine, nous serions mangées toutes les deux.
   11. On les coucha sans souper, pour les punir de cette insolence, mais longtemps après qu'on les eut bordées dans leurs lits, elles riaient encore de la naïveté de leurs parents.
   12. Le loup avait passé toute la matinée à laver son museau, à lustrer son poil, et à faire bouffer la fourrure de son cou.
   13. Il se sentait mal à l'aise, une angoisse lui étreignait la gorge, ses ongles grattèrent le carrelage de la cuisine.
   14. On lui recousit le ventre solidement avec deux mètres d'une bonne ficelle frottée d'un morceau de suif, et une grosse aiguille à matelas.

III. Traduisez les phrases suivantes:
   1. When the wolf was far away, near the last turn of the path, the children went around the house, closed all the doors, and then went to look at the cows and the pigs.
   2. Shall we warm ourselves near the stove and spend the rest of the afternoon together?
   3. We have forbidden you to open the door and we have confidence in you.

4. He pleaded the young girls' cause with tears in his eyes and so much emotion in his voice that everyone was moved.

5. The wolf licked his sore paw and rested on his back in the heat of the hearth.

6. After they had played horse, the little blond girl tied a ribbon around the wolf's neck, and he disappeared into the woods.

7. He pointed out by well-chosen examples that there was no reason to hope that he would improve.

MOREL DÉFEND LES ÉLÉPHANTS*

ROMAIN GARY

Romain Gary, né en 1914, appartient au corps diplomatique et il a été autrefois consul général de France à Los Angeles. Il a écrit plusieurs romans, notamment Education Européenne *(1945),* Le Grand Vestiaire *(1949), et* Les Racines du Ciel, *qui reçut en 1956 le Prix Goncourt. Gary est souvent considéré comme un écrivain naturaliste. Mais il a une conscience aiguë des problèmes de notre époque et particulièrement du problème de la civilisation menacée par le progrès. C'est un aspect de ce problème que présente Romain Gary dans* Les Racines du Ciel, *dont l'action se déroule dans les forêts de l'Afrique Equatoriale dans la région du Tchad. Le héros de ce roman est un nommé Morel, qui, vivant isolé dans les forêts, s'est donné comme mission de sauver les éléphants contre la cruauté des hommes. Le récit suivant est extrait des* Racines du Ciel.

IL ÉTAIT apparu devant elle au Tchadien, une fin d'après-midi, alors qu'elle choisissait, derrière le bar, les disques pour la soirée. Il avait débouché rapidement sur la piste de danse vide et s'était arrêté, les poings fermés, regardant autour de lui comme s'il cherchait quelqu'un avec qui il avait des comptes à régler. Il paraissait à la fois menaçant et un peu perdu sur la terrasse déserte où le ciel lui-même semblait attendre le premier client. Elle lui avait souri, d'abord parce qu'elle était là un peu pour ça, et ensuite parce qu'elle ne l'avait jamais vu auparavant et qu'elle
10 avait un préjugé favorable envers les gens qu'elle ne connaissait

pas. Non, il ne lui avait pas présenté sa fameuse pétition,[1] du moins pas tout de suite. Il était venu vers elle et elle s'aperçut alors que sa chemise était déchirée, son visage couvert d'ecchymoses et que ses cheveux bouclés et désordonnés collaient à ses tempes et à son front têtu, droit, creusé de trois rides profondes. Il semblait à la fois sortir d'une bagarre et en chercher une autre. Il tenait sous le bras une vieille serviette de cuir.

— Je voudrais parler à Habib.

— Il n'est pas là.

Il parut contrarié et regarda encore une fois autour de lui 10 comme pour s'assurer qu'elle ne mentait pas.

— M. Habib est à Maidaguri. Il ne rentre que demain soir. Est-ce que je peux faire quelque chose? . . .

— Vous êtes allemande?

— Oui.

Son visage s'éclaira un peu. Il posa sa serviette sur le bar.

— Eh bien, nous sommes presque des compatriotes. Je suis un peu allemand moi-même, par naturalisation, si on peut dire. J'ai été déporté pendant la guerre, et je suis resté deux ans dans différents camps. J'ai failli y rester pour de bon. Je me suis attaché 20 au pays.

Elle s'était penchée sur ses disques, embarrassée et immédiatement sur la défensive, et pourtant, à Fort-Lamy,[2] on était plutôt gentil avec elle, avec seulement cette soudaine attention un peu ironique qui venait dans les regards lorsque sa nationalité était mentionnée. Elle sentit soudain sa main toucher la sienne.

— Ça y est; j'ai encore dit quelque chose qu'il ne fallait pas. À force de vivre seul, j'ai perdu l'habitude de parler aux gens. Pas une mauvaise chose à perdre, du reste.

— Vous êtes planteur? 30

— Non. Je m'occupe des éléphants.

— Vous connaissez M. Haas, alors? Il travaille pour les zoos et pour les cirques. Il est spécialisé dans la capture des éléphants. À Hambourg, toutes les bêtes de Hagenbeck étaient fournies par lui.

---

[1] **pétition:** a petition asking that elephant hunting be absolutely prohibited.
[2] **Fort Lamy:** an important garrison town in French Equatorial Africa.

— Je connais M. Haas, dit-il lentement — son visage s'était de nouveau rembruni. Bien sûr, je le connais. Il y a longtemps que je l'ai repéré . . . Un jour ou l'autre, M. Haas sera pendu. Non, Mademoiselle, je ne capture pas les éléphants. Je me contente de vivre parmi eux à les suivre, à les étudier. À les admirer, plus exactement. Pour vous dire la vérité, je donnerais n'importe quoi pour devenir éléphant moi-même. C'est vous dire que je n'ai rien contre les Allemands en particulier, contrairement à ce que vous aviez cru tout à l'heure . . . C'est plus général. Donnez-moi un
10 rhum.

Elle ne savait pas s'il plaisantait ou s'il parlait sérieusement. Peut-être ne le savait-il pas lui-même. Mais elle sentait qu'il y avait derrière ses propos déroutants quelqu'un de gentil et d'un peu bizarre.

— Puisque Habib n'est pas là, je peux peut-être laisser quelque chose pour lui?

— Bien sûr.

— Il faudra me donner un coup de main.

Elle le suivit dehors, se demandant ce que cela pouvait être.
20 Devant l'arc de triomphe qui ornait l'entrée du Tchadien,[3] elle reconnut la voiture de de Vries. Morel ouvrit la portière. Le sportsman était écroulé sur le siège arrière. Son visage était tuméfié; un de ses bras en écharpe. Il avait un bandage sur la tête et paraissait incapable de bouger. Il leur jeta un regard de souffrance et de haine.

— Je l'ai surpris à l'est du lac en train d'abattre son quatrième éléphant de la journée. J'ai tiré cette canaille à quarante mètres, mais j'avais trop couru et mes mains tremblaient: je l'ai loupé.[4]

Il avait l'air de s'excuser.
30   — Alors je me suis un peu expliqué avec lui à coups de crosse. Vous serez gentille de dire à Habib que si jamais je le reprends autour d'un troupeau, j'en ferai une telle marmelade que les éléphants eux-mêmes ne l'arrangeraient pas mieux. C'est tout. Au revoir.

---

[3] **Tchadien:** name given to this bar-restaurant, from the word Tchad, a lake in Central Africa, which gave its name to a former French colony.
[4] **je l'ai loupé:** *I missed him* (colloq.).

— Attendez.

Il se retourna.

— Vous n'avez pas réglé votre rhum.

— C'est combien ?

— Vous ne l'avez même pas bu . . . Finissez-le, au moins . . .
Allons venez.

Il la suivit jusqu'au bar. Elle donna des ordres aux boys qui
s'affairèrent autour de de Vries. Puis ils demeurèrent un moment
sans se parler. Elle s'était appuyée contre le mur, les bras croisés,
et le regardait gravement. Il baissait la tête, tournant machinale- 10
ment le verre sur le comptoir. Elle attendait tranquillement, avec
une assurance extraordinaire, et il lutta un moment contre cette
muette interpellation. Puis il tourna le visage vers le fleuve, vers
l'autre rive. Il sourit et se mit à lui parler doucement, gentiment,
un peu comme on parle aux enfants. Il ne lui dit ni qui il était,
ni d'où il venait, mais lui parla des éléphants comme si c'était
la seule chose qui comptait. C'est par dizaines de milliers, dit-il,
que les éléphants étaient abattus chaque année, en Afrique —
trente mille, l'année dernière — et il était décidé à tout faire pour
empêcher ces crimes de continuer. Voilà pourquoi il était venu 20
au Tchad : il avait entrepris une campagne pour la défense des
éléphants. Tous ceux qui ont vu ces bêtes magnifiques en marche
à travers les derniers grands espaces libres du monde savent
qu'il y a là quelque chose qui ne doit pas être perdu. La con-
férence pour la protection de la faune africaine allait se réunir
bientôt au Congo et il était prêt à remuer ciel et terre pour
obtenir les mesures nécessaires. Il savait bien que les troupeaux
n'étaient pas menacés uniquement par les chasseurs — il y avait
aussi la déforestation, l'avance des terres cultivées, le progrès,
quoi ! Mais la chasse était évidemment ce qu'il y avait de plus 30
ignoble et c'est par là qu'il fallait commencer. Savait-elle par
exemple qu'un éléphant tombé dans un piège agonisait souvent,
empalé sur des pieux, pendant des jours et des jours ? Que la
chasse au feu était encore pratiquée par les indigènes sur une large
échelle et qu'il lui était arrivé de tomber sur les carcasses de six
éléphanteaux victimes du feu auquel les bêtes adultes avaient pu
échapper grâce à leur taille et leur rapidité ? Et savait-elle que

des troupeaux entiers d'éléphants s'échappaient quelquefois de
la savane enflammée brûlés jusqu'au ventre et qu'ils souffraient
pendant des semaines — il avait entendu pendant des nuits
entières les cris de ces bêtes blessées? Savait-elle que la contrebande de l'ivoire était encore pratiquée sur une grande échelle
par les marchands arabes et asiatiques qui poussent les tribus au
braconnage? Trente mille éléphants par an — pouvait-on réfléchir un instant à ce que cela représente sans avoir envie de
saisir un fusil et de se mettre du côté des éléphants? Savait-elle
10 qu'un homme comme Haas, qui était le fournisseur chéri de la
plupart des grands zoos, voyait crever sous ses yeux au moins la
moitié des éléphanteaux qu'il capturait? Les indigènes, eux, au
moins, avaient des excuses: il n'y avait pas assez de protéines
dans leur régime alimentaire. Ils abattaient les éléphants pour les
manger. C'était, pour eux, de la viande. La préservation des
éléphants exigeait donc, en premier lieu, l'élévation du niveau de
vie en Afrique, condition préalable de toute campagne sérieuse
pour la protection de la nature. Mais les blancs? La chasse
«sportive» — pour la «beauté» du coup de fusil? Il avait élevé la
20 voix et son regard brun et doux avait pris une expression de
détresse qui expliquait mieux que les mots ce dont il s'agissait.
Car elle l'avait compris tout de suite, dès le premier accent et
sans la moindre hésitation. C'était encore une histoire de solitude.[5]
C'était un homme qui avait beaucoup souffert et qui se sentait
bien seul. Elle l'avait tout de suite compris parce qu'il n'y avait
pas de différence entre le besoin qui l'avait poussé parmi les
éléphants et celui qui l'étreignait elle-même, lorsqu'elle se penchait
de la terrasse du Tchadien vers la rive déserte et les bancs de
sable où des milliers d'échassiers blancs se tenaient immobiles.
30 Elle ne bougeait pas, appuyée contre le mur, essayant de ne pas
l'interrompre, de ne pas sourire aussi à l'idée que jamais sans doute
un homme avait parlé ainsi des éléphants à une femme. Jamais
un homme ne lui avait dit plus franchement tout sur lui-même.
   Le crépuscule tombait rapidement, avec ce silence étonnant,
qui semblait toujours choisir ce moment pour venir se poser sur

---

[5] It was another case of someone suffering from lonesomeness.

le fleuve et les roseaux, parmi les derniers oiseaux, Morel continua
à lui parler un moment encore de cette voix sourde, grondante,
pleine d'une passion contenue. Puis il s'interrompit et leva les yeux.

— Mais je vous ennuie avec mes histoires.

— Vous ne m'ennuyez pas. Ce n'est pas comme ça qu'on
m'ennuie.

— Je dois vous dire aussi que j'ai contracté, en captivité, une
dette envers les éléphants, dont j'essaye de m'acquitter. C'est un
camarade qui avait eu cette idée, après quelques jours de cachot
— un mètre dix sur un mètre cinquante — alors qu'il sentait que 10
les murs allaient l'étouffer, il s'était mis à penser aux troupeaux
d'éléphants en liberté — et chaque matin, les Allemands le
trouvaient en pleine forme,[6] en train de rigoler; il était devenu
increvable.[7] Quand il est sorti de cellule, il nous a passé le filon,
et chaque fois qu'on n'en pouvait plus, dans notre cage, on se
mettait à penser à ces géants fonçant irrésistiblement à travers les
grands espaces ouverts de l'Afrique. Cela demandait un formidable effort d'imagination, mais c'était un effort qui nous main-
tenait vivants. Laissés seuls, à moitié crevés, on serrait les dents,
on souriait et les yeux fermés, on continuait à regarder nos 20
éléphants qui balayaient tout sur leur passage, que rien ne pouvait
retenir ou arrêter et on entendait presque la terre qui tremblait
sous le pas de cette liberté prodigieuse et le vent du large venait
remplir nos poumons. Naturellement les autorités du camp
avaient fini par s'inquiéter: le moral de notre bloc était particulièrement élevé, et on mourait moins. Ils nous ont serré la vis.
Je me souviens d'un copain, un nommé Fluche, un Parisien, qui
était mon voisin de lit. Le soir, je le voyais, incapable de bouger
— son pouls était tombé à trente-cinq — mais de temps en temps
nos regards se rencontraient et j'apercevais au fond de ses yeux 30
une lueur de gaieté à peine perceptible, et je savais que les
éléphants étaient encore là, qu'il les voyait à l'horizon . . . Les
gardes se demandaient quel démon nous habitait. Et puis, il y
a eu parmi nous un mouchard qui leur a vendu la mèche.[8] Vous

---

[6] **en pleine forme:** *in fine shape.*

[7] **increvable:** *invulnerable, impossible to kill.*

[8] **vendre la mèche:** *reveal the secret.*

pouvez vous imaginer ce que ça a donné. L'idée qu'il y avait
encore en nous quelque chose qu'ils ne pouvaient pas atteindre,
une fiction, un mythe qu'ils ne pouvaient pas nous enlever et qui
nous aidait à tenir, les mettait hors d'eux. On a eu vraiment
droit à tous leurs égards. Un soir, Fluche s'est traîné jusqu'au
bloc et je dus l'aider à arriver dans son coin. Il est resté là, allongé
un moment, les yeux grands ouverts, comme s'il cherchait à voir
quelque chose et puis il m'a dit que c'était fini, qu'il ne les voyait
plus, qu'il ne croyait même plus que ça existait. On a fait tout ce
10 qu'on a pu pour l'aider à tenir. Il fallait voir la bande de squelettes
que nous étions l'entourant avec frénésie, brandissant le doigt
vers un horizon imaginaire, lui décrivant ces géants qu'aucune
oppression, aucune idéologie ne pouvaient chasser de la terre.
Mais le gars Fluche n'arrivait plus à croire aux splendeurs de la
nature. Il n'arrivait plus à imaginer qu'il existait dans le monde
une telle liberté — que les hommes, fut-ce en Afrique, étaient
encore capables de traiter la nature avec respect. Mais il a fait
tout de même un effort. Il a tourné vers moi sa sale gueule et il
m'a cligné de l'œil. «Il m'en reste encore un, murmura-t-il, bien
20 au fond, mais j'pourrai plus m'en occuper . . . J'ai plus c'qu'il
faut . . . Prends-le avec les tiens.» Il faisait un effort terrible pour
parler le gars Fluche, mais la petite lueur dans les yeux y était
encore. «Prends-le avec les tiens . . . Il s'appelle Rodolphe. J'en
veux pas . . . Occupe-t'en toi-même.» Mais il m'a regardé d'une
façon . . . «Allez zou, lui dis-je, je te le prends, ton Rodolphe,
quand tu iras mieux, je te le rendrai.» Mais je tenais sa main dans
la mienne et j'ai tout de suite su que Rodolphe il était avec moi
pour toujours. Depuis je le trimbale partout avec moi. Et voilà,
Mademoiselle, pourquoi je suis venu en Afrique, et voilà ce que
30 je défends. Et quand il y a quelque part un chasseur qui tue un
éléphant, j'ai une telle envie de lui loger une balle que je n'en
dors pas la nuit. Et voilà pourquoi aussi j'essaye d'obtenir des
autorités une mesure bien modeste . . .

Il ouvrit sa serviette, prit une feuille de papier et la déplia
soigneusement sur le bar.

— J'ai là une pétition qui demande l'abolition de la chasse à
l'éléphant sous toutes ses formes, à commencer par la plus

ignoble, la chasse pour le trophée — pour le plaisir, comme on dit. C'est le premier pas, et ce n'est pas grand-chose. Ce n'est vraiment pas trop leur demander. Je serais heureux si vous pouviez signer là . . . Elle avait signé.

EXERCICES

I. Répondez aux questions suivantes:

1. Que demande le client Morel à la jeune Allemande?
2. Faites la description de Morel.
3. Pourquoi disait-il: «Nous sommes presque des compatriotes»?
4. Quelle était la profession de M. Haas et pourquoi Morel lui en voulait-il?
5. Quelle boisson commande-t-il?
6. Quel était l'état physique du sportsman, de Vries, quand il descendit au café?
7. Qui était responsable de son état et pourquoi l'avait-il frappé?
8. Pourquoi Morel était-il venu au Tchad?
9. De quelles différentes façons abattait-on les éléphants?
10. Combien d'éléphants tuait-on par an en Afrique?
11. Comment Morel croyait-il qu'il avait contracté une dette envers les éléphants?
12. Racontez l'histoire de Fluche.
13. Quelle pétition le client Morel circulait-il?
14. Est-ce que la serveuse signe la pétition?

II. Traduisez les phrases suivantes en français:

1. He took a sheet of paper from his brief case and unfolded it.
2. He pointed his finger towards an imaginary horizon and then winked at me.
3. We started to think of the herds of elephants who were free.
4. No man had ever expressed himself to her more frankly.
5. She did not budge but listened to him attentively, bending towards him a little.
6. The smuggling of ivory is still practiced on a large scale.
7. He had decided to undertake a campaign for the defense of the elephants.
8. They lowered their heads, crossed their arms, and remained a moment without speaking to each other.
9. To tell the truth she did not know whether he was joking or not.
10. The dance floor was empty and he stopped there looking for someone he knew in the room.

III. Expliquez en français le sens des expressions suivantes:

1. La terrasse déserte.
2. Des cheveux bouclés.
3. Son visage s'éclaira un peu.
4. J'ai failli y rester pour de bon.
5. A force de vivre seul.
6. Des propos déroutants.
7. Il faudra me donner un coup de main.
8. Un de ses bras était en écharpe.
9. Vous n'avez pas réglé votre rhum.
10. Il était prêt à remuer ciel et terre.
11. Ils abattaient les éléphants pour les manger.
12. Le crépuscule tombait rapidement.
13. Les Allemands le trouvait en train de rigoler.
14. Ils balayaient tout sur leur passage.
15. Ils nous ont serré la vis.
16. Cette idée les mettait hors d'eux.
17. Je le trimbale partout.
18. J'ai une telle envie de lui loger une balle que je n'en dors pas de la nuit.

VOCABULAIRE

A

à at, to, in, with, from, until, about

abaisser: s'— to fall, to lower oneself

abandon *m.* abandonment, surrender

abandonner to give up, to forsake, to abandon; **s'—** to give oneself up, to give way to

abasourdi, -e bewildered

abattement *m.* dejection

abattre to shoot down; **s'—** to fall

abbaye *f.* monastery

abbé *m.* priest, abbot

abeille *f.* bee

abîmer: s'— to get soiled or dirty, to be spoiled

ablution *f.* ablution, washing

abnégation *f.* sacrifice, self-denial

aboi *m.* barking, bark

abolition *f.* abolition

abondance *f.* abundance

abondant, -e plentiful, abundant

abonder to be plentiful, to abound

abord *m.* access, approach; **d'—** at first; **tout d'—** at the very first

aborder to accost, to come near; **s'—** to meet one another

aboutir to come to, to end in

aboyer to bark, to yelp

abrégé, -e shortened

abreuvoir *m.* watering place, drinking place

abri *m.* shelter; **à l'—** protected from, sheltered from

abrupt, -e rugged, craggy

abruti, -e stupified

Abruzes: les— *f.* a mountainous region in the center of Italy

absence *f.* absence

absolu, -e absolute

absolument absolutely

absolution *f.* absolution

absorbé, -e absorbed, engrossed

absurde absurd

abuser to abuse

accabler to crush, to overwhelm

accent *m.* accent, pronunciation, word

accepter to accept

accès *m.* attack, fit, access, admittance

accident *m.* accident

accompagner to accompany; **s'—** to be accompanied

accompli, -e accomplished, faultless

accomplir: s'— to be performed, to be accomplished

accord *m.* agreement; **d'—** in agreement

accorder to agree; **s'—** to correspond, to agree

accoster to accost, to come up to

accourir to run up, to rush

accoutumé, -e accustomed

accroc *m.* mishap

accrochage *m.* mishap

accroché, -e hung upon or from

accrocher to hang up

accueillir to receive, to welcome, to greet

accuser to blame, to accuse, to relate

acharné, -e desperate, intense

acheter to buy

achever to finish, to complete

acier *m.* steel

acquitter de: s'— to pay off

âcrement bitterly

acrobate *m.* acrobat; **tours d'—** acrobatic tricks

acte *m.* act

acteur *m.* actor

action *f.* action

activer to rouse, to stimulate, to stir up

activité *f.* activity
actrice *f.* actress
actuel, -le actual, present
adage *m.* adage
adieu *m.* goodbye
adjoint *m.* deputy, assistant to the mayor
admettre to admit, to permit
administrati-f, -ve administrative
administration *f.* administration, government
admirable admirable
admirablement admirably
admiration *f.* admiration; **être en —
devant** to admire
admirer to admire; **s'—** to admire oneself, to admire one another
adopter to adopt
adorable adorable
adorer to adore, to worship
adosser: s'— to lean against
adresse *f.* address, skill
adresser to direct, to address; **— la
parole** to speak; **s'—** to appeal, to address oneself
adroitement skillfully
adulte adult
adverbe *m.* adverb
adversaire *m.* or *f.* adversary
adverse opposite
aéroport *m.* airport
affabilité *f.* affability, kindness
affaiblir to weaken, to diminish
affaire *f.* business, matter, affair; **une bonne — a** good business deal; **avoir — à** to deal with; **être toute une —** to be a difficult matter; **aux Affaires Étrangères** at the Ministry of Foreign Affairs
affairer: s'— to get busy
affaissé, -e sunk down, crushed
affaissement *m.* sinking, giving way, depression
affecter to pretend, to feign, to affect
affection *f.* affection; **prendre en —** to take a liking to
affiche *f.* placard, poster
afficher to publish, to post

affilée: d'— in succession, one after the other
affirmer to assert, to affirm
affligé, -e aggrieved
affliger to afflict, to grieve
affolant, -e frightening
affolé, -e frantic
affoler to drive frantic, to madden
affreu-x, -se frightful
affronter to face, to brave
afin de in order to
afin que in order that
africain, -e African
agacer to annoy, to aggravate
âge *m.* age; **un homme d'—** an old man
âgé, -e aged, elderly, old
agenouillé, -e kneeling
agenouiller: s'— to kneel
agent *m.* agent; **— de police** policeman
aggravé, -e made worse
agile agile
agir to act; **il s'agit de** it is a question of
agitation *f.* agitation, restlessness
agité, -e disturbed, excited
agiter to agitate, to excite, to trouble, to shake, to wave; **s'—** to be in movement, to be restless, to move
agneau *m.* lamb
agonie *f.* agony, anguish
agoniser to be dying
agrandir to enlarge, to make great, to exalt
agréable pleasant, agreeable
agrément *m.* accomplishment, charm
agrès *m. pl.* rigging
agriculteur *m.* farmer
agriculture *f.* agriculture
aguets *m. pl.* watch, watching, listening; **être aux —** to lie in wait, to be on the watch, to be listening
ahuri, -e bewildered, dazed
aide *f.* aid, help; **à l'— de** with the help of
aide *m.* helper, assistant

aide de camp *m.* aide-de-camp, orderly officer
aide-meunier *m.* miller's assistant, mill boy
aider to help, to aid, to assist
aïeux *m. pl.* ancestors
aigle *m.* eagle
aigrement bitterly
aigrette *f.* tuft, plume
aigu, -ë sharp, piercing
aiguille *f.* hand (of a clock), needle
aiguiser to sharpen
aile *f.* wing, sail; **mettre des —s** to brighten up
ailleurs elsewhere; **d'—** besides
aimable lovely, kind, pleasant
aimant, -e affectionate
aimer to like, to love; **— mieux** to like better, to prefer
aîné, -e eldest, elder
ainsi thus, so; **— que** as well as, as
air *m.* air, appearance, tune, look, wind; **en l'—** up in the air; **avoir l'— de** to look like, to appear; **avoir tout l'— de** to look very much like; **avoir l'— bon enfant** to have a friendly air; **prendre un —** to assume an air; **le grand —** open air; **en plein —** in the open air; **sous son —** with his air; **se donner l'—** to appear, to seem
aire *f.* barn floor, threshing floor
aise *f.* ease, joy; **être à son —** to be comfortable, to be well off; **être mal à son —** to be uncomfortable
aisé, -e easy, good-natured
ajouter to add
ajuster to aim at, to tune, to arrange
alanguir: s'— to languish, to become languishing, to become full of languor
alarmé, -e alarmed
Albanais, -e Albanian
albâtre *m.* alabaster
alcôve *f.* alcove, recess
alerte alert, lively
algèbre *f.* algebra
aligner to lay out in a straight line

alimentaire alimentary
alimenter to feed, to furnish
allée *f.* alley, lane
allégresse *f.* cheerfulness
allemand, -e German
aller *m.* going; **— et retour** round trip
aller to go; **— mieux** to be better, to feel better; **— son train** to continue along, to keep going; **— de soi** to be quite natural; **— chercher** to go and get; **allons!** enough, come!, now!; **allez** to be sure; **faire en —** to drive away; **s'en —** to go away, to run about; **ça va —** it is still going well with . . .; **se laisser —** to give oneself up
alliance *f.* marriage, match
allitéré, -e alliterated
allonger to stretch out, to draw out; **s'—** to stretch out, to grow longer, to be lying down
allumer to light; **s'—** to be lighted
allure *f.* gait, pace, appearance, behavior
almanach *m.* almanac
almée *f.* dancer
alors then, at that time
alouette *f.* lark
alourdi, -e heavy
Alpilles *f. pl.* the lower Alps
Alsira: Pont d'— bridge which according to Mohammedan belief souls have to cross before entering the afterlife
amande *f.* almond; **yeux en —** almond-shaped eyes
amandier *m.* almond tree
amant *m.* lover, suitor
amas *m.* mass, heap, pile
amasser to heap up
amateur amateur
ambition *f.* ambition
amble *m.* canter, amble
ambre *m.* amber
ambulance *f.* ambulance
âme *f.* soul; **à fendre l'—** in a heart-rending way

améliorer to improve; **s'—** to improve
amender: s'— to reform
amener to bring, to lead, to bring up, to draw
am-er, -ère bitter
amèrement bitterly
amertume *f.* bitterness
ameuter to incite (to riot)
ami, -e *m.* or *f.* friend; **bonne amie** girl friend
amical, -e friendly
amitié *f.* friendship
amour *m.* love
amour-propre *m.* vanity, self-respect
amoureusement lovingly
amoureu-x, -se *m.* or *f.* lover; *adj.* in love
amuser to amuse; **s'—** to have a good time, to amuse oneself
an *m.* year
anachorète *m.* hermit
ancien, -ne old, ancient, former
âne *m.* donkey
anéanti, -e destroyed, reduced to nothing
anfractuosité *f.* cavity, anfractuosity
ange *m.* angel
angélique angelic
anglais, -e English; **s'esquiver à l'anglaise** to give the slip, to leave without notice
anglais *m.* English (language)
angle *m.* angle, corner
Angleterre *f.* England
angoisse *f.* anguish, distress
anguleu-x, -se angular
animal *m.* animal
animation *f.* animation
année *f.* year
annoncer to announce, to make known, to reveal
anomalie *f.* something unusual
antécédent *m.* antecedent; *pl.* previous conduct
antérieur, -e preceding, previous
antichambre *f.* anteroom
antilope *f.* antelope
antique old, ancient

antisocial, -e antisocial
anxieusement anxiously
août *m.* August
apaisement *m.* appeasement; **tentatives d'—** efforts to quiet (someone) down
apaiser to calm, to appease
apanage *m.* appanage, lot
apathie *f.* apathy, listlessness
apercevoir to perceive, to notice, to catch sight of; **s'—** to notice, to see
aperçu, -e noticed
apitoiement *m.* pity
aplatir to flatten
aplomb *m.* nerve, assurance, equilibrium
apogée *m.* height
apostille *f.* note added to a letter, note of recommendation
apostropher to address, to scold
apparaître to appear
appareil *m.* telephone, plane
apparence *f.* appearance, sign
apparition *f.* apparition, appearance
appartement *m.* apartment
appartenir to belong
appel *m.* call; **faire l'—** to call the roll
appeler to call, to name; **s'—** to be called, to be named; **faire —** to send for
appellation *f.* appellation
appétissant, -e tempting, delicious
appétit *m.* appetite
applaudir to applaud, to praise
applaudissement *m.* applause
application *f.* application
appliquer to apply, to put; **— à** to put against; **s'—** to apply oneself, to be applied
appointements *m. pl.* salary
apporter to bring
appréciable perceptible, appreciable
apprécier to value, to esteem
appréhender to arrest, to apprehend
apprendre to learn, to inform, to teach, to tell
apprenti *m.* apprentice

apprêter to get ready, to prepare
apprêts *m. pl.* preparations
appris, -e learned
approbation *f.* approbation
approche *f.* approach
approcher to come near, to be near;
 s'— to approach, to advance, to
 come near
approprier to make neat
appui *m.* prop, support; **point d'—**
 support, prop
appuyer to lean upon, to support,
 to emphasize, to set; **s'—** to lean
 against, to rest; **appuyé, -e** leaning
âpre rough, sharp, bitter
après after, afterwards
après-midi *m.* or *f.* afternoon
aptitude *f.* aptitude, inclination
arabe Arabian
araignée *f.* spider; **la toile d'—**
 spider web
arbre *m.* tree; **— à fruits** fruit tree
arbuste *m.* bush, shrub
arc *m.* arch
archi-perfectionné, -e of the utmost
 perfection
ardemment ardently
ardent, -e fiery, ardent
ardeur *f.* ardor, eagerness, heat,
 intensity
argent *m.* money, silver
argenté, -e silvered, silvery
argentin, -e silvery
argot *m.* slang
aristocrate *m.* aristocrat
arme *f.* weapon; **prendre les —s** to
 take up arms; **salle d'—** fencing
 school
armée *f.* army; **corps d'—** army
 group
armer to arm, to equip, to outfit;
 s'— to arm oneself
armurier *m.* gunsmith
aromate *m.* aromatic substance,
 spice
arpenter to survey, to stride along
arracher to snatch from, to pull
 away, to tear; **s'—** to tear out
arrangement *m.* arrangement

arranger to arrange, to settle, to fix
arrêt *m.* stop, sentence, decision
arrêté *m.* decree
arrêter to stop, to arrest; **s'—** to
 stop; **s'— court** to stop short
arrière *m.* back part, rear; **en —**
 backwards, on the back of his head
arrière-boutique *f.* rear of a shop
arrière-pensée *f.* afterthought, vague
 fear, thought in back of the mind
arrivage *m.* arrival
arrivée *f.* arrival
arriver to arrive, to happen; **— à**
 to succeed in; **en — à** to reach a
 point, finally (+ *inf.*)
arroger: s'— to take upon oneself,
 to claim for oneself
arrondir to extend, to make round
arrondissement *m.* small administrative division within a *département*,
 similar to a county or borough
arroser to water, to sprinkle, to
 soak
arrosoir *m.* sprinkler
art *m.* art
artillerie *f.* artillery
artiste *m.* artist
artistiquement artistically
as *m.* ace; **l'— de trèfle** ace of
 spades
asiatique Asiatic
aspect *m.* appearance, aspect
asperge *f.* asparagus
aspiration *f.* aspiration, breathing,
 inhaling
assaillir to assail
assassin *m.* murderer
assaut *m.* attack, assault; **donner
 l'—** to attack
assemblée *f.* assembly
assembler to gather, to assemble
asseoir to seat; **s'—** to sit down
assez enough, rather, sufficiently;
 en voilà bien — that's enough
assiette *f.* plate
assis, -e seated
assister à to be present at, to
 participate in, to witness
assonance *f.* assonance

assonant, -e assonant
assoupir: s'— to grow drowsy
assujettir to fasten
assurance *f.* assurance
assurément surely
assurer to assure, to guarantee; **s'—** to make sure
astre *m.* star
atelier *m.* shop
athée *m.* atheist
atmosphère *f.* atmosphere
âtre *m.* hearth, fireplace
atroce atrocious, terrible
attablé, -e seated at a table
attachement *m.* attachment, affection
attacher to attach, to fasten, to engage; **s'—** to be attached, to attach oneself, to become attached
attaque *f.* attack
attardé, -e backward
attarder: s'— to linger
atteindre to touch, to strike, to reach; **atteint de varices** afflicted with varicose veins
attelage *m.* team, pair of horses
attendre to wait, to wait for, to expect; **s'— à** to expect
attendri, -e moved, softened
attendrissant, -e moving
attendrissement *m.* compassion, emotion
attendu que inasmuch as, seeing that
attente *f.* waiting
attenti-f, -ve attentive
attention *f.* attention, care; **faire — à** to pay attention to; **prêter — à** to pay attention to
attentivement attentively
attirail *m.* equipment, apparatus
attirer to attract, to draw; **s'—** to draw upon oneself
attitude *f.* attitude
attraper to catch
attribuer to attribute, to impute, to give
attrister to sadden
aube *f.* dawn, alb (priest's garment, sometimes also worn by choristers)

aucun, -e any; **ne —** not any, not one, no
audacieu-x, -se daring, bold
au-dessous below, beneath
au-dessus above
augmenter to increase
augure *m.* augury, omen
aujourd'hui today
auparavant before
auprès near
auquel, à laquelle to which, to which one, to whom
aurore *f.* dawn
aussi also, as, so, therefore, besides; **— que** as
aussitôt immediately; **tout —** immediately
autant as much, as many; **d'— plus** the more so, so much the more, all the more because
auteur *m.* author
automne *m.* autumn, fall
autorité *f.* authority
autour around; **— de** around
autre other; **de l'—** on the other hand; **l'un et l'—** both; **en toute —** in any other; **tout — que** any other person than
autrefois formerly; **d'—** of former times
autrement otherwise
Autriche *f.* Austria
autrichien, -ne *m.* or *f.* Austrian
Auvergnat, -e an inhabitant of Auvergne, a province of central France
auxiliaire *m.* assistant, helper
avaler to swallow
avance *f.* advance; **d'—** beforehand, in advance; **en —** beforehand
avancé, -e radical, prominent; **vous vous êtes trop avancé** you have gone too far
avancement *m.* promotion
avancer to advance, to set ahead, to move forward; **s'—** to advance, to go forward; **l'heure s'avançait** it was getting late

avant before; **en —** in front, forward, ahead; **— de** before
avantage *m.* advantage
avant-poste *m.* outpost
avare *m.* miser
avarice *f.* avarice, stinginess
avarie *f.* damage
avec with
avenant, -e pleasing, courteous
avenir *m.* future; **à l'—** in the future
aventure *f.* adventure; **à l'—** at random
avenue *f.* avenue
averse *f.* shower, downpour
avertir to warn, to inform
aveu *m.* confession; **faisant ses aveux** confessing his love
aveugle *m.* blind man; *adj.* blind
aveuglement *m.* blindness
aveuglette: à l'— blindly, gropingly
avidement eagerly
avion *m.* plane
avis *m.* advice
aviser to perceive, to catch sight of, to notify; **s'—** to take into one's head, to consider
avocat *m.* lawyer
avoine *f.* oats
avoir to have; **— l'air** to seem; **il y a** there is, there are, ago; **qu'avez-vous?** what is the matter with you?; **— (+ inf.)** to have to; **— beau** to be useless, to be in vain; **— affaire à** to deal with, to have to deal with; **— besoin de** to have need of; **— chaud aux oreilles** to blush deeply; **— le cœur crevé** to be heartbroken; **— droit** to have the right to; **— envie de** to have a mind to, to be desirous of; **— foi** to believe; **— garde de** to be careful not to; **— goût à** to like; **— grand'faim** to be very hungry; **— l'habitude** to be accustomed; **— honte** to be ashamed; **— horreur** to detest; **— lieu** to take place; **— à la main** to have in one's hand;

— l'oeil to keep one's eye on; **— peine à** to have difficulty in; **— peur** to be afraid; **— de quoi** to have the means; **— raison** to be right; **— la tête dure** to be thickheaded; **— tort** to be wrong; **— aux trousses** to have on one's heels; **j'ai beau chercher** no matter how much I think of it
avouer to confess, to admit
axiome *m.* axiom

B

babine *f.* lip, chop (of animals)
babiole *f.* trifle
babouche *f.* Turkish slipper
baccalauréat *m.* bachelor's degree
bagarre *f.* fight
bagne *m.* convict, prison
baigner to bathe; **se —** to bathe oneself
baignoire *f.* bathtub
bain *m.* bath
baïonnette *f.* bayonet
baiser to kiss
baiser *m.* kiss
baisser to lower; **se —** to lower oneself, to stoop; **à demi-baissée** half-lowered
bal *m.* dance, ball
balai *m.* broom; **coup de —** sweep of the broom
balance *f.* scales
balancer to balance, to sway
balayer to sweep
balbutier to stammer, to mumble
balcon *m.* balcony
ballant, -e swinging, dangling
balle *f.* ball, bullet
balloter to toss about
balsamique balsamic
balustrade *f.* balustrade
banal, -e commonplace
banc *m.* bench, bank
banc d'oeuvre *m.* churchwarden's pew
bandage *m.* bandage
bande *f.* group, gang, band

bander to bind up
bandit *m.* robber, bandit
bandoulière *f.* sling
bannière *f.* banner
banquier *m.* banker
banquet *m.* banquet
banquette *f.* bench
baptême *m.* baptism, christening
baraque *f.* hut, shanty, booth, stall
barbare *m.* barbarian
barbe *f.* beard; **à la — de** in the face of, under the very nose of
barder to cover with lard, to weigh down
bariolé, -e streaked with several colors, motley
barque *f.* bark, skiff
barrette *f.* cardinal's cap
barricadé, -e barricaded
barrière *f.* barrier, gate, slums, poor neighborhood
bas *m.* lower part, bottom, foot
bas, basse low, vile; **parler —** to speak in a low voice; **en —** below; **de haut en —** from top to bottom; **jeter à —** to throw down, to tear down; **tout —** in a very low voice
bassin *m.* basin, pool
bast! enough!, nonsense!
bât *m.* packsaddle
bâté, -e saddled
bataille *f.* battle; **livrer —** to give battle; **en —** defiantly set
bataillon *m.* battalion
bateau *m.* boat, barge
bâtiment *m.* building
bâtir to build
bâton *m.* stick
battement *m.* beating; **— de mains** applause
batterie *f.* battery
battre to beat, to strike; **— des mains** to clap hands; **— aux champs** to beat a salute; **se —** to fight; **battait de joie** was beating fast with joy
baudrier *m.* shoulder belt
bavarder to gossip
bayer to gape

bazar *m.* bazaar
béant, -e wide open
beau, bel, belle beautiful, handsome, fair, fine; **il eut beau** it was in vain that; **beau,** *adv.* **tout —!** gently!, easy!; **de plus —** the most beautiful
beaucoup much, many
beau-frère *m.* brother-in-law
beau-père *m.* stepfather
beauté *f.* beauty
bedeau *m.* beadle (church officer)
bécasse *f.* woodcock
bêler to bleat
belliqueu-x, -se warlike
bénédicité *m.* grace
bénédiction *f.* blessing
bénéfice *m.* profit, benefit
benêt *m.* simpleton, fool
béni-n, -gne kind, gentle
bénir to bless
bénitier *m.* holy-water basin
benjoin *m.* benzoin
berceau *m.* cradle
berger *m.* shepherd; **l'étoile du —** shepherd's star, Venus
bernacle *m.* shellfish, barnacle
besicles *f. pl.* spectacles
besogne *f.* task, job, work
besoin *m.* need; **avoir — de** to need; **est-il — de** is it necessary to
bête *f.* beast, animal; *adj.* stupid, foolish; **garder les —s** to tend sheep
bêtement foolishly, stupidly
bêtise *f.* silliness, stupidity, silly thing
béton *m.* concrete (pavement)
beugler to bellow
biais: en — obliquely, across
bibliothèque *f.* library
bien well, very, indeed, much, quite, many, really; **— des** many; **— que** although; **eh —!** well, oh well!, why!; **ou —** or else
bien *m.* property, goods, good, benefit; **faire du —** to do good
bien-aimé, -e beloved
bienfaiteur *m.* benefactor

bienheureu-x, -se happy, fortunate
bientôt soon
bienveillant, -e kind
bière *f.* beer
bijou *m.* jewel
billard *m.* billiard room
billet *m.* note, ticket, letter
bique *f.* she-goat
bise *f.* north wind, cold wind
bistré, -e swarthy
bistro *m.* small unpretentious restaurant, café
bivouac *m.* bivouac, camp
bizarre odd, strange
blanc, -he white; **nuit —** sleepless night
blancheur *f.* whiteness
blanchi, -e whitened; **— à la chaux** whitewashed
blanchisseuse *f.* washerwoman, laundress
blé *m.* wheat, grain
blessé, -e *m.* or *f.* wounded person; *adj.* wounded
blesser to wound
blessure *f.* wound
bleu, -e blue
bleuâtre bluish
bleuissant, -e bluish
blindé, -e covered with armor-plating, surrounded with fences
bloc *m.* block, mass
blond, -e fair, light-colored, blond
blonde *f.* blond girl
blondin, -e *m.* or *f.* fair-complexioned person
blottir: se — to crouch
blouse *f.* blouse, smock
boeuf *m.* ox, beef
bohémien *m.* Bohemian, gypsy
boire to drink; **après —** after drinking
boire *m.* drink, drinking
bois *m.* wood; **— de chauffage** firewood; **train de —** float of logs
boisson *m.* drink
boîte *f.* box; night club
boîter to limp
bol *m.* bowl, jar

bombarder to bombard
bombe *f.* bomb
bon, -ne good; **pour de —** for good; **il fait —** it is nice weather; **tenir —** to hold out
bond *m.* bound, leap; **se leva d'un seul —** jumped abruptly
bondir to leap, to jump, to pounce
bonheur *m.* happiness, good luck
bonhomie *f.* good nature
bonhomme *m.* old fellow, old codger, good-natured person
bonjour *m.* good-day; compliments, hello; **bien le — à** my best compliments to, very good-day to
bonne *f.* maid, servant
bonnement plainly, simply
bonnet *m.* cap, hat, bonnet
bonnetier *m.* hat-maker
bonté *f.* goodness, kindness
bord *m.* side, shore, brim, edge; **à grands —s** wide-brimmed; **terme de —** sea expression
bordé, -e bordered
border to tuck in, to edge
borne *f.* boundary
borner to limit, to confine; **se —** to limit oneself
bosquet *m.* grove
bossu *m.* hunchback
botte *f.* boot
bottelée *f.* bunch, bundle, small bale
bouche *f.* mouth
bouchée *f.* mouthful
boucher *m.* butcher
boucle *f.* buckle, curl
boucler to buckle
boudoir *m.* boudoir
boue *f.* mud, filth
bouffant, -e puffed, baggy
bouffée *f.* gust, whiff, puff
bouffer to fluff up, to puff up
bouffette *f.* bow (ribbon)
bouger to budge, to move
bouillant, -e hasty, hot-headed
bouillon *m.* broth; **— au gras** meat broth
bouillonnement *m.* agitation, turmoil

boulanger *m.* baker
boule *f.* ball, bowl
boulet *m.* ball, cannon ball, ball and chain
boulevard *m.* boulevard, street
bouleverser to upset, to turn upside down
bouquet *m.* bunch, bouquet
bourdonnant, -e buzzing
bourg *m.* town
bourgeois *m.* middle-class person
bourru, -e rough, disheveled
bousculade *f.* jostling
bout *m.* end, tip, bit, piece; **au — de** at the end of; **joindre les deux —s** to make ends meet; **à — portant** point-blank
bouteille *f.* bottle
boutique *f.* shop
bouton *m.* knob
boyau *m.* gut; **corde à —** catgut
bracelet *m.* bracelet
braconnage *m.* poaching
braillard, -e noisy
braise *f.* live coals, burning embers
branche *f.* branch
brandi, -e brandished
brandir to brandish
branle: en — in motion
braquer to aim
bras *m.* arm; **donner le —** to offer one's arm
brasseur *m.* brewer
brave worthy, courageous
bravement courageously, with good spirit
break *m.* pleasure carriage
brebis *f.* sheep, ewe
bredouiller to stammer, to stutter
bref, brève short, concise
bref *adv.* in a few words, in short
breloque *f.* trinket, toy
bretelle *f.* suspender
bréviaire *m.* breviary, priest's prayer book
bridé, -e bridled, reined
bridon *m.* bridle, rein
brigadier *m.* sergeant (police)
brigand *m.* robber, brigand

brillant, -e brilliant, shining, with bright colors
brillant *m.* brilliancy, splendor
briller to shine, to sparkle
brin *m.* bit, sprig, blade
brisant *m.* breaker
briser to break, to crush, to shatter
brocart *m.* brocade
brodé, -e embroidered
brodequin *m.* laced boot
brosse *f.* brush
brosser to brush, to brush up, to wipe
brosseur *m.* servant
brouillard *m.* fog
brouiller: se — to be confused, to get confused
brouter to graze, to munch
broyer to grind, to crush, to stir
bruine *f.* drizzle
bruit *m.* noise, rumor; **le — court** it is rumored, there is a rumor
brûlant, -e burning
brûler to burn; **— vif** to burn alive
brume *f.* haze, mist
brun, -e brown, dark
brusque sudden, blunt
brusquement bluntly, abruptly, gruffly, suddenly
brutal, -e brutal
brutalité *f.* brutality
bruyamment noisily
bruyant, -e noisy
bucheron *m.* woodcutter
bucolique bucolic, agricultural
buée *f.* vapor, steam, moisture
buffet *m.* sideboard, refreshment room or table, buffet supper, railroad station or airport restaurant
buis *m.* boxwood
buisson *m.* bush, thicket
bulletin *m.* bulletin
bureau *m.* desk, office
bureaucrate *m.* bureaucrat, clerk in a public office
burgau *m.* nacre, mother-of-pearl
burin *m.* graving tool
butte *f.* rising ground ridge, knoll, hill

C

ça, cela: ah —! come!, come now!;
— **et là** here and there
cabanon *m.* small cabin, hut
cabaret *m.* tavern
cabinet *m.* office, study, cabinet,
cabin
cacher to hide, to conceal; **se —**
to hide oneself
cachette *f.* hiding place; **en —**
secretly
cachot *m.* solitary confinement
cadavre *m.* corpse
cadeau *m.* gift, present
cadet *m.* the younger, the young-
est
cadran *m.* dial
café *m.* coffee, café, restaurant;
— **bar** bar
caftan *m.* caftan (Turkish garment)
cage *f.* cage
caillou *m.* pebble
caisson *m.* ammunition wagon, caisson
calculer to calculate, to devise
calèche *f.* open carriage
caleçon *m.* shorts; — **de bain**
bathing trunks
calife *m.* caliph
califourchon: à — astride, astradle
calleu-x, -se callous
calme calm, quiet
calmer to quiet, to calm
calotte *f.* skullcap, slap (colloq.)
camail *m.* hood, capuchin
camarade *m.* comrade
camion *m.* truck
camomille *f.* camomile
camp *m.* camp
campagnard *m.* peasant
campagne *f.* country, campaign; **à
la —** in the country; **gagner la —**
to go off into the country; **plan
de —** campaign plan
canaille *f.* rascal
canal *m.* canal
candeur *f.* frankness, candor
candide frank, candid

canne *f.* cane
canon *m.* cannon, barrel (of a gun)
canonnier *m.* gunner
cantine *f.* canteen
cantique *m.* song, hymn
capable capable
capacité *f.* ability
caparaçon *m.* trappings
cape *f.* cape; **n'avoir que la — et
l'épée** to have nothing but one's
title
capillaire capillary
capitaine *m.* captain
capitale *f.* capital
caporal *m.* corporal
caprice *m.* whim, caprice
capricieu-x, -se capricious
capti-f, -ve captive
capture *f.* capture
car for, because
caracoler to dodge about, to dance,
to caper
caractère *m.* character
caramel *m.* caramel, burnt sugar
caravane *f.* caravan
carcasse *f.* carcass
cardinal *m.* cardinal
caresser to caress, to pet
caricature *f.* caricature
carillon *m.* chime, peal
carnage *m.* slaughter
carré, -e square
carré *m.* square
carreau *m.* cushion, pane (of glass),
floor
carrelage *m.* tile floor
carrément squarely, plainly, without hesitation
carrière *f.* career
carrousel *m.* tournament
carte *f.* map
carton *m.* case, portfolio, file
cartouchière *f.* cartridge belt
cas *m.* case, circumstance; **en tout
—** at all events, however, at any
rate; **pour le — où** in case
cascade *f.* cascade
casematé, -e case-mated, fortified
caserne *f.* barracks

casser to break; — les oreilles to deafen
casserole f. stewpan, saucepan
catastrophe f. catastrophe
catégorie f. category, classification
catégorique categorical
cathèdre f. chair
catholique Catholic
cauchemar m. nightmare
cause f. cause, reason; à — de on account of, because of
causer to cause, to create, to give rise to, to chat, to talk
cauteleu-x, -se cunning, crafty
cavalcade f. cavalcade, procession
cavale f. steed
cavalier m. rider, horseman, male dancer, partner
cave f. cellar
ce this, that, it; — qui, — que what, that which
ce, cet, cette this, that
ceci this
céder to give up, to yield
cédrat m. citron
cèdre m. cedar
ceinture f. waist, belt
ceinturon m. sword belt
cela that
célèbre famous
célébrer to celebrate
céleste celestial, divine
célibataire m. bachelor
cellule f. cell
celui (-ci), celui (-là), celle (-ci), celle (-là), pl. ceux this one, that one, the one, he, it, the latter, the former
censé, -e supposed
censément supposedly, apparently
cent hundred
centaurée f. centaury (plant)
centime f. centime (100th part of a franc)
centre m. center
centurion m centurion (officer)
cependant meanwhile, yet, nevertheless, however
cercle m. club, circle

cérémonie f. ceremony, fuss
certain, -e certain, sort
certes certainly, indeed
cerveau m. brain
cervelle f. brains
cesse: sans — constantly
cesser to stop, to cease
chacal m. jackal
chacun, -e each one
chagrin m. chagrin, sorrow, trouble
chaîne f. chain, assembly line
chair f. flesh
chaire f. pulpit
chaise f. chair
chaleur f. heat
chambarder to break, to smash
chambre f. room
chameau m. camel
champ m. field, ground; — de bataille battlefield; battre aux —s to beat a salute; se voir du — to see clear ahead
champagne m. champagne
champêtre pertaining to the country
champignon m. mushroom
chance f. chance, luck
chanceler to stagger, to falter, to totter
chanceu-x, -se uncertain, doubtful
chandelle f. candle
change m. exchange
changement m. change
changer to change
chanson f. song
chant m. song
chanter to sing
chanvre m. hemp
chapeau m. hat; — haut de forme top hat
chapelle f. chapel
chaperon m. hood; le petit — Rouge Little Red Riding Hood
chapitre m. chapter
chaque each
char m. chariot, car
charbon m. coal
charbonnier m. charcoal-maker, charcoal-burner, coal man

charcuterie *f.* meats sold by a pork butcher, delicatessen; a pork store

chardon *m.* thistle

charge *f.* load, burden

charger to load, to burden, to entrust, to charge; **se —** to charge oneself, to take upon oneself

chariot *m.* chariot

charité *f.* charity

charmant, -e charming, lovely

charme *m.* charm

charmer to charm, to please

charmille *f.* bower, arbor

charretier *m.* driver of a chariot or cart

charrette *f.* cart

chasse *f.* hunt

chasse-mouche *m.* fly-swatter

chassepot *m.* breech-loading rifle

chasser to hunt, to drive out, to chase

chasseur *m.* hunter

chasuble *f.* chasuble (priest's vestment)

chat *m.* cat

château *m.* castle

châtiment *m.* punishment

châtouiller to tickle

chaud, -e hot, warm; **avoir —** to be warm; **faire —** to be warm (weather); **tenir —** to keep warm

chauffer to warm; **se —** to warm oneself

chaussée *f.* highway, roadway, street

chaussette *f.* sock

chaux *f.* lime; **blanchi à la —** whitewashed; **four à —** limekiln

chavirer to turn, to upset

chef *m.* head, master, chief, boss; **en —** in chief, as leader

chef-lieu *m.* capital of a *département*

chemin *m.* road, way, path; **grand—** highway; **faire son —** to get ahead; **passer votre —** to go one's way; **pendant le —** on the way

cheminée *f.* fireplace, mantelpiece, chimney

cheminer to walk, to go, to make one's way

chemise *f.* shirt

chêne *m.* oak

chenet *m.* andiron

chenille *f.* caterpillar, worm

ch-er, -ère dear, costly, expensive

chercher to look for, to seek, to get; **il me fera —** he will have me sought

chercheur *m.* searcher

chéri, -e beloved

chérubin *m.* cherub

chéti-f, -ve thin, puny

cheval *m.* horse; **faire le —** to play horse; **à —** on horseback

chevaucher to ride

chevelure *f.* hair, head of hair

cheveu *m.* hair; *pl.* the hair; **en —x** bare-headed

chèvre *f.* goat

chez at the house of, with, among, in

chiaouz *m.* Turkish officer, messenger

chichement skimpily, penuriously

chien, -ne *m.* or *f.* dog; **— chasseur** hunting dog

chiffon *m.* rag, scrap, dress

chirurgical, -e surgical

chirurgien *m.* surgeon

chocolat *m.* chocolate

chœur *m.* chorus, choir

choir to fall

choisir to choose

choix *m.* choice; **de —** choice

choquer to shock

chose *f.* thing; **peu de —** nothing, very little; **la — publique** common weal; **quelque —** something; **être de quelque —** to be part of something; **ce n'est pas grand—** it is not too much

chou *m.* cabbage; **lapin de —x** domestic rabbit

chou-fleur *m.* cauliflower

chrétien, -ne Christian

chrétienté *f.* Christianity

christianisme *m.* Christianity

chronique *f.* chronicle, history

chuchotement *m.* whisper

chuchoter to whisper
chut! hush!
ciel *m.* heaven, sky
cigale *f.* grasshopper, locust
cigalière *f.* hut
cigare *m.* cigar
cil *m.* eyelash
cime *f.* top, summit
cimetière *m.* cemetery
cimier *m.* crest of a headpiece
cinq five
cinquante fifty
cinquième fifth
circonstance *f.* circumstance
circonvolution *f.* circonvolution
circuit *m.* round, circuitous route
circulairement circularly, in circles
circuler to wander
cirque *m.* circus
cireur de souliers *m.* bootblack
ciseaux *m. pl.* scissors
citadelle *f.* citadel
citer to cite, to quote, to point out
citoyen *m.* citizen
citronnier *m.* lemon tree
civière *f.* stretcher, litter
clair distinctly
clair, -e clear, bright; **— de lune** moonlight
clairement clearly
claire-voie *f.* opening, lattice gate
clairvoyant, -e clear-sighted
clameur *f.* clamor, outcry
clan *m.* clan
claquement *m.* clicking
clarté *f.* light, clearness
classe *f.* class
classé, -e classified
classique classic
clef *f.* key
clerc *m.* clergyman, clerk; **petit — de maîtrise** choir boy
clergé *m.* clergy
client, -e *m. or f.* customer
clientèle *f.* clients, business
cligner, — de l'œil to wink, to blink
cliquetis *m.* clanking, clash
cloaque *m.* cesspool, sewer
clochant limping

cloche *f.* bell
clocher *m.* steeple
clochette *f.* small bell
cloison *f.* partition, division
clos *m.* enclosure, field, meadow
clos, -e closed
clôture *f.* closing
clouer to nail, to fix
cocher *m.* coachman, driver
cochon *m.* pig
code *m.* code
cœur *m.* heart; **avoir bon —** to be good-natured; **avoir le — crevé** to be heart-broken; **frapper au —** to affect strongly, to make a strong impression; **le — gros** with a heavy heart; **à — ouvert** frankly; **par —** by heart; **rester sur le —** to have on one's mind; **sans —** heartless; **valet de —** jack of hearts; **à fond de —** to the bottom of one's heart
coffre *m.* chest, trunk
cogner to knock
cohue *f.* crowd, mob
coiffe *f.* headdress, lining of a hat, bonnet
coiffer to put on one's head; **coiffé, -e** having on one's head
coiffeur *m.* barber
coiffure *f.* headdress, style of arranging the hair, hat
coin *m.* corner
col *m.* collar; **le faux —** starched collar
colère angry, hasty
colère *f.* anger, wrath; **en —** angry; **— jaune** fit of anger
colimaçon *m.* snail; **escalier en —** winding staircase
collant, -e tight, close-fitting
collation *f.* light repast
collé, -e stuck together, held tight against
collection *f.* collection
collège *m.* prep school, high school, junior college
collégien *m.* schoolboy
collègue *m.* colleague

coller to glue, to place close to, to stick, to be stuck or caught
collerette *f.* collar
collet *m.* collar
collier *m.* necklace
colline *f.* hill
colombe *f.* dove
colonel *m.* colonel
colonne *f.* column
coloré, -e colored
colorer: se — to be or to become colored
colorié, -e colored
combat *m.* fight, struggle
combattre to fight
combien how much, how many, how
combiner to combine
comble *m.* top; pour — to cap it all; mettre le — to complete, to. crown
combler to fill
commediante *m.* Italian for comedian
comédie *f.* comedy
comédien, -ne *m.* and *f.* actor, comedian
comique comical, ludicrous
commandant *m.* major
commande *f.* order, command
commander to order, to command
comme like, as, how, as if
commencer to begin
commentateur *m.* commentator
commérage *f.* gossip
commerçant *m.* tradesman
commerce *m.* trade, commerce, business
commettre to commit
commis *m.* clerk
commissaire *m.*; — de police superintendent of police, police inspector; chez le — at the police station
commission *f.* errand
commissionnaire *m.* messenger
commode convenient
commodément comfortably
commun, -e common, vulgar; aussi

peu — que quite as extraordinary as
communal, -e pertaining to or belonging to the city
communauté *f.* community, society
commune *f.* township
communicati-f, -ve communicative
communiquer to communicate
compact, -e compact, close
compagne *f.* companion, spouse
compagnie *f.* society, company; tenir — to keep company
compagnon *m.* companion, journeyman
comparable comparable
comparaison *f.* comparison
comparer to compare; se — to be compared
compartiment *m.* booth
compas *m.* compass
compatissant, -e tender, pitying
compatriote *m.* and *f.* countryman, woman
compère *m.* confederate
compl-et, -ète complete, full
complètement completely
compléter to complete, to finish
complication *f.* complication
complice *m.* accomplice
complicité *f.* participation
compliment *m.* compliment, congratulations; je vous fais mon — I congratulate you
compliquer to complicate
complot *m.* plot, conspiracy
composer to compose, to make up; se — to be composed of
composition *f.* composition
comprendre to understand, to include
comprimer to compress, to repress
compromettre to compromise; se — to compromise oneself
compte *m.* account, due, required number of hours, etc.; sur mon — concerning me; se rendre — to realize
compter to count, to expect; — sur to count on

comptoir *m.* counter, bar
comte *m.* count
conception *f.* conception
concert *m.* concert
concession *f.* concession
concevoir to imagine, to understand
concierge *m.* or *f.* house porter, janitor
concile *m.* council, assembly of bishops of the universal church
conclave *m.* conclave
conclure to conclude
concordat *m.* concordat, compact
condamné *m.* condemned man, convict
condamner to condemn
condition *f.* condition
conduire to lead, to conduct, to drive; **se —** to behave
conduite *f.* conduct
cône *m.* cone
confection *f.: de —* ready-made
confesser: se — to confess
confessional *m.* confessional
confiance *m.* confidence; **homme de —** trusted man
confiant, -e confident, trusting
confidence *f.* confidence
confidentiel, -le confidential
confier to confide, to entrust, to tell in confidence
confit, -e candied
confire to preserve, to candy
confiture *f.* jam, preserve
confondre: se — to be confused, to be lost in, to mingle, to blend
confrérie *f.* brotherhood
confusion *f.* confusion
congédier to dismiss, to discharge
congratuler to congratulate
connaissance *f.* acquaintance, knowledge; **reprendre —** to regain consciousness; **se faire un cercle de —s** to make a number of acquaintances
connaître to be acquainted with, to know; **ça me connaît** I know all about it; **se —** to know one another

conquérant *m.* conqueror
conquérir to conquer, to win
conquête *f.* conquest, something won
consacré, -e well-known
consacrer to consecrate, to devote
conscience *f.* conscience, consciousness
conscrit *m.* newly drafted young man
conseil *m.* council, advice
conseiller to advise
conseiller de préfecture *m.* county official, adviser to the prefect of the *département*, councelor
consentement *m.* consent
consentir to consent, to agree
conservateur *m.* conservator
conserve *f.* preserve
conserver to preserve, to keep
considérable considerable, illustrious, great; **peu —** small
considérablement considerably
considérer to look at, to regard
consigne *f.* orders, instructions, distribution
consister to consist, to be composed of
consolation *f.* consolation
consoler to console
consommer to finish, to complete, to use up
conspirateur *m.* conspirator
constamment constantly
constatation *f.* declaration, ascertainment
constater to establish, to ascertain
constellation *f.* constellation
consterné, -e amazed, dismayed
constitution *f.* constitution
construction *f.* construction, building
construire to build, to construct
consulaire consular
consultation *f.* consultation
consulter to consult
consumé, -e consumed, passed
contact *m.* contact
conte *m.* story, tale

contemplation *f.* contemplation
contempler to view, to contemplate, to look at
contenance *f.* look, bearing
contenir to contain, to restrain; **se — ** to refrain, to contain oneself
content, -e glad, content, satisfied
**contenter: se — ** to be satisfied
contenu, -e restrained, repressed
contenu *m.* content
conter to tell, to relate
contestation *f.* debate, controversy
conteur *m.* narrator
continu, -e continuous
continuer to continue
contour *m.* outline, contour
contracter to contract
contraire opposite, contrary, opposed
contraire *m.* contrary, opposite; **au — ** on the contrary
contrairement contrarily
contrarié, -e disappointed
contraster to contrast
contre against, at, close to; **troquer — ** to exchange for
contrebande *f.* contraband
contrée *f.* region, country
contre-marque *f.* countermark, check
contribuer to contribute
contrit, -e grieved, contrite
convaincre to convince; **se laisser — ** to be convinced
convalescent, -e convalescent
convenable suitable, proper
convenablement suitably
convenance *f.* propriety
convenir to agree, to suit, to go well
conventionnel, -le conventional
conversation *f.* conversation
convexe convex
conviction *f.* conviction; **pièce à — ** evidence
convive *m.* guest
convuls-if, -ve convulsive, brusk
convulsivement convulsively
copain *m.* fellow worker
copeau *m.* shaving, chip

copie *f.* copy
coq *m.* cock, rooster
coquet, -te pretty, natty, smart, stylish
coquetterie *f.* coquetry
coquillage *m.* shellfish
coquin *m.* rascal, scamp, rogue
corail *m.* coral
corbeau *m.* raven
corbeille *f.* basket
cordage *m.* cord, rigging
corde *f.* cord, rope; **— à boyau** catgut
cordelette *f.* small cord
cordon *m.* row, cordon
corne *f.* horn; **montrer les —s** to show one's teeth, one's head
corneille *f.* crow, rock
cornichon *m.* pickle
corporation *f.* corporation
corporel, -le corporal
corps *m.* body; **— à — ** hand-to-hand; **— d'armée** army group
correct, -e correct
correction *f.* correction; **maison de — ** reformatory
corridor *m.* hallway, corridor
**corriger: se — ** to reform
corrompu, -e corrupted
cortège *m.* train, retinue, procession
costume *m.* costume, dress
costumé, -e gowned, dressed
côte *f.* coast, shore, side, rib, hillside; **— à — ** side by side
côté *m.* side; **à — de** by, near, beside; **du — de** in the direction of, towards; **de tous —s** on all sides; **de son — ** on his part; **un regard de — ** sideway glance
coteau *m.* little hill, rising ground, hillside
côtelé, -e edged, ribbed
cotillon *m.* cotillion (dance)
coton *m.* cotton
côtoyer to go by the side of
cotret *m.* fagot, stick
cou *m.* neck; **sauter au — ** to embrace, to throw one's arms around someone's neck

couchant *m.* west; *adj.* setting
couché, -e lying
coucher to sleep, to put to bed; **se
— ** to go to bed, to lie down;
envoyer — to send to bed
coude *m.* elbow; **coup de —** nudge;
donner du — to nudge
coudée *f.* arm's length
coudre to sew
coulant, -e smooth, easy-going
couler to flow
couleur *f.* color
couleuvre *f.* adder
couloir *m.* passage, hall
coup *m.* blow, stroke, knock, ring,
drink, gust, kick; **— de sabot**
kick; **du même —** at the same
time; **d'un —** with one blow;
tout d'un — all of a sudden; **un
petit —** sip; **— de balai** sweep
of the broom; **— de coude** el-
bowing, nudge; **coup d'état** coup
d'état, sudden change in government; **— de filet** haul; **coup de
mine** explosion; **— d'œil** glance;
— de pied kick; **— de poing**
blow with the fist; **— de reins**
movement of the haunches; **— de
vent** gust of wind; **— de vin** sip
of wine; **boire un —** to take a
drink; **faire le —** to commit a
robbery; **donner un — de main** to
help
coupable guilty
coupe *f.* cup, chalice
couper to cut, to cross, to interrupt
couple *m.* couple
couplet *m.* couplet (of a song)
cour *f.* courtyard, court, courtship;
faire la — to woo, to pay court;
être bien en — to be in favor;
— de justice court of law
courage *m.* courage
courageusement courageously,
bravely
courageu-x, -se brave, courageous
couramment fluently
courant *m.* course, current; **mettre**

au — to inform, acquaint with;
— d'air draft
courbature *f.* stiffness
courber to bend
courir to run, to spread through;
— un danger to run a risk
couronne *f.* crown
couronner to crown
courroucé, -e angry
courroux *m.* anger
cours *m.* course, lecture, drive,
public walk, promenade; **au — de**
during
course *f.* course, errand, race, running, flight; **au pas de —** running
coursier *m.* steed
court, -e short; **s'arrêter —** to stop
short
courtil *m.* croft, small field, garden
courtine *f.* curtain
courtois, -e courteous
courtoisement courteously
cousin *m.* cousin
coussin *m.* cushion
cousu, -e sewed
couteau *m.* knife
coutelas *m.* cutlass
coûter to cost; **en — bon** to cost
dear; **il lui en coûtait** it was hard
for him
coûteu-x, -se expensive, costly
coutume *f.* custom, habit; **une fois
n'est pas —** once is not always
couvent *m.* convent
couvert, -e covered; **à —** under
cover, protected
couvert *m.* shelter, cover; **mettre
le —** to set the table
couverture *f.* cover
couvre-chef *m.* headgear
couvrir to cover
craie *f.* chalk
craindre to fear; **il était à —** it was
to be feared
craint, -e feared
crainte *f.* fear
crainti-f, -ve fearful
cramponner: se — to cling, to hold
fast

crâne swaggerer (slang)
craquement *m.* cracking noise, creaking
cravache *f.* riding whip
cravate *f.* necktie
crayon *m.* pencil; au — in pencil
création *f.* creation
créature *f.* creature
crèche *f.* manger, crib
crème *f.* cream; — renversée custard
crénelé, -e indented
crêpe *f.* crepe, mourning
crépuscule *m.* twilight
crétin *m.* cretin, stupid, stupid fellow
crête *f.* crest, top
creusé, -e dug out, hollowed
creuser to dig, to make a hole
creu-x, -se hollow, empty
creux *m.* hollow, cavity; en — incised
crever to burst, to break, to tear, to die, to split; — d'ennui to be bored to death; avoir le cœur crevé to be broken-hearted
cri *m.* cry, shout, outburst
cric *m.* jack
crier to shout, to cry, to crackle, to protest, to complain; — famine to complain of starvation
crime *m.* crime
criminel, -le criminal
crinière *f.* horse's mane
crispé, -e contracted
cristal de roche *m.* rock crystal
critique *f.* criticism
croc *m.* tooth
crocodile *m.* crocodile
croire to believe; faire — to make one believe; — à to believe in; se — to believe oneself
croiser to cross; se — to cross each other
croix *f.* cross, decoration (cross of the Legion of Honor)
crosse *f.* butt end (of a musket), bat, bishop's crosier, shepherd's staff; à coups de — with blows of the butt end of a musket

crouler to crumble, to weigh down
croupe *f.* croup, rump, back
croûte *f.* crust; casser la — to eat a bite
croyable believable
cru *m.* vintage
cru, -e harsh, hard, raw
cruauté *f.* cruelty
cruche *f.* pitcher, jar
crucifix *m.* crucifix
crue *f.* flood, inundation
cruel, -le cruel
cruellement cruelly
cueillir to pluck, to gather
cuiller *f.* spoon
cuir *m.* leather
cuirasse *f.* breastplate
cuirassé, -e hardened, armed
cuisant, -e exquisite, poignant, sharp
cuisine *f.* kitchen, fare, cooking
cuisse *f.* thigh
cuit, -e boiled, cooked; vin — old wine, mulled wine
cuivré, -e copper-colored
culbute *f.* fall, somersault
culotte *f.* short trousers
culte *m.* worship; rendre un — to worship
cultivateur *m.* farmer, grower
cultiver to cultivate
culture *f.* culture, cultivation of the soil
curé *m.* parish priest
cure *f.* the parish house
curieusement curiously
curieu-x, -se curious; *n. m.* or *f.* curious person
curiosité *f.* curiosity
cuve *f.* tub
cyniquement cynically
cyprès *m.* cypress

D

daigner to condescend, to deign
dais *m.* platform, dais
dalle *f.* slab, flagstone
dallé, -e paved with flagstone
damas *m.* damask Damascus blade

damier *m.* draught-board, checker-board

damné, -e damned

dandy *m.* dandy

danger *m.* danger; **courir un —** to run a risk, to be in danger

dangereu-x, -se dangerous

dans in, inside of

danse *f.* dance; **maître de —** dancing teacher; **piste de —** dancing floor

danser to dance

danseu-r, -se *n. m. or f.* dancer

date *f.* date

dater to date

datte *f.* date (fruit); **régime de —s** bunch of dates

davantage more, longer

de of, from, with, about, in, than, to, on

dé *m.* thimble

débacle *f.* disaster

débarquer to land, to arrive

débarrassé, -e rid of

débarrasser: se — to get rid of

débaucher to entice away, to lead astray, to dismiss

débit *m.* speed, tobacco shop

débiter to utter

déboires *m.* mortification

débordement *m.* overflowing

débonnaire good-natured, gentle

déboucher to arrive, to come out

debout standing up; **se mettre —** to stand up; **se tenir —** to be standing; **tenir —** to keep standing

débris *m.* remains, ruins

début *m.* beginning

débuter to begin

décharge *f.* discharge, volley

décharné, -e fleshless, lean

déchiffrer to decipher

déchiqueté, -e slashed, cut, mangled

déchirant, -e heart-rending, piercing, shrill

déchirer to tear

déchoir to fail, to lose, to lose one's rank

décidé, -e determined, confident

décidément decidedly

décider to decide, to persuade; **se — to make up one's mind**

décision *f.* decision

déclamer to recite

déclarer to declare, to announce

décliner to decline

décompte *m.* allowance

déconcerter to disconcert, to confuse

décontracter: se — to loosen up

déconfit, -e disconfited, upset

déconvenue *f.* failure

décoration *f.* decoration

décoré, -e decorated

découpé, -e cut out

découpure *f.* irregularity, cut-out

décourager to discourage

découvert, -e discovered, uncovered

découverte *f.* discovery

découvrir to uncover, to detect, to find out; **se —** to uncover oneself

décret *m.* decree

décrire to describe

décrocher to unhook, to dislocate

dédaigné, -e scorned

dédaigneusement scornfully

dédaigneu-x, -se scornful, disdainful

dédain *m.* disdain, scorn

dédale *m.* labyrinth

dedans within, inside, in it; **là —** inside

défaillance *f.* moment of exhaustion

défaillant, -e weakening, giving way

défaire to undo, to untie; **se —** to get rid of, to destroy

défaite *f.* defeat

défaut *m.* defect, fault

défendre to defend, to forbid; **se —** to deny, to keep oneself from

défense *f.* defense

déférence *f.* respect, deference

défi *m.* challenge

défier to defy, to challenge

déforestation *f.* deforestation

défroqué *m.* unfrocked person

défunt, -e deceased, late

dégagé, -e easy, graceful, released; **d'un air —** with a carefree air

dégager to disengage, to release
dégoûtant, -e disgusting
dégoûter to disgust, to discourage
dégriser: se — to sober down, to come to one's senses
dégrossi, -e polished, less coarse in manners
déguenillé, -e tattered, ragged
déguisement *m.* disguise
déguster to sip, to taste
dehors outside
dehors *m.* outside; **en — de** besides
déjà already
déjeuner *m.* breakfast, lunch; **petit — breakfast**
déjeuner to breakfast, to lunch, to have lunch
déjouer to baffle, to frustrate
delà beyond; **au —** beyond
délat-eur, -rice *m.* or *f.* informer, accuser, revealing
délicat, -e delicate, fine; *n.* fussy person
délicatement delicately, carefully
délicatesse *f.* scrupulousness, refinement
délice *m.* delight
délicieusement delightfully
délicieu-x, -se delicious, delightful
délié, -e untied, thin
délinquant, -e offender
délire *m.* frenzy, rage
délivrer to free
déluge *m.* flood, deluge
demain tomorrow
demander to ask, to ask for; **se —** to wonder, to ask oneself; **ne — que** to want nothing better than
démanger to itch
démarche *f.* gait, walk, step, bearing
démasquer to unmask, to uncover; **se —** to take off one's mask, to show oneself in one's true color
démêler to distinguish, to penetrate
démence *f.* madness
démener: se — to make a fuss, to struggle, to bestir oneself
démesuré, -e huge
démesurément hugely, immensely

demeurant: au — after all
demeure *f.* dwelling
demeurer to live, to remain
demi, -e half; **à —** halfway
demi-cercle *m.* half-round
demi-douzaine *f.* half a dozen
demi-heure *f.* half an hour
demi-lieue *f.* half a league
démission *f.* resignation
démodé, -e out of fashion
demoiselle *f.* young lady, miss
démolitions *f. pl.* old building materials, rubbish
démon *m.* demon
démonstration *f.* demonstration
démonter: être —é to be baffled or nonplussed
démontrer to demonstrate
dénicher to take out of a nest, to uncover
dénommé, -e named
dénoter to denote
dent *f.* tooth; **à belles —s** heartily
dentelle *f.* lace
dénué, -e denuded
dénûment *m.* destitution
départ *m.* departure
dépasser to surpass, to exceed, to go beyond, to extend beyond
dépêche *f.* telegram
dépêcher: se — to make haste, to hurry
dépendre to depend
dépensi-er, -ère extravagant
dépeupler to depopulate
dépit *m.* spite, vexation
déplacer: se — to go out of place
déplaire to displease
déplier to unfold
déployer to unfold, to open, to display; **se —** to unfold, to open itself, to spread out
déplu, -e displeased
déporté, -e deported
déposer to lay down, to deposit, to place
dépouillé, -e stripped
dépourvu, -e destitute, unprovided, in need

dépraver to deprave
depuis since, from, for; — **que** since; — **quand** how long
déraison f. folly
dérangement m. trouble
déranger to disturb
derni-er, -ère last
derni-er, -ère n. m. or f. last, last one
dérobée: à la — by stealth, stealthily
dérober to conceal, to hide, to snatch
dérouler: se — to unfold, to display itself
déroutant, -e disconcerting
derrière behind, after; **sabots de —** hind hoofs
dès from, since; — **que** as soon as
désappointé, -e disappointed
désapprobation f. disapproval
désarçonner to unhorse
désarroi m. confusion
désastre m. disaster
descendre to go down, to stop at, to alight, to dismount, to come down
descendu, -e alighted, gone down
descente f. descent, path going downhill; **faire une —** to go down
désenchantement m. disenchantment
désert m. desert
désert, -e deserted, solitary
déserter to desert
désespéré, -e desperate
désespérer to despair
désespoir m. despair
déshonorer to dishonor
désigné, -e designated
désintéressé, -e disinterested
désir m. desire
désirer to desire, to wish
désolation f. desolation
désolé, -e grieved, vexed, forlorn
désoler: se — to despair
désordonné, -e disorderly, unruly, disarranged
désordre m. disorder
despotique despotic
dessécher to dry up
dessert m. dessert

desservi, -e served, attended
dessin m. drawing
dessiner to draw, to sketch; **se —** to draw, to stand out, to show prominently
dessous underneath; **au —** below, beneath; **là —** underneath
dessus on, upon; **au —** above; **là — thereupon; par —** over, above; **dormir —** to sleep on it
dessus m. top, upper part; **le — du panier** the best, pick
destin m. destiny, fate
destiné, -e destined
destinée f. fate, destiny
détachement m. detachment
détacher to loosen, to untie, to unfasten, to let loose, to let fly; **se —** to break away, to detach oneself; **se — en noir sur** was profiled in black against
détail m. detail; **en —** in detail
détente f. trigger
détenu m. prisoner
déterminé, -e resolute, determined
déterminer to cause
détester to hate, to dislike
détonation f. detonation
détour m. roundabout way, detour
détourner to turn away, to turn aside, to change; **se —** to turn away
détresse f. distress, sorrow, grief
détruire to destroy
dette f. debt
deuil m. mourning
deux two; **tous —** both
deuxième second
dévaler to go down
dévaliser to rob, to rifle
devancer to precede, to be beforehand, to be ahead
devant before, in front of
développer to develop; **se —** to unfold itself, to expand, to be displayed, to develop
devenir to become, to happen; **qu'allez-vous —** what's going to become of you

deviner to guess
devinette *f.* riddle
dévisager to stare at
devise *f.* emblem, motto
deviser to chat
devoir to owe, to be obliged to, to have to, to be expected to
dévorer to devour, to eat up
dévot, -e devout
dévoué, -e devoted
dévouement *m.* devotion
diable *m.* devil; faire le— to romp, to run amock
diablerie *f.* witchcraft
dialogue *m.* dialogue
diamant *m.* diamond
diaphragme *m.* diaphragm, breast
diaprer to variegate
dicton *m.* saying
Dieu *m.* God; mon —! good heavens!
différence *f.* difference
différent, -e different, various
difficile difficult
difficilement with difficulty
difficulté *f.* difficulty
digne worthy, dignified
dignité *f.* dignity
Dijon capital of Burgundy
dimanche *m.* Sunday; par un — on a Sunday
dimension *f.* dimension
diminuer to diminish
dîner to dine; — en ville to dine out
dîner *m.* dinner
diplomatie *f.* diplomacy
dire to say, to tell; sans mot — without saying a word; — du mal to speak evil; entendre — to hear of, to hear spoken of; faire — to make one say; vouloir— to mean; — la chose to relate the story; se — to say to oneself
dire *m.* saying, word
direct, -e direct
directeur *m.* director
direction *f.* direction, director's office

diriger: se — to go toward
discipliné, -e trained
discipline *f.* discipline
discours *m.* speech, oration
discr-et, -ète discreet, cautious
discrétion *f.* discretion, reserve; à — as much as one wishes
discussion *f.* discussion
disette *f.* want, famine
disparaître to disappear
disperser to scatter, to disperse; se — to disperse
disposer to prepare, to dispose of, to arrange, to set up; se — to get ready
disposition *f.* intention, disposal, humor
dispute *f.* quarrel
disputer: se — to dispute, to contend for
disque *m.* disk, record
dissimulation *f.* dissimulation, dissembling
dissimuler to conceal, to hide; se — to conceal oneself, to oneself
dissiper to dissipate, to dispel
dissonance *f.* dissonance
distance *f.* distance
distant, -e distant
distinct, -e distinct, separate
distinctement distinctly
distingué, -e distinguished, remarkable, well bred
distinguer to distinguish, to notice, to make out
distraction *f.* recreation, diversion
distraire to entertain, to divert, to lessen
distrait, -e distracted, absent-minded
distribuer to distribute
dit, -e said, told; sitôt —, sitôt fait no sooner said than done
dithyrambique dithyrambic
divan *m.* divan, sofa
divers, -e different, various
diversement variously
diversifié, -e diversified
divin, -e divine
divinisation *f.* deification

divisé, -e divided
dix ten
dix-huit eighteen
dixième tenth
dix-sept seventeen
dix-septième seventeenth
dizaine *f.* about ten
docile submissive, docile, obedient
docilement submissively
dodu, -e plump
dogue *m.* mastiff
doigt *m.* finger; **montrer du —** to point
domaine *m.* domain, estate
dôme *m.* dome
domestique *m.* or *f.* servant
dominer to dominate, to look over, to command a view of
dommage *m.* loss, harm; **c'est —** it is a pity; **quel —** what a shame
donner to give; **— l'assaut** to storm; **— le bras** to offer one's arm; **— envie** to arouse envy; **—à manger** to give food, to feed; **— sur** to look over; **se —** to give oneself, to be given, to pose; **se — la main** to shake hands; **où — de la tête** which way to turn
donneur *m.* giver
dont of which, of whom, whose, from which, from whom
doré, -e gilded, of gold
dormir to sleep
dos *m.* back; **tourner le —** to turn one's back on
dossier *m.* file, record
douanier *m.* custom officer
double double
doucement gently, sweetly, softly
douceur *f.* sweet thing, sweetness, gentleness
douillette *f.* soft padded coat
douleur *f.* suffering, grief, pain
douloureusement sadly
douloureu-x, -se sad, sorrowful
doute *m.* doubt, distrust; **sans —** without doubt, doubtless
douter to doubt; **se — de** to suspect

dou-x, -ce sweet, soft, pleasant, mild, gentle
douzaine *f.* dozen
douze twelve
douze-cents twelve hundred
drame *m.* drama
drap *m.* sheet, cloth
drapeau *m.* flag; **sous les —x** serving in the army
draper: se — to wrap oneself up
dressé, -e drawn up, prepared
dresser: se — to straighten up, to rise
droguerie *f.* drugs
droit, -e straight, upright, direct
droit *m.* right, law; **à bon —** with good reason; **avoir — à** to have the right to, to be entitled to; **se croire le —** to believe one has the right to
droite *f.* right hand, right; **à —** to the right; **de —** on the right
drôle funny, comical; **une — de chasse** a queer sort of hunting
drôle *m.* rogue, rascal
drôlement comically, facetiously
dru, -e thick, hard
dû, due owed, obliged to
duc *m.* duke
duchesse *f.* duchess
dune *f.* sand hill
dupe *f.* dupe
dur, -e hard, harsh, severe
durant during
durée *f.* duration; **son peu de —** its short duration
durement harshly, roughly, hard
durer to last, to continue
dynastie *f.* dynasty

E

eau *f.* water; **— -de-vie** brandy; **—de neige** melted snow
ébauché, -e hewn roughly, sketched
ébaucher: s'— to be outlined
ébène *m.* ebony
éblouir to dazzle, fascinate
éblouissant, -e dazzling

éblouissement *m.* dizziness, dazzlement

ébranché, -e pruned

écarlate scarlet

écart *m.* deviation; **à l'—** to one side, apart

écarter to set aside, to remove; **s'—** to step or turn aside, to be pushed aside

ecchymose *f.* bruise

ecclésiastique *m.* ecclesiastic

échanger to exchange

échantillon *m.* sample

échapper to escape, to slip; **s'—** to escape, to slip out, to run out; **laisser — un geste d'admiration** not to be able to refrain from a gesture of admiration

écharpe *f.* scarf; **en —** in a sling

échassier *m.* long-legged

échelle *f.* ladder, scale

écheveau *m.* skein

échine *f.* backbone, spine

écho *m.* echo

échouer to fail, to flounder

éclair *m.* lighting, flash of lightning, flash

éclairer to light up, to give light, to have lightning; **s'—** to light up, to brighten up

éclat *m.* clap (of thunder), splinter, glitter, pomp, radiancy, splendor; **— de rire** burst of laughter

éclatant, -e loud, glorious, brilliant

éclater to burst out, to break out, to manifest openly

école *f.* school; **être à bonne —** to have good training; **maître d'—** schoolmaster

écolier *m.* pupil, schoolboy

économie *f.* economy, saving

économiser to save, economize

écorce *f.* bark

écorchure *f.* scratch, wound

écouler: s'— to flow away, to go by

écouter to listen, to listen to

écrasé, -e crushed

écraser: s'— to be crushed

écrémer to skim

écrier: s'— to cry out, to exclaim

écrire to write

écrit, -e written

écriture *f.* writing, hand-writing

écrouelle *f.* fresh-water shrimp

écrouler: s'— to collapse, to crumble

écu *m.* crown (obsolete French coin worth more than an English pound), shield

écueil *m.* danger, obstacle, reef

écureuil *m.* squirrel

écurie *f.* stable, barn

éducation *f.* education

effacer to wipe out, to efface; **s'—** to be effaced, to withdraw

effaré, -e bewildered

effarer to scare

effectivement actually, indeed

effet *m.* effect, result; **en —** in fact, indeed; **il se fait l'—** he has the impression of being

effeuiller to pluck, to pick apart

effilé, -e sharp

effleurer to touch lightly, skim over

effondrer: s'— to fall in, to give way, to reduce itself

efforcer: s'— to strive

effort *m.* effort, attempt; **fit tous ses —s** strove as hard as he could

effraction *f.* housebreaking

effrayé, -e frightened

effroi *m.* fright, terror

effronté, -e shameless, impudent

effronterie *f.* boldness, impudence

effroyablement frightfully, horribly

effusion *f.* effusion

égal, -e equal; **c'est — all** the same, never mind

égaler to equal

égard *m.* consideration

égaré, -e bewildered

égayer: s'— to make merry

église *f.* church; **Eglise** the Catholic Church

égoïsme *m.* egotism

égoïste egotistic, selfish

égout *m.* sewer

égouttement *m.* dripping
égyptien, -ne Egyptian
eh! ah; — **bien!** well!
élan *m.* dash, impetus, spring; **prendre un** — to get ready for a kick, to make a spring
élancé, -e slender, slim, thin
élancer: s' — to dash forth, to rush, to spring
élastique elastic
électrique electric
électriser to electrify
élégant, -e stylish, elegant
élégiaque elegiac
éléphant *m.* elephant
éléphanteau *m.* baby elephant
élève *m.* pupil; **anciens** —s alumni
élevé, -e lofty, eminent, raised, brought up, educated, high, upper
élever to raise, to bring up; **s'** — to rise
éleveur *m.* breeder
élire to elect
elle she, it, her; — **même** herself
éloge *m.* praise
éloignement *m.* removal, retirement, distance
éloigner to remove, to drive away; **s'** — to go away
élu, -e elected
emballer to pack up
embarcation *f.* boat
embarras *m.* trouble, difficulty, embarrassment
embarrassé, -e embarrassed, in difficulty, troubled
embaumer to perfume, to smell sweet
embêter to pester
embonpoint *m.* corpulence, stoutness
embrasser to kiss, to embrace; **s'** — to kiss one another, to kiss
embrasure *f.* recess, embrasure
embrouillé, -e intricate, entangled
embrouiller: s' — to become confused or mixed up
embrumer to overcast
émerveillé, -e astonished

émerveiller: s' — to marvel at
émettre to utter, to express
éminence *f.* elevation
émir *m.* emir
emmener to take away, to lead
émotion *f.* emotion
émouchet *m.* sparrow hawk
émouvant, -e touching, stirring
émouvoir to stir
empaillé, -e stuffed
empalé, -e impaled
emparer: s' — **de** to seize, to take possession of, to take hold of
empêcher to prevent; **s'** — to keep from, to prevent oneself
empereur *m.* emperor
emperlé, -e beaded; — **de sueur** covered with beads of sweat
empire *m.* empire; **reprendre l'** — to regain control
emplacement *m.* place, site
emplette *f.* purchase
emplir to fill; **s'** — to be filled
employé *m.* clerk, employee
employer to employ, to use
empoigner to seize, to lay hold of
empoisonner to poison
emportement *m.* temper
emporter to carry off, to carry away, to remove; **s'** — to become angry, to lose one's temper; **l'** — to win over
empreinte to imprint, stamp, mark
empresser: s' — to hasten
emprunt *m.* loan
emprunter to borrow
ému, -e touched, moved, worried
en of it, of them, some, any, from there, while, on, with, as, like
encadrement *m.* framing, frame
encaissé, -e embanked
encensoir *m.* censer, perfuming pan
enchaîné, -e chained
enchanté, -e delighted
enchère *f.* bidding, auction
encoche *f.* notch
encoignure *f.* corner
encore again, still, yet
encouragé, -e encouraged

encre *f.* ink

encrier *m.* inkstand

endimanché, -e dressed in one's Sunday best, well dressed

endimancher: s'— to put on one's Sunday clothes

endolori, -e painful

endormi, -e asleep, sleepy-looking

endormir to lull to sleep; s'— to fall asleep, to slacken

endosser to put on, to don

endroit *m* place

énergie *f.* energy

énergiquement energetically

enfance *f.* childhood

enfant *m.* or *f.* child, infant; ne fais pas l'— don't act like a child

enfantillage *m.* childishness

enfantin, -e childish

enfer *m.* hell

enfermer to shut up, to inclose; faire — to have locked up; s'— to seclude oneself, to lock oneself in

enfiévré, -e feverish

enfiler to put on, to slip on

enfin at last, at length, finally

enflammé, -e in fire

enflammer: s'— to be inflamed, to get excited

enfoncer to sink, to drive in, to break in; s'— to sink, to disappear into

enfouir to hide, to bury

enfourcher to straddle

enfuir: s'— to run away, to escape

engager to engage, to induce, to urge; s'— to enter

engendrer to beget, to produce

engin *m.* net implement

engloutir: s'— to be swallowed up

engraisser to grow fat

enguirlander: s'— to be adorned, to be decorated

enhardir: s'— to make bold

énigmatique enigmatic

enjamber to stride over, to jump over

enlèvement *m.* capture

enlever to take away, to remove, to carry off; s'— to raise oneself, to rise

ennemi *m.* enemy

ennui *m.* boredom, disgust; crever d'— to be bored to death

ennuyer to bore; s'— to be bored, to find it dull

énorme enormous

énormément enormously

enquérir: s'— to inquire; — auprès de to inquire from

enragé, -e mad, determined, crazy for

enragé, -e *n. m.* and *f.* mad fellow, person passionately fond of something

enroué, -e hoarse

ensanglanté, -e bloody

ensanglanter to make bloody, to stain with blood

enseigne *f.* sign; — de coiffeur barbershop sign

enseigner to teach

ensemble *m.* group, harmony

ensemble together

ensommeillé, -e drowsy, dulled by sleep

ensuite then, next

ensuivre: s'— to follow

entamer to influence, to spoil, to break into, to open up, to hurt, to injure

entasser to pile up; s'— to be piled up

entendre to hear, to understand; — dire to hear spoken of; faire — to make one hear or understand; s'— to be heard or understood; s'— à to be good or skilled at, to know about; s'— demander to hear oneself asked

entendu, -e understood, heard; bien — of course; c'est — it is agreed

enterrer to bury

entêter: s'— to be stubborn, to be set on, to persist

enthousiasme *m.* enthusiasm

enthousiaste enthusiastic
enti-er, -ère entire, whole; **tout —** entirely
entièrement entirely
entonner to sing, to strike up
entour: à l'— around
entourage *m.* circle, friends
entourer to surround, to wrap in
entrain *m.* spirit, animation
entraînant, -e captivating, carried away, enticing
entraîner to carry away, to carry along, to lead off
entr'aperçu, -e half perceived, hardly noticed
entre between, among
s'entre-baîller to half open itself
entrechat *m.* caper
entrecouper to interrupt, to break
entrée *f.* entrance, opening
entremêlé, -e intermingled
entrepôt *m.* warehouse, mart
entreprendre to undertake
entreprise *f.* undertaking
entrer to go in, to enter, to come in
entretenir to feed, to keep up
entretien *m.* conversation, talk
entrevue *f.* interview
entr'ouvrir to half open, to open a little
envahir to invade, to take hold of
enveloppe *f.* envelope, cover
envelopper to wrap up, to cover, to envelop; **s'—** to wrap oneself up
envers toward, to; **à l'—** in reverse, on the wrong side; **à l' — de** contrary to
envie *f.* desire, envy; **avoir — de** to have a mind to, feel like; **donner —** to arouse envy; **faire —** to be tempting, to be envied by; **porter — à** to envy; **une — folle me prit** I felt a mad urge
envier to envy; **Est-ce donc bien à —?** Is it then something to be envied?
environ about, nearly
environner to surround

environs *m. pl.* vicinity, neighborhood
envoler: s'— to rise, to be carried off, to fly away
envoyer to send
épais, -se thick
épaisseur *f.* thickness
épanchement *m.* overflowing
épanoui, -e full-blown
épargne *f.* saving
épargner to save, to spare
épatant, -e wonderful
épaule *f.* shoulder
épaulement *m.* breastwork, shoulder
épaulette *f.* epaulet, shoulder piece
épée *f.* sword; **n'avoir que la cape et l'—** to be titled and penniless; **rendre l'—** to surrender
éperdu, -e bewildered, aghast
éperon *m.* spur
éperonné, -e spurred
épicier *m.* grocer
épier to watch, to spy on
épigramme *f.* epigram
épingle *f.* pin; **tiré à quatre —s** dressed up, as neat as can be
époque *m.* period, time
épouse *f.* wife
épouser to marry
épouvantable frightful, horrible
épouvante *f.* terror, dismay
épouvanté, -e frightened, terrified
épreuve *f.* test, ordeal; **mettre à l'—** to put to the test
épris, -e in love, charmed with
éprouver to feel, to experience, to test
épuisé, -e exhausted, worn out
épuiser to use up, to eat up
équipage *m.* equipment, carriage
équiper to equip; **s'—** to equip oneself
équitation *f.* riding
équivalent *m.* equivalent
éreinté, -e tired out, all in
ermite *m.* hermit
errer to wander, to ramble
erreur *f.* mistake
éruption *f.* eruption

escabeau *m.* stool
escabelle *f.* stool
escalade *f.* scaling of a wall
escalier *m.* stairs; — en colimaçon winding staircase
escapade *f.* lark, escapade
escarboucle *f.* carbuncle
escargot *m.* snail
escarpement *m.* steepness, sharp slope
esclave *m.* or *f.* slave
escogriffe *m.* sharper, tall, lank, ungainly fellow
escroquer to cheat, to swindle
espace *m.* space
espacé, -e spaced
Espagne *f.* Spain
espagnol, -e Spanish
espalier *m.* espalier, fruit wall
espèce *f.* kind, species, breed
espérance *f.* hope, trust
espérer to hope; espérant à demi half hoping
espingolier *m.* blunderbuss bearer
espionner to spy on
esplanade *f.* esplanade
espoir *m.* hope
esprit *m.* mind, spirit, wit, intelligence; — fort free thinker; vous n'avez pas l'— you are not smart enough
esquiver: s'— to slip away, to make off
essai *m.* trial
essaim *m.* swarm
essayer to try
essence *f.* essence, substance
essieu *m.* axle
essouffler to wind, to put out of breath
essuyer to wipe, to wipe off
estimer to esteem, to respect, to deem; s'— to consider oneself
estomac *m.* stomach
estrade *f.* platform, stage
et and
établir to establish, to open; s'— to set oneself up, to become established

étage *m.* floor, story (of a house)
étalage *m.* shop window, goods exposed for sale
étaler to show, to display; s'— to be exposed, to be displayed
étang *m.* pond, pool
état *m.* condition, state, position, profession; de son — by profession; homme d'— statesman
état-major *m.* general staff
été *m.* summer
éteindre: s'— to die out, to go out, to be extinguished
éteint, -e extinguished, darkened
étendard *m.* banner, flag
étendre to extend, to stretch out; s'— to stretch oneself out
étendu, -e extensive, stretched out
étendue *f.* extent, expanse
éternel, -le eternal
éternellement forever, eternally
éternité *f.* eternity, forever
éthéré, -e ethereal
étincelant, -e sparkling, fiery
étinceler to sparkle
étiquette *f.* ticket, label, etiquette
étoffe *f.* material, cloth
étoile *f.* star; — filante shooting star; à la belle — in the open air
étoiler to blaze
étonnant, -e amazing, astonishing
étonnement *m.* astonishment, surprise
étonner to astonish, to surprise; s'— to be astonished, to be surprised
étouffant, -e stifling
étouffer to suffocate, to choke, to smother; s'— to be suffocated, to crowd
étoupe *f.* stuffing
étourdi, -e giddy, dizzy, stunned
étrange strange
étrang-er, -ère foreign, strange
étrangler to strangle, to choke; s'— to choke oneself
être to be; n'est-ce pas? isn't it true?, doesn't it?, is it not?;

est-ce que? is it that?; **qu'est-ce que** what; **qu'est-ce que c'est?** what is it?; — **à** to belong to, to be; — **en admiration devant** to admire; — **à bonne école** to have good training; — **bien en cour** to be in favor; — **bien fait de sa personne** to have a fine physique; — **en honneur** to be honored; — **de la maison** to be one of the family; — **longtemps à** to be long in; — **la peine de** to be worth while; — **de quelque chose** to take part in something; — **en train de** to be in the act of; — **dans le vrai** to be in the right; **c'est égal** it is all the same; **c'est-à-dire** that is to say; **c'est entendu** it is agreed; **vous n'y êtes pas** you do not understand; **tu es des nôtres** you are one of us

être *m.* being, creature, living being
étrier *m.* stirrup
étreindre to take hold of, to take in one's arms, to bind, to press
étroit, -e narrow, tight
étude *f.* study, study hall; **maître d'**— assistant in charge of discipline in dormitory, study hall, playground, etc.
étudier to study
eux them, they; — **mêmes** themselves
évader: s'— to escape
Evangile *f.* Bible, Gospel
évaporer to evaporate
éveillé, -e intelligent, lively
éveiller: s' to wake up
événement *m.* event, occurrence
éventail *m.* fan
éventrer to rip open, to disembowel
évêque *m.* bishop
évidé, -e hollowed, grooved
évidemment evidently
évident, -e evident, obvious
éviter to shun, to avoid; **s'**— to avoid one another
évocation *f.* evocation, bringing up
évoluer to evolve

exactement exactly, carefully
exagération *f.* exaggeration
exagéré, -e exaggerated; **n'avoir rien d'**— to contain no exaggeration
exagérer to exaggerate
exaltation *f.* exaltation, excitement, excitability
exalter: s'— to become excited, to elate
examiner to examine, to investigate
exaspérer to exasperate, enrage; **s'**— to become exasperated
excédé, -e exasperated
excellent, -e excellent
exciter to arouse, to provoke, to stir up
excursion *f.* excursion, outing
excuse *f.* excuse
excuser: s'— to excuse oneself, to decline, to forgive oneself
exécuter to carry out, to perform, to do, to execute; **s'**— to be carried out, to comply
exécution *f.* execution
exemple *m.* example; **par** — for instance, upon my word
exercé, -e trained
exercer to train, to carry on; **s'**— to train oneself, to try one's hand at
exercice *m.* exercise, practice, drill; **faire l'**— to drill, to exercise; — **à feu** rifle practice
exigence *f.* exigency, unreasonableness
exiger to demand
exilé *m.* exiled person
existence *f.* existence, life
exister to exist, to live
expédier to send
expédition *f.* expedition
expérience *f.* experience
expier to expiate
expirant, -e expiring, dying
explication *f.* explanation
expliquer to explain; **s'**— to explain oneself, to be explained, to give an explanation

exploit *m.* exploit
exploiter to work, to cultivate
exploiteur *m.* exploiter
exportation *f.* export
exposer to expose, to endanger, to describe
exprès purposely
express *m.* express train
expressi-f, -ve expressive
expression *f.* expression
exprimer to express; **s'—** to express oneself
exquis, -e exquisite
extase *f.* ecstasy, rapture
extérieur, -e outside
extraordinaire extraordinary, uncommon
extrême extreme
extrêmement extremely, very much
extrémité *f.* extremity, end

F

fable *f.* laughingstock
fabriquer to manufacture
fabuleu-x, -se fabulous, incredible
façade *f.* front
face *f.* front, face, nature (of government); **en — de** in front of, opposite; **bien en —** squarely in the face; **de —** full face; **— à —** face to face; **faire — à** to be opposite
fâché, -e annoyed, angry, displeased
fâcher: se — to become angry
facile easy
facilement easily
façon *f.* manner; **à sa —** in his own way; **de sa —** of his own composition; **de — que** so that
facteur *m.* postman
factice forced, unnatural
faculté *f.* faculty, ability
fagot *m.* bundle of sticks, fagot
faible weak
faiblesse *f.* weakness
faïence *f.* earthenware, crockery
faillir to fail, to barely miss, to be extinct, to come near to, to almost

faim *f.* hunger; **avoir grand'—** to be very hungry; **mourir de —** to die of hunger
fainéant, -e lazy
faire to make, to do, to act, to perform; **— en aller** to drive away; **— l'appel** to call the muster roll; **— appeler** to send for; **— courir** to keep busy; **— froid dans le dos** to make shivers run up one's back; **— attention à** to pay attention to; **— du bien** to do good; **— chaud** to be warm; **— son chemin** to get ahead; **— une confidence** to tell a secret; **— le coup** to commit a robbery; **— la cour** to woo; **— croire** to make one believe; **— danser** to lead the dance; **— le diable** to play the devil, to romp wildly; **— dire** to make one say; **— des emplettes** to go shopping; **— enfermer** to have locked up; **— entendre** to make one hear, to give to understand; **— envie** to be tempting; **— l'exercice** to exercise, to drill; **— faire** to have made; **— du feu** to make a fire; **— bonne figure** to cut a fine figure; **— bonne garde** to keep a good watch; **— des grâces** to bow; **— la grimace** to make faces, not to like; **— la guerre** to wage war; **— le guet** to keep watch; **— honneur** to honor; **— les honneurs** to do the honors; **— ses quatre lieues** to walk his four leagues; **— mal** to harm, to hurt, to ache; **— marcher** to start marching; **— mine** to pretend; **— monter** to send up; **— monter le rouge** to cause one to turn red; **— de la musique** to play music; **— partie** to belong to; **— un pas** to take a step; **— peur** to frighten; **— place** to give way, to make room; **— plaisir** to please; **— ressortir** to set off in relief; **— route** to travel; **— du sang-froid**

insolent to act calmly in an insolent manner; — **sauter** to toss, to cause to jump, to explode, to blow up; — **semblant de** to pretend; — **le service** to serve in the army; — **taire** to silence, to keep quiet; — **le tour** to go around; — **son trou** to settle down; — **la veillée** to spend the evening; — **venir** to send for; — **voir** to show; **il fait bon** it is nice weather; **qu'y —?** what is to be done?; **comment se fait-il?** how is it that?; **se —** to become; **se — un cercle de connaissance** to make a number of acquaintances; **se laisser —** to let people do what they please with one; **se — raconter** to have related to oneself; **ne — que** to . . . only; **se — à l'idée** to get used to the idea

faisceau *m.* pile (of arms), stack

fait, -e done; **sitôt dit, sitôt —** no sooner said than done

fait *m.* fact, deed; **tout à —** entirely; **en — de** as for; **le seul —** the very fact

falaise *f.* clift

falloir to be necessary, must, need, ought; **il faut** it is necessary; **il n'en faut pas plus** that's all you need

falot, -e funny, comical, insignificant

fameu-x, -se famous

familiariser to accustom, to familiarize

famille *f.* family

famine *f.* starvation; **crier —** to complain of starvation

fanfare *f.* brass band, flourish of trumpets

fange *f.* mud, slime

fantaisie *f.* fancy, caprice, joke; **se dessine des —s** creates imaginary things

fantastique fantastic

fantastiquement fantastically

fantôme *m.* phantom, ghost

faquir *m.* fakir

farandole *f.* farandole (dance of Provence)

farce *f.* prank, practical joke

fardeau *m.* burden, weight

farine *f.* flour, meal

farouche wild, fierce

fatal, -e fatal

fatalité *f.* fatality, fate, destiny

fatigant, -e tiring

fatigue *f.* fatigue

fatigué, -e tired

fatuité *f.* conceit, fatuity

faubourg *m.* suburb, outskirt

faucheur *m.* mower, reaper

fauconneau *m.* falconet

faufiler: se — to intrude oneself, to slip, to glide

faune *f.* fauna

fausseté *f.* falsity, falsehood

faut see **falloir**

faute *f.* fault, mistake; — **de** for want of; **c'est la — de** it is on account of; **commettre la —** to make the mistake

fauteuil *m.* armchair

fauve tawny-colored

fau-x, -sse false, supposed

faveur *f.* favor, boon

favorable favorable

favori, -te favorite

favori *m.* whiskers

favoriser to favor, befriend

fébrile feverish

fécond, -e fertile

fée *f.* fairy; **toute — que je sois** even though I am a fairy

feindre to feign

feint, -e feigned

félicité *f.* happiness

féliciter to congratulate; **se —** to congratulate oneself

fellah *m.* fellah, Egyptian peasant

femme *f.* woman

fendeur *m.* cleaver, splitter; — **à la bonne hache** woodcutter with the good ax

fendre to split, to cut open; **à — l'âme** in a heart-rending manner

fenêtre *f.* window
fer *m.* iron; — **de lance** stanchion; — **à cheval** horse-shoe
ferme firm, firmly, fast
ferme *f.* farm; **garçon de —** farmhand
fermer to close; — **à double tour** to double-lock; **se —** to close itself
fermeté *f.* firmness
féroce ferocious, fierce
ferrure *f.* iron binding
fête *f.* holiday, festival, entertainment, feast
feu *m.* fire; **faire du —** to make a fire; **exercice à —** rifle practice
feuillage *m.* foliage
feuille *f.* leaf, sheet (of paper); — **de vigne** grape-vine leaf
fiacre *m.* cab, carriage
ficelle *f.* string
ficher: se — to make fun of
fichu *m.* neckerchief
fichu! done for!
fiction *f.* fiction
fidèle faithful
fidélité *f.* faithfulness
fi-er, -ère proud
fier: se — to trust, to rely on
fièrement proudly
fierté *f.* pride
fièvre *f.* fever
fifre *m.* fife, fife player
figer: se — to congeal
figure *f.* face, figure; **faire bonne —** to cut a fine figure; **faire — de** to appear
figurer: se — to imagine
fil *m.* string, edge, thread, line
filant, -e: étoile —e shooting star
file *f.* row, file, line
filer to carry on, to be off, to move quickly; — **le parfait amour** to have a perfect love affair
filet *m.* net, thread; **coup de —** haul, drag-net
fille *f.* daughter, girl; **petite—** granddaughter; **jeune —** young girl
fillette *f.* lass, young girl

filon *m.* tip (colloq.)
fils *m.* son; **petit—** grandson
fin, -e fine, sharp, delicate
fin *f.* end; **à la —** at last; **mettre — à** to put an end to
financier *m.* financier
finesse *f.* fineness, delicacy, cunning
finir to end; **il finit par** he finally . . .
fisc *m.* public treasury; collector of internal revenue
fixe fixed, settled
fixer to fasten, to stare at
flacon *m.* flask, little bottle
flagellant *m.* flagellant
flageoler to shake; **je flageole sur mes pattes** my legs shake
flairer to scent, to smell
flambeau *m.* torch; — **des astres** brightest star
flamber to blaze, to flame
flamboyant, -e gleaming, blazing
flamme *f.* flame, blaze
flanc *m.* side
flâner to saunter, loaf
flanquer to deal (a blow), to hit
flatter to flatter
flatterie *f.* flattery
fléau *m.* flail
fléchir to soften, to melt, to give way, to yield
fleur *f.* flower
fleuret *m.* foil
fleuri, -e flowery, florid, agreeable, rubicund
fleuron *m.* flower work
fleuve *m.* river
flot *m.* flood, wave
flotte *f.* navy
flotter to float
flûte *f.* flute
flux *m.* flux, flow
foi *f.* faith; **ma —!** really!, to be sure!; — **d'animal** on the word of an animal; **avoir — à** to have faith, to believe; **ajouter — à** to believe
foire *f.* fair

fois *f.* time, occasion; **une —** once; **deux —** twice; **à la —** at the same time; **des —** perhaps; **une — n'est pas coutume** once is not always, once does not matter
fol *see* **fou**
folie *f.* madness
follet, -e downy (hair)
foncé, -e dark, deep (color)
foncer to dash
fonction *f.* function, duty; **faire — de** acting as
fonctionnaire *m.* official, state employee
fonctionner to be in operation
fond *m.* bottom, foundation, rear, back part, background; **au —** at the bottom, at the rear, in the main; **au fin —** at the deepest part; **à —** thoroughly, perfectly; **à — de train** at full speed; **à — de cœur** to the bottom of my heart; **bien au —** deep inside
fondant, -e melting, very ripe
fondement *m.* foundation
fonder: se — to rely
fondre to melt; **— en larmes** to burst into tears; **se —** to blend, to be merged
fontaine *f.* fountain
forçat *m.* convict, galley slave
force many
force *f.* strength, violence; **à — de** by dint of, through; **à toute —** by all means, at any cost
forcer to force, to compel, to run down
forêt *f.* forest
formation *f.* formation
forme *f.* form, shape; **chapeau haut de —** top hat; **en pleine —** in fine fettle, spirit
former to form, to fashion; **se —** to form itself, to form; **— le voeu** to vow
formidable tremendous, frightful, formidable, impressive
formuler to formulate
fort, -e strong, loud, large, very

much, very, loudly; **au plus —** at the height; **c'est plus — que moi** that's too much, I can't help it; **et ce qu'il y a de plus —** and what is worse
forteresse *f.* fortress
fortifier to fortify
fortuit, -e fortuitous
fortuné, -e fortunate; **peu —s** with small means
fortune *f.* fortune, good luck
fou, fol, folle insane, crazy, unexpected, fool
fouchtra! darn it! (colloquialism peculiar to the people of Auvergne)
foudre *f.* thunder
foudroyant, -e terrible, crashing, dreadful, sudden
foudroyer to smash, to destroy, to shoot
fouet *m.* whip
fouillé, -e elaborately worked
fouiller to dig, to search
fouine *f.* marten
foule *f.* crowd, multitude
fouler to tread
four *m.* oven; **— à chaux** lime-kiln
fourmi *f.* ant
fourmilière *f.* ant hill, big city (figurative)
fourmiller to abound in, to swarm with
fourneau *m.* stove
fournir to furnish, to provide
fournisseur *m.* provider
fourré *m.* thicket
fourreau *m.* scabbard, sheath
fourrer to put in, to stuff in; **se —** to creep in, to hide oneself
fourrure *f.* fur
foyer *m.* hearth, home
fracas *m.* crash, noise
fragile fragile, frail
fraîcheur *f.* freshness, coolness
fra-is, -îche fresh, cool, new, youthful; **rasé de —** just shaven
frais *m. pl.* expenses, cost; **à grands —** at great cost
fran-c, -che frank, sincere

franc *m.* coin, franc
français, -e French; **à la —e** in the French style
franchement frankly
franchir to pass over, to cross
franc-tireur *m.* volunteer, sniper
frange *f.* fringe
frapper to hit, to knock, to strike, to surprise, to impress; **— au cœur** to affect strongly, to make a strong impression
frayeur *f.* fright, dread
fredonner to hum
frêle frail, fragile, weak
frémir to shudder, to tremble
frémissement *m.* shudder, quivering, thrill
frénésie *f.* frenzy
frénétique frantic
fréquenter to visit often
frère *m.* brother, monk, friar
friand, -e fond of
fringaler to stagger, to sway
friponner to cheat
frire to cook, to fry
friser to curl
frisson *m.* shudder
frissonnant, -e shivering
frissonner to shiver, to shudder
froid, -e cold
froid *m.* cold
froidement coldly
froideur *f.* coolness, indifference
froissement *m.* rumpling, brushing
frôlement *m.* rustling
frôler to graze, to touch lightly
fromage *m.* cheese
fromageon *m.* small cheese
froment *m.* wheat
froncement *m.* contraction, knitting (of the brows), frowning
froncer to frown, to knit the brows; **se —** to knit, to contract
front *m.* forehead, front
frotter to rub; **se —** to rub oneself
fruit *m.* fruit, benefit; **arbre à —s** fruit tree
fugiti-f, -ve *m. or f.* fugitive

fuir to fly, to run away from, to avoid
fuite *f.* flight, running away; **prendre la —** to run away
fumée *f.* smoke
fumer to smoke
funeste fatal, melancholy
fureur *f.* rage, mania
furet *m.* ferret; **jouer au —** to play hide and seek
furibond, -e furious
furieu-x, -se furious, mad, blatant
furti-f, -ve furtive, stealthy, secret
fuselé, -e tapering, slender
fusil *m.* gun; **— à pierre** flintlock; **— à système** old-fashioned gun; **coup de —** gunshot
fusiller to shoot
futile trifling, futile
fuyant, -e fleeing

G

gâcher to spoil
gage *m.* token, forfeit
gages *m. pl.* wages
gagner to earn, to win, to reach; **— sa vie** to earn one's living
gai, -e gay, merry
gaiement cheerfully
gaillard, -e lively, jolly, cheerful
gaillard *m.* lively, jolly fellow
gaîté or **gaieté** *f.* good humor, cheerful
galamment gracefully, tastefully, gallantly
galant, -e generous, courteous, gallant
galant *m.* suitor
gale *f.* itch, scab
galère *f.* galley
galérien *m.* convict
galerne *f.* northwesterly wind
galette *f.* thin cake, biscuit
gallican, -e Gallic, French
galon *m.* stripe
galop *m.* gallop; **au —** galloping; **prendre le —** to gallop, to start to gallop

galoper to gallop
galopin *m.* scamp, rogue, imp
gamin *m.* boy, lad, urchin
gamine *f.* little girl
gangue *f.* gangue (waste rock in mining)
gant *m.* glove
garance a reddish color
garance *f.* madder (plant)
garanti, -e guaranteed
garçon *m.* boy, waiter, clerk; — **de ferme** farmhand
garçonnet *m.* young boy
garde *m.* guard; — **national** national guard
garde *f.* guard, care, watch; **prendre** — to mind, to take care of; **faire bonne** — to keep good watch; **monter la** — to mount watch
garde-champêtre *m.* game-keeper
garde-chiourme *m.* jail guard
garder to keep, to protect, to save, to keep up; **se** — **bien de** to take care not to; — **la maison** to be confined home; — **les bêtes** to tend sheep; **gardez-vous de** take care not to; **n'eut garde de** was careful not to; **si je ne gardais mon sérieux** if I did not remain serious
gardien, -ne guardian
garenne *f.* warren; **lapin de** — wild rabbit
gargote *f.* cheap eating place
garnement *m.* scamp
garni, -e furnished, adorned
garni *m.* furnished lodging
garnir to adorn
garnison *f.* garrison
gars *m.* lad, young fellow
gascon, -ne Gascon
gastéropode *m.* gastropod (mollusk)
gâteau *m.* cake
gauche *f.* left; **à** — to the left; **de** — on the left; **de** — **à droite** from left to right
gaze *f.* gauze
gazelle *f.* gazelle

gazon *m.* grass
géant, -e giant
geignant, -e complaining
geindre to moan, to groan
gémir to lament, to moan
gémissement *m.* moan, groan
gênant, -e embarrassing, troublesome
gendarme *m.* policeman
gendarmerie *f.* police
gêne *f.* poverty, narrow circumstances, constraint, uneasiness
gêner to annoy, embarrass
général *m.* general
général: en — in general
générosité *f.* generosity, benevolence
génie *m.* genius, spirit; **génies** *pl.* genii
genou *m.* knee; **à** —**x** on one's knees
genre *m.* sort, kind
gens *n. pl.* people, persons; **braves** — good people; **jeunes** — young people
gentil, -le nice, amiable, pleasing
gentilhomme *m.* nobleman
gentiment gently
géographique geographic
geôlier *m.* jailer
gérant *m.* leader, conductor, manager
gerbier *m.* haystack
geste *m.* gesture, movement
gesticulant, -e gesticulating
ghazel *m.* Persian love poetry
gibier *m.* game
gifle *f.* slap
gigantesque gigantic, huge
gigot *m.* leg of lamb
gilet *m.* vest
glace *f.* looking-glass, mirror
glisser to slip, to fall, to slide
glorieu-x, -se glorious, glorified, honorable
glouglouter to gurgle
gonflé, -e swollen
gorge *f.* throat
gorgée *f.* mouthful
gosier *m.* throat

goule *f.* ghoul
gourmand, -e greedy
goût *m.* taste, desire, inclination; **avoir — à** to like; **de mauvais —** in bad taste
goûter *m.* light refreshment, afternoon collation
goûter to taste; **— à** to taste
goutte *f.* drop
gouttelette *f.* small drop
goutteux *m.* gouty person
gouvernement *m.* government
gouverner to govern
grâce *f.* gracefulness, charm, favor; **—à** thanks to; **par —** I beg you, mercy!; **faire des —s** to bow
gracieusement graciously
gracieu-x, -se graceful, charming
grade *m.* rank; **casser le — de** to break
gradin *m.* step, tier
gradué, -e progressive
grain *m.* particle, grain of wheat, storm
graisse *f.* fat, grease
grand, -e large, big, tall, high, great; **—'air** open air; **—'faim** great hunger; **—'messe** high mass; **— ouvert** wide open; **—'route** highway; **—'peine** great difficulty
grandement nobly
grandeur *f.* grandeur, size
grandi, -e grown
grandiose grand, imposing
grandir to grow, to grow tall, to increase
grand'mère *f.* grandmother
grand-père *m.* grandfather
grange *f.* barn
granit *m.* granite
granitique granitic
grappe *f.* bunch, cluster
gras, -se fat, thick
gratification *f.* reward, present, emolument
gratter to scratch
gravats *m. pl.* coarse plaster, mortar, rubbish (of plaster)
grave grave, serious

gravement gravely, seriously
gravir to climb
gravité *f.* gravity, seriousness
gré *m.* wish, liking; **à mon —** to my taste; **bon —, mal —** willing or unwilling; **en savoir — à** to be grateful to
grec, -que Greek
gredin *m.* scamp
greffier *m.* clerk of a court
grêle slim
grelot *m.* little round bell
grelotter to shiver
grenade *f.* pomegranate
grenadier *m.* grenadier
grès *m.* sandstone
grésiller to shrivel
grève *f.* strand, strike; **en — on strike**
grièvement gravely
griffe *f.* claw, fang
grimaçant, -e grimacing, grinning
grimace *f.* grimace; **faire la — to make faces, not to like to, to make a wry face**
grimper to climb
grincement *m.* grating
gringalet *m.* weakling, puny fellow, stripling
gris, -e gray
grisâtre grayish
grisé, -e intoxicated
grogner to grumble
grondant, -e scolding
grondement *m.* rumbling
gronder to scold, to reprimand
gros, -se big, fat, much, large; **le cœur — with a heavy heart**
gros *m.* mass, large body
groseiller *m.* red current bush
grossi, -e swollen
grossi-er, -ère rough, clumsy, uncouth, coarse, common
grossir to grow or make bigger, to increase, to grow stout
grotesque grotesque
grotte *f.* grotto, den
grouillant, -e swarming
groupe *m.* group

grouper to group, to gather
guenilles *f. pl.* rags, tatters
guère hardly, scarcely; **ne —** hardly
guérir to cure, to recover, to be cured
guérison *f.* cure, recovery
guerre *f.* war; **faire la —** to wage war
guerrier *m.* warrior
guet *m.* watch; **au — de** on the watch for; **faire le —** to keep watch
guêtré, -e with gaiters
guetter to lie in wait for, watch
gueule *f.* mouth (of animal), mug (colloq.)
gueux *m.* scoundrel, rascal
guidé, -e guided
guide *m.* guide
guinguette *f.* inn, shabby inn, café
guise: en — de by way of, instead
guitare *f.* guitar
guzla *f.* musical instrument similar to a violin
gymnastique *f.* gymnastics; **pas —** quick steps

H

habile able, clever, skillful
habileté *f.* skill
habillé, -e dressed
habillement *m.* dress, clothes, army supplies, uniform
habiller: s'— to dress, to get dressed
habit *m.* garment, dress, apparel, uniform, coat; **prendre l'— noir** to put on a dress suit; **les —s** clothes
habitant *m.* inhabitant
habitation *f.* habitation, dwelling
habiter to live in, to inhabit, to possess
habitude *f.* habit; **avoir l'— de** to be accustomed to; **d'—** ordinarily
habitué, -e accustomed, used to
habituel, -le customary, usual

hache *f.* ax, hatchet; **à coups de —** with an ax
hagard, -e haggard
haie *f.* hedge
haillon *m.* rag, tatter
haine *f.* hatred
hâlé, -e swarthy, tanned
haleine *f.* breath; **hors d'—** out of breath
haleter to pant, to gasp for breath
hallebarde *f.* halberd
hameau *m.* hamlet
hanneton *m.* May fly
hanter to haunt
happer to snap, to catch
harcelé, -e tormented, harassed
hardes *f. pl.* wearing apparel, clothes, old clothes
hardiesse *f.* boldness
hargneu-x, -se cross, peevish
haricot *m.* kidney bean, bean; **— vert** green (string) beans
harmonie *f.* harmony; **table d'—** soundboard, lute
harmonieu-x, -se harmonious
harmoniser: s'— to harmonize
harnaché, -e rigged out
harnachement *m.* outfit
harnais *m.* harness
harpe *f.* harp
harponner to harpoon
hasard *m.* chance, luck; **par —** by chance; **au —** at random
hasarder to risk, to venture
hâte *f.* haste, hurry; **en —** in a hurry
hâter to hasten; **se —** to hasten, to hurry
hausser to shrug, to raise; **— les épaules** to shrug one's shoulders
haut, -e high, tall, aloud; **en —** aloud, above, upstairs, skyward; **tout —** aloud; **là —** up there; **de voix —e** high tone of voice; **à —e voix** in a loud tone of voice; **— comme une botte** knee-high
haut *m.* top, height; **du — en bas** from top to bottom

hauteur *f.* height, level
hé! hey!
hein! hey!, what!
héler to hail, to call
hennir to neigh
herbage *m.* grassy spot, grass
herbe *f.* grass, herb
herculéen, -ne Herculean
héritage *m.* inheritance, legacy
héritier *m.* heir
hérissé, -e bristly, upright
héroïne *f.* heroine
héroique heroic
héron *m.* heron
hésitation *f.* hesitation
hésiter to hesitate
heure *f.* hour, time; **de bonne —** early; **tout à l'—** presently, not long ago, a while ago, in a little while; **l'— s'avançait** it was getting late; **— d'hiver** standard time
heureusement fortunately, luckily
heureu-x, -se happy, fortunate
heurté, -e struck, hit
heurter: se — to strike against
hideusement hideously
hideu-x, -se hideous
hier *m.* yesterday
hiéroglyphe *m.* hieroglyph, hieroglyphic
hirondelle *f.* swallow
histoire *f.* story, history
historique historical
hiver *m.* winter; **heure d'—** standard time
hocher to nod; **— la tête** to shake the head
holà! whoa!, stop!
hommage *m.* homage, respect
hommard *m.* lobster
homme *m.* man, husband; **— de confiance** confidential assistant; **— d'état** statesman
honnête honest
honnêtement honestly
honnêteté *f.* honesty
honneur *m.* honor; **être en —** to be honored; **faire — à** to honor, to

do credit to; **faire les —s** to do the honors
honorable honorable
honte *f.* shame; **avoir —** to be ashamed
honteusement shamefully
honteu-x, -se ashamed, shameful
hôpital *m.* hospital
horizon *m.* horizon
horloge *f.* clock
horloger *m.* clockmaker
horreur *f.* horror; **avoir — de** to detest
horrible horrible, terrible
horriblement horribly
hors outside; **— de service** out of service; **— d'haleine** out of breath; **mettre — d'eux** to infuriate them
hôte *m.* host, guest
hôtel *m.* hotel, mansion; **maître d'—** butler, steward
hôtelier *m.* landlord
hôtesse *f.* hostess
hotte *f.* basket (carried on back)
hottée *f.* basketful
houri *f.* houri, nymph
hourra *m.* hurray, shout
huis *m.* door
huit eight
huissier *m.* sheriff's officer, bailiff
humain, -e human
humanité *f.* humanity, human nature
humble humble, modest
humer to sniff, inhale
humeur *f.* humor, disposition; **en** or **de mauvaise —** out of temper, ill-humored
humide damp, wet
humiliant, -e humiliating
humiliation *f.* humiliation
humilité *f.* humility
hurlement *m.* howl, roaring
hurler to scream, to yell, to howl
hypocrisie *f.* hypocrisy
hypocrite hypocritical
hypocrite *m.* hypocrite
hypothèse *f.* hypothesis

I

ibis *m.* ibis (bird)
ici here; **par —** in this direction
idéaliser: s'— to idealize oneself
idée *f.* idea, fancy; **j'ai bien —** I am almost sure
idéologie *f.* ideology
idéologue ideologist
idole *f.* idol
ignoble disgraceful, ignoble, improper
ignorance *f.* ignorance
ignorant, -e ignorant
ignorer not to know, to be ignorant of; **s'—** not to know oneself
il he, it; **— y a** there is, there are, ago; **— y a que** the matter is that
île *f.* island
illettré, -e illiterate
illuminé, -e illuminated, lighted
illuminer to enlighten, to lighten; **s'—** to beam, to brighten up
illusion *f.* illusion; **faire —** to create an illusion
illustre illustrious
ilôt *m.* isle
image *f.* image, picture
imaginaire imaginary
imagination *f.* imagination
imaginer to imagine, to get ideas; **s'—** to fancy
imbécile fool, simpleton
imberbe beardless
immense immense, boundless
immobile motionless
immobilité *f.* immobility
immuable unchangeable
impatiemment impatiently
impatience *f.* impatience; **avec —** impatiently
impatienté, -e impatient, made impatient
impeccable spotless, impeccable
imperceptible imperceptible
impérial, -e imperial
impérieusement imperiously
impétueu-x, -se impetuous
impétuosité *f.* impetuousness

impie ungodly, impious
implacable implacable
implacablement implacably
imploration *f.* supplication
important, -e important
importer to be of consequence, matter, concern; **n'importe** no matter, just the same; **n'importe quoi** no matter what, anything; **n'importe où** everywhere
imposant, -e imposing, striking
imposer to force upon, impose, impress; **s'—** to force oneself upon
impossibilité *f.* impossibility
impossible impossible
imprégnable impregnable
imprégné, -e impregnated
impression *f.* impression
imprévoyance *f.* lack of foresight
imprévu, -e unforeseen
improviser to improvise
impuissance *f.* impotence, inability
impuissant, -e powerless
impunité *f.* impunity
inabordable inaccessible
inaccoutumé, -e unaccustomed
inaction *f.* inaction
inaltérable unalterable, unchangeable
inattendu, -e unexpected
inavoué, -e unconfessed, not expressed
incandescence *f.* incandescent light
incantation *f.* incantation, ceremony
incapable incapable
incarcéré, -e imprisoned
incarnadin, -e flesh-colored, rosy
incendier to set fire to
incessamment incessantly
incisi-f, -ve incisive, sharp
incisive *f.* incisor
inclination *f.* inclination, nod; **faire une — de tête** to nod
incliner to bow, to bend; **s'—** to bow, to bow to each other
incommodé, -e indisposed, unwell
inconcevable inconceivable
inconnu, -e unknown
inconscient, -e unconscious

incontinent at once
incorrigible incorrigible
incrédule incredulous
increvable somebody who cannot die (colloq.)
incrusté, -e inlaid
inculpé *m.* accused, prisoner
inculte uncultivated
incurable incurable
index *m.* index finger; mettre à l'— to ostracize
indicible inexpressible
indifférence *f.* indifference
indifférent, -e indifferent
indigène *m.* or *f.* native
indignation *f.* indignation
indigne unworthy
indigné, -e indignant
indigner: s'— to become indignant
indiquer to point out, to indicate
indiscr-et, -ète indiscreet
indiscrétion *f.* indiscretion, imprudence
indispensable indispensable
indissoluble indissoluble
individu *m.* individual
induire to induce, to lead
indulgence *f.* indulgence, leniency
indulgent, -e lenient, indulgent
industrie *f.* industry
inégal, -e unequal
inentendu, -e unheard
inépuisable inexhaustible
inerte lifeless, still
inévitablement inevitably
inexpérience *f.* inexperience
inexplicable unexplainable, unaccountable
infâme base, sordid, despicable
infâme *m.* wretch, villain
infatigable indefatigable
infernal, -e infernal
infini, -e infinite
infinité *f.* infinity
infirme sickly
infirme *m.* invalid, cripple
infirmité *f.* infirmity
infligé, -e inflicted
informe shapeless

informer: s'— to inquire
infortune *f.* misfortune
infortuné, -e unfortunate; unfortunate person
infusion *f.* infusion
ingénier: s'— to strive, to tax one's ingenuity
ingénieur *m.* engineer
ingénieu-x, -se clever
ingéniosité *f.* ingenuity
ingrat, -e ungrateful
inguérissable incurable
inintelligible meaningless
initiateur *m.* leader, initiator
initier to initiate
injure *f.* insult, wrong
innocence *f.* innocence
innocent, -e innocent
innombrable numberless
inoffensi-f, -ve harmless, inoffensive
inoubliable unforgettable
inqui-et, -ète uneasy, anxious
inquiéter to disturb, to annoy; s'— to be worried, to be anxious
inquiétude *f.* uneasiness, anxiety
inquisiteur inquisitorial, inquiring
insaisissable unseizable, imperceptible
inscription *f.* inscription
insensible insensible, unconscious
insensiblement insensibly, little by little
insigne *m.* badge, insignia
insignifiant, -e insignificant
insinuer: s'— to steal into, to worm oneself into
insolence *f.* insolence
insolent, -e insolent, overbearing
insoucieu-x, -se carefree
inspirer to inspire
instabilité *f.* instability
installation *f.* installation, fitting up, building
installer to install, fit up, set up; s'— to install oneself
instant *m.* instant, moment; à l'— même at this very moment
instinct *m.* instinct
instincti-f, -ve instinctive

instruction *f.* education; **à l'—**
publique at the Ministry of Education
instruit, -e educated
insurgé, -e insurgent, rebel
insurmontable unsurmountable
insurrection *f.* insurrection
intelligence *f.* intelligence, intellect
intelligent, -e intelligent
intention *f.* intention, purpose, emphasis
interdire to forbid
interdit, -e dumfounded
intéresser to interest
intérêt *m.* interest
intérieur, -e interior
intérieur *m.* interior, inside; **à l'—**
at the Ministry of the Interior
intérieurement internally, silently
interlocuteur *m.* speaker, interlocutor
interloqué, -e silenced, disconcerted
interminable endless
interne internal
interpellation *f.* interpellation
interpeller to address
intéressé, -e interested; **le principal**
— the man most interested
interrogation *f.* interrogation, questioning
interroger to question; **s'—** to ask
oneself
interrompre to interrupt; **s'—** to
interrupt oneself, to stop talking
interstice *m.* opening
intervalle *m.* interval, space in between
intervenir to intervene
intime intimate
intime *m.* or *f.* intimate person,
friend
intimidation *f.* intimidation
intimider: s'— to be intimidated,
to be confused
intituler to entitle
intolérable intolerable
intrépide intrepid, fearless
intrigant, -e intriguer
intrigue *f.* intrigue

intriguer to interest, intrigue, make
curious
introduire to put, bring in
inutile useless
invasion *f.* invasion
invention *f.* ingenuity, trick, invention
investigation *f.* investigation
investir to invest, surround
invincible unconquerable, irresistible
invisible invisible
invitation *f.* invitation
inviter to invite
invoquer to call upon
invraisemblable improbable, unusual
ironie *f.* irony; **avec —** ironically
ironique ironic
irréfléchi, -e thoughtless, spontaneous
irréparable irreparable
irrésistiblement irresistibly
irriter to anger, to irritate, to irk
irruption *f.* irruption, inroad
issue *f.* outlet, egress
italien, -ne Italian
ivoire *f.* ivory
ivresse *f.* intoxication
ivrogne *m.* drunkard

J

jacassi-er, -ère jabbering
jadis formerly, of old
jaillir to spout, to gush, to burst
forth
jalousie *f.* jealousy
jalou-x, -se *m.* or *f.* jealous person;
elle faisait la — se she pretended
to be jealous
jamais ever, never; **ne . . . —**
never; **plus . . . que —** more than
ever
jambe *f.* leg; **à toutes —s** at a full
speed, on a run
jante *f.* rim (of a wheel)
jaquette *f.* tunic, jacket
jardin *m.* garden
jardinier *m.* gardener

jarret *m.* ham, leg
jaser to gossip
jaspe *m.* jasper
jaune yellow
jet *m.* jet, gush; — **d'eau** fountain
jeter to throw, to cast; **se** — to throw oneself; — **à bas** to throw down; — **un soupir** to heave a sigh
jeu *m.* play, game, acting, child's play
jeudi *m.* Thursday
jeune young
jeûner to fast
jeunesse *f.* youth
joie *f.* joy, pleasure
joindre to join; — **les deux bouts** to make ends meet
joint *m.* joint, opportunity
joli, -e pretty, fine, nice; **c'est du** — that's a fine thing
joliment nicely, jolly well
jonché, -e heaped, strewn
joue *f.* cheek
jouer to play, to imitate, to gamble; — **des tours** to play tricks on; **se** — to play, to sport; **se** — **de** to make fun of; — **au soldat** to play soldier; **faire** — **la lame** to make the blade come out
jouet *m.* game, toy
joueur *m.* player; — **de fifre** fife player
joufflu, -e chubby
jouir de to enjoy, to be in possession of
jouissance *f.* enjoyment, pleasure
jour *m.* day, light; **petit** — dawn; **huit** —**s** a week; **de** — **en** — from day to day; **travaillé à** — open-worked; **le** — **tombant** nightfall
journal *m.* newspaper
journaliste *m.* journalist, newspaper-man
journée *f.* day
joyeusement joyfully
joyeu-x, -se joyful, merry
juge *m.* judge
juger to judge

juillet *m.* July
jument *f.* mare
jupe *f.* skirt
jurer to swear
jusque as far as; **jusqu'à** up to, as far as, until, to the point of; — **là** up to that time; **jusqu'à ce que** until; — **devers** in the direction; **jusqu'alors** until then; **jusqu'ici** until now
juste tight, true, exactly; **au** — exactly; **tout** — at the very moment
juste *m.* virtuous man
justement exactly, really, precisely
justesse *f.* accuracy, appropriate-ness, accuracy of intonation
justice *f.* justice; **rendre** — **à** to do justice to; **court de** — court of law
justicier *m.* judge
justifier to justify

K

kandjar *m.* dagger
képi *m.* military cap
kiosque *m.* kiosk
Kislar-agassi *m.* head of the black servants in a harem

L

la her, it, the
là there; — **dessus** thereupon; — **bas** over there; yonder; — **haut** up there, in Heaven; **par** — that way, over there; **par** — **dessus** over and above that; — **dessous** underneath
labeur *m.* labor, toil
laborieu-x, -se industrious, hard-working
labourage *m.* plowing, tilling
labyrinthe *m.* labyrinth, maze
lac *m.* lake
lâche cowardly
lâche *m.* coward

lâcher to loose, to let go, to betray, to abandon, to let drop

lâcheté *f.* cowardice, act of cowardice

lacté, -e milky; **voie —e** Milky Way

laisser to leave, to let, to permit; **— tomber** to let fall; **se —** to let oneself; **se — aller** to give oneself up to; **se — prendre** to let oneself be taken; **se — faire** to offer no resistance; **laissez un peu** wait a bit; **— voir** to reveal

lait *m.* milk

lambeau *m.* rag, tatter, shred

lame *f.* blade, wave

lamentable mournful, sad

lampe *f.* lamp

lance *f.* lance; **— à feu** ramrod

lancer to hurl, to throw, to cast, to dart; **lancé au galop** darting at a gallop

lande *f.* wasteland, moor

langage *m.* language

langue *f.* tongue, language; **— d'oc** dialect of Southern France

langueur *f.* weariness, languor

languir to pine away

lanterne *f.* lantern; **— sourde** lantern with three dark sides

lapin *m.* rabbit; **— de choux** domestic rabbit; **— de garenne** wild rabbit; **un fameux —** a fine soldier (ironic), à plucky fellow

large broad, great, wide; **en —, de — in** width

large *m.* open space

largeur *f.* width

larme *f.* tear; **en —s** in tears; **fondre en —s** to burst into tears

larmoyant, -e pathetic, tragic, tearful

las, -se tired

latéral, -e side

latin, -e Latin

laver to wash

lavoir *m.* washing place, public laundry

le him, it, the

lécher to lick

lecteur *m.* reader

lecture *f.* reading

légendaire legendary

légendaire *m.* collection of legends

lég-er, -ère light; **à la —** lightly

légèrement lightly

légume *m.* vegetable

lendemain *m.* next day, day after

lent, -e slow

lentement slowly

lenteur *f.* slowness; **avec —** slowly

léopard *m.* leopard

lequel, laquelle who, whom, which, that, which one?

les them, the

lésion *f.* injury, lesion

lessive *f.* wash, laundry

leste brisk, active, nimble

lestement briskly, cleverly

lettre *f.* letter; *pl.* literature

leur their, them, to them; **le —, la —** theirs

lever to lift, to raise; **se —** to get up, to rise

lever *m.* rising

libéral, -e: *pl.* **libéraux** liberal

lèvre *f.* lip

lézard *m.* lizard

libération *f.* discharge

liberté *f.* liberty, freedom

libre fierce

librement freely

lien *m.* bond

lier to bind

lieu *m.* place; **au — de** instead of; **avoir —** to take place, to happen; **tenir — de** to take or fill the place of, to do instead of; **les —x** place

lieue *f.* league (two and a half miles)

lieutenant *m.* lieutenant

ligne *f.* line, row; **sur toute la —** completely

lilas *m.* lilac

limite *f.* limit

limousin, -e person or thing which comes from the Limousin

limpide limpid, clear

linge *m.* linen cloth, clean linen, laundry
lion *m.* lion
liqueur *f.* liquid, liqueur
liquide watery
lire to read; **se —** to be read
lis *m.* lily
lisière *f.* list (of cloth), edge, edge of the woods
liste *f.* list
lit *m.* bed; **— de parade** bed of state
litière *f.* litter, closed carriage
litre *m.* liter
livide livid
livré, -e given over to
livre *m.* book
livre *f.* pound
livrer to deliver, deliver up; **se —** to give oneself up to, to take part in; **— bataille** to give battle
local, -e local
localité *f.* place, locality
locataire *m.* tenant
locomotive *f.* locomotive
loge *f.* lodge, cabin
loger to lodge, to put up
logis *m.* house, dwelling
loi *f.* law
loin far, distant; **au —** in the distance; **de —** from a distance; **de — en —** at great intervals
lointain, -e distant
loisir *m.* leisure
long, -ue long; **tout le —** all along; **à la —ue** in time, in the long run; **le — de** along, alongside; **en —** lengthwise
longer to walk along
longtemps long, for a long time; **être — à** to be long in
longueur *f.* length
lorgner to look at, to have an eye on
lors then, at the time; **dès —** from then on; **pour —** then; **— de** at the time of
lorsque when
lot *m.* prize, share; **tirer les —s** to draw lots

loterie *f.* lottery
louange *f.* praise
louer to rent, hire, praise; **se —** to hire oneself out as
louis *m.* louis (old gold coin worth about $4.60)
loup *m.* wolf
louper to miss (colloq.)
lourd, -e heavy
louvetier *m.* wolf hunter
loyal, -e loyal
loyauté *f.* loyalty
lu, -e read
lubine or **loubine** *f.* popular name for a kind of perch
lucide lucid
lueur *f.* glimmer, gleam, light
lugubre mournful
lui him, to him, to her, he; **— même** himself
luire to shine
luisant, -e gleaming, shining
lumière *f.* light; **vapeur de —** bright mist; **trait de —** ray of light, revelation
lune *f.* moon
lustre *m.* luster, brilliance
lustrer to shine
luth *m.* lute
luthier *m.* lute-maker
lutte *f.* struggle
lutter to struggle
lutteur *m.* wrestler
lycée *m.* junior college, high school
lyrisme *m.* lyricism, lyrical atmosphere

M

mâcher to chew
machinalement mechanically, absent-mindedly
machoire *f.* jaw
maçon *m.* mason; **garçon —** journeyman or apprentice mason
maçonnique masonic
magasin *m.* store, shop
magique magic
magnan *m.* silkworm
magnificence *f.* splendor

magnifique magnificent, splendid
magot *m.* treasure, hoard of money
mai *m.* May
maigre thin, slender, meager
maille *f.* link, opening, mesh
main *f.* hand; **en un tour de —** in a twinkling; **de longue —** long since, for a long time; **avoir à la —** to have in one's hand; **se donner la — s** to shake hands; **battre des — s** to clap hands; **mettre la — à l'œuvre** to set to work; **sous la —** at hand; **mettre la — à tout** to try everything; **donner un coup de —** to help, to give a hand; **porter la —** to touch; **— d'œuvre** workers
maintenant now
maintenir to maintain, to keep up
maire *m.* mayor
mairie *f.* town hall
mais but
maison *f.* house, home; **— de correction** reformatory; **garder la —** to be confined at home; **— de santé** private hospital; **être de la —** to be one of the house; **— de ville** city hall
maître *m.* master; **— de danse** dancing instructor; **— d'études** assistant; **— d'hôtel** steward, butler; **— d'école** school teacher; **— maçon** master mason
maîtresse *f.* mistress
maîtrise *f.* singing school for choir boys, choir; **petit clerc de —** choir boy
maîtriser to master, to dominate, to control
majestueu-x, -se majestic
majuscule *f.* capital letter
mal badly, ill; **être — avec** to be on bad terms with
mal *m.* harm, misfortune, pain; **faire — à** to hurt; **dire du — to** speak ill of; **avoir —** to be in pain
malade sick, ill, sickly
malade *m.* or *f.* patient, sick person
maladi-f, -ve sickly

maladroit, -e clumsy, unskillful
malédiction *f.* curse, malediction
malgré in spite of
malheur *m.* misfortune, disaster
malheureusement unfortunately
malheureu-x, -se unfortunate, unhappy, miserable
malheureu-x, -se unfortunate person
malhonnêtement impolitely, rudely, dishonestly
malice *f.* prank, maliciousness
mali-n, -gne clever, cunning
malin, *m.* clever fellow
malle *f.* trunk
malsain, -e unhealthy
manche *f.* sleeve, neck (of a violin); **— à balai** broomstick
manège *m.* trick, manoeuver, byplay
mangeoire *f.* manger, crib
manger to eat; **donner à —** to give food, to feed; **— à belles dents** to eat heartily
manger *m.* food
manie *f.* mania
maniement *m.* use, handling
manier to handle
manière *f.* manner, way, fuss, attitude; **de — à** so as
manifestation *f.* manifestation
manifester to manifest; **se —** to be visible
manœuvrer to manoeuver, to handle
manoir *m.* manor, manor house
manquer to be wanting, to fail, to miss, to have need, to be missing; **— à** to be missing, to be lacking; **— de parole** to fail to keep one's promise; **il ne vous manque plus que** you need only to
manteau *m.* cloak, cape
marais salants *m. pl.* salt marshes
marbre *m.* marble, marble table
marchand *m.* merchant, trader
marchandise *f.* goods, merchandise
marche *f.* march, walk, step; **en —** marching; **se mettre en —** to start walking; **de —** on foot
marché *m.* market; **bon —** cheap
marcher to walk, to march, to go

forward; **faire —** to start marching
marécage *m.* marsh
maréchal *m.* marshal
marguerite *f.* daisy
mari *m.* husband
mariage *m.* marriage, wedding
marié, -e married, matched; **la —e** the married woman
marier to marry; **se —** to get married, to marry
marin, -e marine
marin *m.* seaman
marine *f.* navy
marionnette *f.* puppet
marjolaine *f.* sweet marjoram
marmelade *f.* jam
marmot *m.* brat, little chap
marquant, -e conspicuous, striking, outstanding
marque *f.* mark
marquer to mark, to note, to initial (a cloth); **— le pas** to beat time
marteau *m.* hammer
martial, -e warlike, martial
martyr *m.* martyr
martyre *m.* martyrdom
masque *m.* mask
masse *f.* mass; **en —** in a group
massif *m.* clump, grove
massue *f.* club
masure *f.* hovel, hut
mât *m.* mast, pole
matelas *m.* mattress
matin *m.* morning
mâtin, -e rascal, cur
matinal, -e morning
matinée *f.* morning
maudit, -e cursed
mauresque Moorish
mauvais, -e bad
mauvais, -e bad fellow, bad girl
me me, myself, to me, to myself
mécanique *f.* mechanism, machinery
mécanisme *m.* mechanics, operation
méchanceté *f.* wickedness
méchant, -e wicked, ill-natured
méchant, -e wicked, ill-natured man (or woman)

mèche *f.* lock of hair; **vendre la —** to tell the secret
méconnaissable unrecognizable
médaille *f.* medal
médecin *m.* doctor
médiocre mediocre, ordinary
méditation *f.* meditation, thought
Méditerranée *f.* Mediterranean
méfait *m.* misdeed, crime
méfiance *f.* distrust, suspicion
méfiant, -e suspicious
méfier: se — to beware, to suspect, to be on one's guard
meilleur, -e better; **le —** the best
mélancolie *f.* melancholy
mélancolique melancholy, gloomy, sad
mêler to mix, to mingle, to intertwine; **se —** to get mixed in, to mingle
mélodieu-x, -se melodious
membre *m.* limb
même same, very, self, even; **de — que** likewise, even as; **quand — in** spite of all; **tout de — all** the same; **en — temps** at the same time
mémoire *f.* memory; **de —** from memory
menaçant, -e threatening
menace *f.* threat
menacer to threaten
ménage *m.* family, household, husband and wife
mendicité *f.* mendicity
mener to lead, to take, to bring, to operate
meneur *m.* ringleader
menottes *f. pl.* handcuffs
mensonge *m.* lie
menteur *m.* liar
mentionner to mention
mentir to lie
menton *m.* chin
menu *m.* menu
menuet *m.* minuet
méprise *f.* mistake, misunderstanding
mépriser to scorn, to despise; **se —** to despise oneself

mer *f.* sea; **en pleine —** on the open sea; **la haute —** high water

merci thanks; **Dieu —** Thank God!

mère *f.* mother

méridional, -e southerner

mérite *m.* merit

mériter to merit, to deserve

merveilleusement marvelously

merveilleu-x, -se marvelous

messe *f.* mass; **grand'—** high mass

messieurs *m. pl.* sirs, gentlemen

mesure *f.* measure; **à — que** according to, in proportion as; **en —** in time; **outre —** beyond measure; **se mettre en —** to arrange, to get ready, to take measures

mesurer to measure

métal *m.* metal

métamorphose *f.* metamorphosis, transformation

méthode *f.* method, system

métier *m.* trade, profession, loom

mètre *m.* meter (about 39 inches)

mettre to put, to place, to spend; **— des ailes** to brighten up; **— l'affaire sur le dos** to take upon oneself; **— le comble** to crown, to complete; **— au courant de** to inform, to acquaint one with; **— au dehors** to put out; **— à l'épreuve** to test; **— fin** to put an end to; **— à l'index** to ostracize; **— la main à l'œuvre** to set to work; **— le nez** to look into, to intrude; **— bon ordre** to put in good order; **— en prison** to imprison; **— en question** to doubt; **— en train** to set going, to start; **se —** to place oneself; **se — à** to begin to; **se — debout** to stand up; **se — en mesure** to get ready, to arrange; **se — sur les rangs** to come forward (as a candidate); **se — en route** to set out; **se — quelque chose sous la dent** to put something in one's mouth; **mettons!** let's say, suppose

meuble *m.* (piece of) furniture

meubler to furnish, fill

meule *f.* millstone, grindstone

meunerie *f.* miller's trade

meunier *m.* miller

meunière *f.* miller's wife

meurtri-er, -ère deadly

meute *f.* pack

mi-chemin: à — halfway

microscopique microscopic, infinitely small

midi *m.* noon, south; **le Midi** South of France

miel *m.* honey

mien, -ne mine

mieux better; **le —** best; **aller —** to be better, to feel better; **aimer —** to prefer; **de mon —** as best I could; **valoir —** to be preferable; **il y a —** better still

mignon, -ne pretty, tiny, darling

milice *f.* militia

milicien *f.* militiaman

milieu *m.* middle, center; **au — de** in the midst of

militaire military

militaire *m* soldier

militant, -e militant

mille thousand

millier *m.* a thousand, about a thousand

minaret *m.* minaret

minauderie *f.* affected manners

mince thin, slender

mine *f.* look, appearance, expression; **faire — de** to pretend; **coup de —** explosion; **bonne —** good looks

ministère *m.* ministry

ministre *m.* minister; **premier —** prime minister

minoterie *f.* flour mill; **— à vapeur** steam mill

minotier *m.* flour merchant, owner of a flour mill

minuit *m.* midnight; **— passé** past midnight

minute *f.* minute

mirage *m.* mirage

miroir *m.* mirror; **— aux alouettes**

mirror used to dazzle and catch larks

mis, -e put, dressed

misérable wretched, miserable

misère *f.* poverty, distress, miserable existence

miséricorde *f.* mercy

mistral *m.* northwest wind of southern France; **coup de —** gust of northwest wind

mitre *f.* miter

mobile mobile, variable

mode *f.* fashion, vogue, style

modèle *m.* model

moderne modern

modeste modest, unpretentious

modestement modestly

modestie *f.* modesty

moellon *m.* rough stone

mœurs *f. pl.* customs, behavior

moi I, me, to me, ego; **— même** myself

moindre less, least, least important; **le —** the least

moins less; **au —** at least; **à — que** unless; **du —** at least; **à — de** unless; **pour le —** at least; **ni plus ni —** neither more nor less; **tout au —** at the very least

mois *m.* month

moisson *f.* harvest

moite moist, damp

moitié *f.* half; **à — in** half; **riant à —** half laughing

mol *see* **mou**

mollesse *f.* softness

mollir to soften, to weaken

moment *m.* moment; **en ce — at** this moment; **au — où** at the moment when; **à tout — at** every turn; **par —s** at times, at intervals; **un — for** a moment

monde *m.* world, people, society; **tout le — everybody; le beau — elegant** people; **en ce bas — in** this world; **venir au — to** be alive

monopole *m.* monopoly

monotone monotonous

monstre *m.* monster

monstrueu-x, -se monstrous

monstruosité *f.* monstrosity

montage *m.* mounting

montagne *f.* mountain

monté, -e equipped, mounted

monter to go up, to come up, to climb up, to ascend, to mount, to boil (blood), to ride; **— à cheval** to go horseback riding; **— la garde** to mount guard; **— la tête** to get excited; **faire — to** send up; **— le rouge** to cause one to turn red, to blush; **se — to** rise, to get excited; **— au pouvoir** to take up the power

monticule *m.* small hill

montrer to show, to exhibit; **— les cornes** to show one's teeth (one's head); **— du doigt** to point; **se —** to show oneself, to show to one another

monture *f.* animal, mount

moquer: se — de to make fun of

moqueu-r, -se mocking, scornful

moral, -e moral

moral *m.* morale

morceau *m.* piece, morsel

mordant, -e biting

mordienne! a mild curse word, darn it

mordre to bite; **se — to** bite oneself

mort, -e dead

mort *f.* death

mort, -e *m.* or *f.* dead man (or woman)

morue *f.* codfish

mosaïque *f.* mosaic

mosquée *f.* mosque

mot *m.* word; **— d'ordre** password; **sans — dire** without saying anything; **en deux —s** briefly

motif *m.* cause, motive

mou, mol, molle soft

mouchard *m.* spy, informer, detective

mouche *f.* fly

moucheté, -e spotted, speckled

mouchoir *m.* handkerchief

moudre to grind, to mill
mouiller to wet, to moisten; **se —** to be moistened, to get wet
mouillure *f.* wetting, wetness
moulin *m.* mill; **— à vent** windmill
mourir to die; **— de faim** to die of hunger; **se —** to be dying
mousquet *m.* musket
mousqueterie *f.* musketry, volley of shots, gunfire
mousse *f.* moss; **— au chocolat** chocolate mousse
mousseline *f.* muslin
moustache *f.* mustache
moutarde *f.* mustard
moutardier *m.* mustard maker
mouton *m.* sheep
mouvement *m.* movement, motion; **sans —** motionless, inanimate
moyen *m.* means, way; **au — de** by means of
muet, -te silent
muet *m.* dumb man
muezzin *m.* muezzin
mufle *m.* mouth, muzzle
mugir to bellow, to groan, to roar
mule *f.* mule
mulet *m.* mule
multiplié, -e multiplied
municipal, -e municipal
munificence *f.* munificence
mûr, -e mature, ripe
mur *m.* wall; **tirer au —** to practice kicking against the wall
muraille *f.* thick, high wall
muré, -e walled up, screened
murissant, -e ripening
murmure *m.* murmur
murmurer to murmur, to mutter, to whisper
muscat *m.* muscatel (wine)
museau *m.* muzzle, snout
musée *m.* museum
musique *f.* music; **faire de la —** to play music
musulman *m.* Mohammedan
mutualité *f.* mutuality
myrte *m.* myrtle
mystère *m.* mystery

mystérieu-x, -se mysterious
mystification *f.* mystification
mythe *m.* myth

N

nacre *f.* mother-of-pearl
nager to swim, to float, to struggle
naï-f, -ve simple, artless
naissance *f.* birth
naïveté *f.* innocence, artlessness
naître to be born
napoléonien, -ne Napoleonic
napolitain, -e Neapolitan
nappe *f.* cover, sheet, tablecloth
Narbonnais *m.* former French province on the Mediterranean near Spain
narguer to defy, to mock, to tantalize
narguilhé *m.* Turkish pipe
narine *f.* nostril
narquois, -e sly, bantering
natal, -e native, natal
nati-f, -ve native
nation *f.* nation
national, -e national
nature *f.* nature, temperament
naturel, -le natural
naturel *m.* nature, naturalness
naturellement naturally
naufrage *m.* shipwreck
navette *f.* shuttle
navrant, -e heart-rending, distressing
ne: — . . . aucun not any, no one, not; **— . . . guère** hardly, scarcely; **— . . . jamais** never; **— . . . pas** not; **— . . . personne** no one, nobody; **— . . . point** no, not at all; **— . . . que** only; **— . . . rien** nothing
né, -e born
néanmoins nevertheless
nécessaire necessary
nécessité *f.* necessity, need
nécessiteu-x, -se needy
nécropole *f.* necropolis, cemetery
négligé, -e careless
négligemment carelessly

négliger to neglect
nègre *m.* Negro
neige *f.* snow
nerf *m.* nerve
nerveu-x, -se nervous, wiry
net, -te clear, plain, frank
net point-blank, flatly
neu-f, -ve new
neveu *m.* nephew
nez *m.* nose; — à — face to face;
  mettre le — to look into, to
  intrude; **rire au** — to laugh in
  someone's face; **coup de** — a tap
ni neither; **ne** . . . — . . . neither
  . . . nor . . .
niche *f.* niche, corner
nicher to build a nest, to nest
nièce *f.* niece
nier to deny
nippes *f. pl.* clothes, things
niveau *m.* level
noble noble
noblesse *f.* nobility
noces *f. pl.* marriage, wedding
nocturne nightly, at night
nœud *m.* knot, bow
noir, -e black
noir *m.* Negro
noirceur *f.* blackness, baseness
noircir to blacken
noisette *f.* hazelnut
nom *m.* name, reputation; **petit** —
  Christian name; — **d'un chien** by
  George!; — **d'un cheval** by gosh!
nombre *m.* number
nombreu-x, -se numerous
nommé, -e *m. or f.* a certain, the
  said
nommer to name; **se** — to be
  called, named
non no, not; — **plus** neither
nord *m.* north
nos our
notable *m.* man of note, notable
notaire *m.* notary, attorney
note *f.* note, bill
noter to observe, to notice, to brand
notre our
nôtre: le —, **la** — ours

nouer to knot, to tie
noueu-x, -se knotty
nougat *m.* nougat, almond cake
nourri, -e full, resonant
nourrice *f.* nurse
nourrir to feed, to sustain, to fill;
  se — to live on, to support
nourriture *f.* food, diet
nous we, us, ourselves, to ourselves,
  to us, each other; — **mêmes**
  ourselves
nouveau, nouvel, nouvelle new, recent, modern; **de** — again; —
  venu newcomer; **et même qu'il y**
  a du — I even have some news
  for you
nouveauté *f.* newness
nouvelle *f.* news; **les —s** news
noyer to drown; **se** — to be
  drowned
nu, -e naked, bare; **pieds —s** bare-
  footed
nuage *m.* cloud
nuageu-x, -se cloudy
nuance *f.* shade
nuancer to shade, to tint
nuit *f.* night; **bonne** — good-night;
  la noire — pitch dark
nuitamment nightly
nul, -le no, not any
nullement not at all
numéro *m.* number
nuque *f.* nape (of the neck)

O

obéir to obey
obéissance *f.* obedience
obéissant, -e obedient, docile
objection *f.* objection
objet *m.* object
obligeamment obligingly
obligeant, -e obliging
obliger to oblige
obscur, -e obscure, dark, unknown
obscurité *f.* darkness, obscurity
obséder to haunt, to torment
observation *f.* observation, accomplishment, remark

observer to observe, to watch
obstacle *m.* obstacle
obstination *f.* stubbornness
obstiné, -e obstinate
obstinément obstinately
obstrué, -e obstructed
obtenir to obtain, to get
obus *m.* shell
oc yes; **langue d'—** language of the southern part of France
occasion *f.* opportunity, occasion; **à l'—** when the occasion arises (or arose), if needs be; **d'—** second-hand, by accident
occupé, -e busy
occuper to occupy; **s'—** to busy oneself, to take care
océan *m.* ocean
odeur *f.* smell, scent, odor
odieu-x, -se hateful
odorant, -e fragrant, sweet-smelling
odorat *m.* sense of smell
œil *m.* (*pl.* **yeux**) eye; **coup d'—** glance; **avoir à l'—** to keep an eye on
œuvre *f.* work, deed; **banc d'—** churchwarden's pew; **main d'—** workers
offenser to offend
offert, -e offered
office *m.* pantry
officier *m.* officer
offre *f.* offer
offrir to offer; **s'—** to offer oneself
offusquer: s'— to hesitate
oie *f.* goose
oignon *m.* onion
oiseau *m.* bird
olivade *f.* olive-gathering time
olivier *m.* olive tree
ombré, -e shaded
ombre *f.* shadow
on, l'on one, they, you, we
oncle *m.* uncle
ondé, -e curled, wavy
onde *f.* wave
ondée *f.* shower
ondulant, -e waving, undulating

ongle *m.* finger nail, claw
onze eleven
opération *f.* operation, working
opérer to operate; **s'—** to take place
opinion *f.* opinion, public opinion
opposer to oppose
oppression *f.* oppression, suffocation
or now, then
or *m.* gold
orage *m.* storm, thunderstorm
orateur *m.* orator
oratorien *m.* Oratorian (member of a religious order)
orchestre *m.* orchestra
ordinaire ordinary, usual; **d'—** ordinarily, usually
ordinaire *m.* daily fare
ordination *f.* ordination, installation
ordonner to order, command
ordre *m.* order, command, management; **par —** by command, in an orderly fashion; **mot d'—** password; **mettre bon —** to put in good order, to put an end to
ordure *f.* filth, dirt
oreille *f.* ear; **avoir chaud aux —s et aux cheveux** to blush deeply, to blush to the tip of one's ears
organisateur *m.* organizer
organisation *f.* organization
organiser to organize, to fashion; **s'—** to organize oneself
orgueil *m.* pride
orgueilleu-x, -se proud, haughty
orient *m.* East
oriental, -e oriental, eastern
orifice *m.* opening
original, -e original
ornement *m.* ornament
orner to adorn, to embellish
orphelin *m.* orphan
orphéon *m.* choral or singing society
orphéoniste *m.* member of a choral society
os *m.* bone
oser to dare
osier *m.* wicker
osselet *m.* knuckle-bone, small

bone; **jouer aux —s** to play knuckle bones (a peasant game)

ôter to remove, to take off, to deprive

ou or, either

où where, at which, when, that; **d'—** from where

ouailles *f. pl.* flock

oublier to forget; **s'—** to forget oneself

ouest *m.* the west

ourdisseuse *f.* warper

ourse *f.* she-bear; **La Grande Ourse** The Great Bear (a constellation)

outil *m.* tool, implement

outre beyond, besides; **— mesure** beyond measure

ouvert, -e open, frank; **grand —** wide open

ouverture *f.* opening

ouvrage *m.* work, piece of work; **à l'—** to work!

ouvri-er, ère *m.* or *f.* workman, laborer, woman worker

ouvrir to open; **s'—** to open, to bloom

P

pacifique peaceful, peace loving

padre *m.* father

page *f.* page

païen *m.* pagan

paille *f.* straw

pailleté, -e spangled

pain *m.* bread

paire *f.* pair

paisible peaceful, calm

paisiblement peacefully, calmly

paix *f.* peace; **—!** Silence!

palais *m.* palace

palanquin *m.* palanquin (carriage carried by porters)

pâle pale

pâleur *f.* paleness

palier *m.* landing, floor, stair head

pâlir to become or turn pale

palissade *f.* palisade, fence

palme *f.* palm

palmier *m.* palm tree

pâlot, -te palish

palper to feel

palpiter to palpitate, to tremble, to quiver

paludier *m.* salt-maker

pan! bang!

panache *m.* plume

panier *m.* basket; **le dessus du —** the best people

panique *f.* panic

panoplie *f.* panoply, trophy

pantalon *m.* trousers

paon *m.* peacock

papal, -e papal

pape *m.* pope

paperasse *f.* old papers, useless papers or writings, office work

papier *m.* paper

papillon *m.* butterfly

papilloter to twinkle, to dazzle

papyrus *m.* papyrus

Pâques *m.* Easter

paquet *m.* package, bundle

par by, on, through, along; **— -ci, — -là** here and there; on one side, on the other side

parade *f.* show, pageant, parade; **lit de —** bed of state

paradis *m.* paradise

paradoxe *m.* paradox

paraître to appear, to seem; **il n'y paraîtra plus** there will be no trace of it

paralyser to paralyze

parapet *m.* parapet, wall

parc *m.* park, sheepfold

parce que because

parcourir to run over, to go over, to travel through

par-dessus above

pardi! by Jove!

Pardienne by Jove!

pardon excuse me

pardon *m.* forgiveness, pardon

pardonner to forgive, to pardon

paré, -e attired, adorned, dressed up

pareil, -le similar, such

pareil *m.* equal

parent *m.* relative, parent

paresseu-x, -se lazy
parfait, -e perfect
parfaitement perfectly
parfois sometimes, occasionally
parfum *m.* perfume
parfumé, -e perfumed
parfumerie *f.* perfumery
parier to bet
parisien, -ne Parisian
parlementaire parliamentary; drapeau — flag of truce
parler to speak; — bas to speak in a low voice; se — to speak to one another
parmi among
parole *f.* word; manquer de — to fail in one's promise; porter la — to be the spokesman; rendre la — to release from one's promise; — d'Evangile the word of God, God's truth; adresser la — to speak
parquet *m.* floor
parrain *m.* godfather
part *f.* share, interest, part; de la — de from, on behalf of; à — aside; à — soi aside from one's self; d'une — on the other hand; de — et d'autre on either side; de — en — through and through; de sa — on his, her part; nulle — nowhere; prendre — to take part
partager to share; se — to divide
parterre *m.* flower bed
parti, -e gone, coming from
parti *m.* match (marriage), party, detachment
particuli-er, -ère peculiar, particular, singular; en — in private, in particular
particulier *m.* person, fellow
partie *f.* party, game, trade; — de plaisir entertainment; — de chasse hunt; faire — de to belong to, to be one of, to be part of
partir to leave, to set out, to burst from, to come; — comme un trait to dart off; à — de beginning from

partout everywhere
parvenir to arrive, to reach, to succeed in
parvenu *m.* upstart, parvenu; tout — que je sois even though I am a parvenu
pas not; ne . . . — not; — du tout not at all
pas *m.* step, pace, stride; — gymnastique quick step; faire un — to take a step; prendre le — to advance; marquer le — to beat time; au — de course running, at a run; à grands — with long strides; ne céder ni prendre le — not to give nor take precedence
passablement passably, tolerably
passage *m.* passage, crossing, arcade; au — while passing
passant, -e *m.* or *f.* passerby
passe *f.* pass
passé *m.* past; par le — in the past
passe encore! well and good, that's not so bad
passementer to decorate, to trim, to lace
passer to pass, to pass along, to spend, to put on, to go; — pour to be known for; se — to happen, to pass; se — de to do without; y passa was spent there
passi-f, -ve passive
passion *f.* passion
passionné, -e impassioned
pastèque *f.* watermelon
paterne fatherly
paternel, -le paternal, father's, fatherly
patiemment patiently
patience *f.* patience
pâtre *m.* shepherd
patrie *f.* native country, fatherland
patriotique patriotic
patriotisme *m.* patriotism
patron *m.* owner, employer, "boss"
patte *f.* leg, limb (animal), paw
pâturage *m.* pasture
pâturer to graze

paume *f.* palm of the hand, racket (tennis)
paupière *f.* eyelid, eyelash
pause *f.* pause
pauvre poor
pauvre *m.* poor man, beggar
pauvrement with difficulty
pavé *m.* pavement
pavillon *m.* flag
pavoisé, -e adorned with flags
payer to pay
pays *m.* country, place of origin; **dans le —** in the district, neighborhood
paysage *m.* landscape
paysan *m.* peasant
peau *f.* skin, hide
pécaïre! alas! (expression used in Provence)
péché *m.* crime, sin
pêche *f.* fishing, catch, peach
pêcher to fish
pêcher *m.* peach tree
pêcheur *m.* fisherman; **— à la ligne** angler
pécheur *m.* sinner
pectoraux *m. pl.* pectoral regions, chest
peigner to comb
peindre to paint
peine *f.* trouble, difficulty; **à —** scarcely; **grand'—** great difficulty; **avoir — à** to have difficulty in; **ce n'était pas la —** it wasn't worth the trouble; **valoir la —** to be worth the trouble; **cela fait de la —** that hurts one
peint, -e painted
peler to peel, to peel off
pèlerinage *m.* pilgrimage
pénal, -e penal
penaud, -e sheepish, crestfallen
pencher to lean, to bend; **se —** to lean, to stoop
pendant during, for; **— que** while
pendre to hang, to suspend
pendule *f.* mantel clock, timepiece
pénétrant, -e penetrating, understanding

pénétrer to penetrate, to pierce, to enter
péniblement with difficulty, poorly
pénitence *f.* penitence
pénitent, -e penitent
pénombre *f.* semi-darkness
pensée *f.* thought; **à la —** to mind
penser to think
pensi-f, -ve pensive, thoughtful
pente *f.* slope; **en —** sloping
pépin *m.* mishap (familiar)
pépinière *f.* tree nursery
perçant, -e piercing, shrill
perceptible perceptible
percer to penetrate, to appear, to go through
perché, -e perched
percolateur *m.* percolator
perdre to lose; **— de vue** to lose sight of; **— la tête** to lose one's head; **se —** to get lost, to hide
perdu, -e lost, ruined
père *m.* father
perfection *f.* perfection
perfectionné, -e of an advanced design
perfide perfidious, treacherous
perfidie *f.* treachery, perfidy
péri *f.* peri, elf, fairy
péril *m.* peril
périlleu-x, -se dangerous
période *f.* period, time
périr to perish
perle *f.* pearl
perlé, -e pearly, rippling
permanence: en — permanently
permettre to allow, to permit; **se — to allow oneself
permis, -e permitted
permis *m.* permit, licence
péronnelle *f.* gossip
perpétuel, -le perpetual
perpétuité *f.: à —** for life
perron *m.* outside landing, flight of stairs (before a house)
persécuteur *m.* persecutor
persévérer to persevere
personnage *m.* character, person, important person

personne nobody, anyone; **ne . . .
— nobody,** no one, not anybody
personne *f.* person, own self; **en —**
in person; **être bien fait de sa —**
to be well built
persuader to persuade, to coax
perte *f.* loss, ruin
peser to weigh
pétard *m.* firecracker
petit, -e small, little
petite *f.* young girl, dear girl
petite-fille *f.* granddaughter
petitesse *f.* smallness, insignificance
petit-fils *m.* grandson
pétition *f.* petition
pétrifié, -e petrified
peu little, not very; **— de** few;
— à — little by little; **avant —**
shortly, before long; **à — près**
almost, more or less exactly,
about; **depuis —** since a short
time
peuple *m.* people, nation, common
people
peur *f.* fear; **de — de** for fear of;
avoir — de to be afraid of; **faire
—** to frighten; **de — que** lest
peut-être perhaps
phalange *f.* band, phalanx
pharmacie *f.* pharmacy
pharmacien *m.* druggist, pharmacist
phénomène *m.* phenomenon
philosophe *m.* philosopher
philosophie *f.* philosophy
phrase *f.* sentence, phrase
phraséologie *f.* phraseology
physionomie *f.* countenance, look
piailler to scream, to yell constantly, to bawl
pie *f.* magpie
pièce *f.* room, piece, play, coin,
part; **— du bas** lower room; **— à
conviction** evidence; **— d'or** gold
coin
pied *m.* foot; **à —** on foot; **—s
nus** barefoot; **le — sûr** sure-
footed; **prendre —** to get a footing; **frapper des —s** to stamp;
coup de — kick

piège *m.* trap
pierre *f.* stone
pieu *m.* stake
pile *f.* heap
pilier *m.* pillar, column
pilon *m.* stamper, pestle
pin *m.* pine tree
pinceau *m.* pencil, brush
pincement *m.* pinching
pincer to bite, to catch, to pinch,
to be biting cold
pioche *f.* pickax; **à coups de —**
with a pickax
piper to deceive, to trick
piquant, -e biting, sharp, prickly
piqué, -e stuck, dotted
piquer to stir, to excite
piquet *m.* picket, peg, stake
piqûre *f.* sting, pricking
pis worse; **tant —** so much the
worse
piste *f.* track, trail, runway
pistil *m.* pistil
pistolet *m.* pistol
pitié *f.* pity; **par —** have mercy, I
beg you
pittoresque picturesque
pivoine *f.* peony
pivoter to turn on a pivot
place *f.* square, place, position, job,
spot, fortress; **faire — à** to give
way to, to make room; **prendre —**
to take one's place; **changer de —**
to move
placer to place, to put; **se —** to
be placed, to place oneself
placet *m.* petition
plafond *m.* ceiling
plage *f.* beach
plaider to plead
plaidoyer *m.* plea, defense
plaie *f.* wound
plaindre to pity; **se —** to complain
plaine *f.* plain
plainte *f.* wailing
plaire to please; **s'il vous plaît** if
you please, please; **se —** to
delight in
plaisant, -e pleasing

plaisanter to joke, to jest, to make fun of

plaisanterie *f.* joke, jest

plaisir *m.* pleasure; à — delightedly, with pleasure; **prendre —** to delight in; **faire —** to please

plan *m.* plan, scheme, map

planche *f.* board, plank

plancher *m.* floor

planchette *f.* board

plant *m.* plantation, grove

plante *f.* plant

planter to plant, to set; **se —** to station oneself

planteur *m.* planter

plastron *m.* fencing pad, plastron, man used as a screen

plat, -e flat; à — flat

plat *m.* dish, dish of food

plateau *m.* tray, tableland

plate-bande *f.* flower bed

plate-côte *f.* top rib of beef

plate-forme *f.* platform

platonique platonic

plâtras *m.* old plaster, rubbish

plâtre *m.* plaster

plein, -e full; **en — air** in the open air

pleurer to weep, to cry; **— du sang** to weep bitterly

pleurnicher to whimper, to snivel

pleuvoir to rain

pli *m.* fold, bend; **— de terrain** depression

plier to bend, to fold

plomb *m.* lead

plongeon *m.* dive

plonger to plunge, to dive, to sink

ployer to bend

pluie *f.* rain, shower

plume *f.* feather, pen

plupart: **la —** the most

plus more; **tout au —** at the most; **de —** besides, more than; **non —** neither; **ni — ni moins** neither more nor less; **ne . . . —** no more, no longer

plusieurs several

plutôt rather

poche *f.* pocket, pouch, bag

poème *m.* poem

poésie *f.* poetry

poète *m.* poet

poétiquement poetically

poids *m.* weight

poignant, -e heart-rending

poignard *m.* dagger

poignée *f.* handful; **— de mains** hand shakes

poignet *m.* wrist; **coup de —** twist of the wrist

poil *m.* hair (of animals); **à grands —s** covered with a shaggy felt; **— à gratter** bristles cut from the brush and put into someone's bed as a prank; **à lisse —** in the direction that the hair or fur grows; **à rebrousse —** in the direction opposite to the natural growth of the hair or fur

poilu, -e hairy

poilu *m.* name given to French soldiers in the First World War

poing *m.* fist, hand

point not at all, none (negative without ne); **ne . . . —** not at all

point *m.* period, point; **à —** well done; **au — de vue** from the point of view; **— d'appui** prop; **arriver à —** to arrive in time; **j'ai été sur le —** I came near, I almost

pointe *f.* point, top; **coup de —** thrust

pointu, -e pointed, peaked

poire *f.* pear

poisson *m.* fish

poitrail *m.* breast (of a horse)

poitrinaire *m.* or *f.* consumptive, tubercular

poitrine *f.* chest

polaire polar

police *f.* police

Polichinelle *m.* Punch and Judy

policier *m.* policeman

poliment politely

politesse *f.* politeness

politique political
politique *m.* politician, statesman
politique *f.* politics
pommade *f.* jelly-like mass
pomme *f.* apple; — **de terre** potato
pommeau *m.* pommel
pompeu-x, -se pompous
pompier *m.* fireman
pompon *m.* topknot, tuft
pont *m.* bridge; **à** — with flaps
pontife *m.* pontiff
pont-levis *m.* drawbridge
populaire popular
populaire *m.* populace
population *f.* population
porcelaine *f.* porcelain
poreu-x, -se porous
port *m.* port, harbor
porte *f.* door; **à la** — close by; **de** — **en** — from door to door
porté, -e carried, projected (of shadows)
portée *f.* reach, range, shot
portefeuille *m.* pocketbook
porter to carry, to wear, to bear, to bring; — **envie** to envy; — **la parole** to be the spokesman; **se** — to be (of health), to turn, to move, to go; — **la main** to touch
porteur *m.* carrier
portière *f.* coach door, curtain, door
portion *f.* portion, part
portrait *m.* portrait
pose *f.* posture, pose
poser to set, to pose, to lay down, to put, to stand, to assume an attitude; **se** — to assume an attitude, to set, to place oneself, to rest; — **une question** to ask a question
positi-f, -ve practical, positive, definite
position *f.* position
posséder to possess, to own, to have
possible possible
poste *m.* post, guardhouse, position
poster to station; **se** — to be stationed, to station oneself

pot *m.* pot, jug, jar; — **-au-feu** boiled beef
potager *m.*: **jardin-** — kitchen garden, vegetable garden
potelé, -e plump, chubby
pouce *m.* thumb, inch, "give in"; **se tourner les** —**s** to be idle
poudre *f.* powder, dust
pouiller to delouse, to make clean, to make insulting remarks
poulailler *m.* chicken house
poule *f.* hen, fowl
pouls *m.* pulse
poumon *m.* lung
poupée *f.* doll
pour for; — **que** in order that, so that; — **ne pas avoir** because he had not
pourlécher: se — to lick one's chops (of an animal)
pourpre purple
pourquoi why
pourri, -e rotten
poursuite *f.* pursuit, chase; **se mirent à ma** — started to chase me
poursuivre to pursue
pourtant however, yet
pourvu que provided that
pousser to push, to urge, to utter (a cry), to induce, to grow, to press
poussière *f.* dust; — **de soleil** golden haze
poussiéreu-x, -se dusty
pouvoir to be able, can, may; **il se peut** it is possible; **n'en** — **plus** to be at the end of one's rope; — **s'y faire** to become interested
pouvoir *m.* power, authority; **s'il était au** — if it were within the power; **monter au** — to take up the power
prairie *f.* meadow, prairie
pratique practical
pratique *f.* dealing, business, customer
pratiquer to practice, to exercise, to contrive, to cut
préalable prerequisite, preceding

précaution *f.* precaution; par — as a precaution
précédent, -e preceding
précéder to precede
précepteur *m.* private tutor
prêcher to preach
précieu-x, -se precious
précipitamment headlong, hurriedly
précipiter: se — to rush forward
prédiction *f.* prediction
prédire to predict
préférence *f.* preference; de — in preference, preferably
préfet *m.* prefect
préjugé *m.* prejudice, presumption
prélude *m.* prelude, opening, flourish
premie-r, -ère first, former; le — first floor
premie-r, -ère *m.* or *f.* first
prendre to take, to seize, to catch, to manage, to take hold of, to assume, to buy; à tout — everything considered, in the main; — un air de to assume an air of; — les armes to take up arms; — un élan to get ready for a kick, make a spring, dash; — le galop to gallop; — la fuite to run away; — garde to take care, to notice, to mind; — par to follow, to go by; — part to take part; — le pas to advance, to take precedence; — pied to get a footing; — plaisir to delight in; — soin to take care; — le soleil to sun oneself; se — à to start to; — en affection to take a liking to; — patience to have patience; — la suite to follow; — un petit air de to look a little like
prénom *m.* first name, Christian name
préoccupation *f.* preoccupation, anxiety
préoccuper to preoccupy the mind, to worry, to trouble
préparer to prepare; se — to prepare oneself

préposé, -e set over, charged with
près near, nearly; de bien — very near; tout — very near; de si — so closely; de — closely; à peu — almost
présage *m.* omen
présager to forebode
présence *f.* presence
présent, -e present
présent *m.* present, gift
présenter to present
préservati-f, -ve preservative
préservation *f.* preservation
préserver to preserve, protect
président *m.* president
presque almost, nearly
presqu'île *f.* peninsula
pressant, -e urgent, insistant
pressé, -e in haste, in a hurry, urgent; au plus — in the greatest of haste, to the most urgent thing
pressentiment *m.* foreboding
presser to urge, to press; se — to hurry, to press upon
pression *f.* pressing, pressure
prestance *f.* commanding appearance
prestement quickly
prestige *m.* enchantment, magic spell
prêt, -e ready, on the point of
prétendre to claim, to assert
prétention *f.* pretension, intension
prêter to lend
prétexte *m.* pretext, excuse
prêtre *m.* priest
preuve *f.* proof
prévenance *f.* kindness
prévenir to warn, to inform
prévoir to foresee
prier to request, to implore, to pray; je vous prie I beg of you, please; se faire — to require urging
prière *f.* prayer
prime *f.* bonus
primeur *m.* first of the season (fruits, vegetables)
prince *m.* prince

princesse *f.* princess
principal, -e principal; **le — inté-ressé** the man most involved
principalement principally
principe *m.* principle; **dans le —** in principle, basically
printemps *m.* spring
pris, -e taken, stiff
prise *f.* capture
prison *f.* jail, prison; **mettre en —** to imprison
prisonnier *m.* prisoner
privé, -e private
privilégié, -e privileged person
prix *m.* price
probant, -e convincing, conclusive
probe honest, upright
probité *f.* honesty
procession *f.* procession
prochain, -e next
proclamer to proclaim
procurer to secure; **se —** to obtain for oneself
prodigieu-x, -se wonderful, prodigious, extraordinary
prodiguer to lavish
production *f.* production, work
produire to produce; **se —** to occur
produit *m.* product, proceeds
profane secular, profane
profaner to defile, to profane
proférer to utter, to pronounce
professeur *m.* or *f.* `professor, teacher
profil *m.* profile; **en —** in profile
profit *m.* benefit; **au — de** for the benefit of
profiter to take advantage of, to avail oneself
profond, -e profound, deep
profondément deeply, greatly
profondeur *f.* depth
progrès *m.* progress
proie *f.* prey
projet *m.* plan, scheme, idea
projeté, -e planned
prolongé, -e prolonged
prolonger: se — to extend, to be prolonged

promenade *m.* walk; **à la —** when he goes walking (or riding)
promener to take about, to lead about; **se —** to walk, to take a walk; **— les yeux** to turn one's eyes, to survey
promeneu-r, -se *m.* or *f.* walker, stroller, pedestrian
promesse *f.* promise
promettre to promise
promis, -e promised
promontoire *m.* promontory
prompt, -e quick, ready, prompt
promptement quickly
promptitude *f.* promptness
prononcer to pronounce
propager to spread; **se —** to spread
prophète *m.* prophet, the Prophet (Mohammed)
prophétique prophetic
propice favorable, propitious
propos *m.* words, talk; **à — de** concerning; **à tout —** on every occasion; **à — by** the way, opportunely
proposer to propose, to offer
proposition *f.* proposition
propre own, suitable, clean
propret, -te spruced up, neat
propriété *f.* property
prospérer to prosper
protection *f.* protection
protéger to protect
protester to protest, to assure, to insist upon
prouver to prove
provençal, -e Provencal, a person from Provence
proverbe *m.* proverb
providentiel, -le providential
province *f.* province; **en —** in the provinces (that is, outside of Paris)
proviseur *m.* headmaster, principal
provision *f.* supply, provision
provisoirement provisionally, temporarily
provoquer to instigate, to provoke, to bring about

prude prudish
prudent, -e prudent
publi-c, -que public; **la chose publique** the commonweal
pudeur *f.* modesty, bashfulness
puis then, next
puiser to draw, to take
puisque since
puissance *f.* strength, power, force
puissant, -e powerful
puits *m.* well; **— fontaine** fountain, spring
punch *m.* punch (beverage)
punir to punish
pupître *m.* desk
pur, -e innocent, pure
pureté *f.* purity
pyramide *f.* pyramid

Q

quadrille *m.* quadrille, square dance
quai *m.* quay, wharf, river front
qualité *f.* rank, quality; **en — de** in the capacity of, as
quand when, even if; **— même** in spite of everything
quant à as for
quantité *f.* quantity
quarantaine *f.* about forty
quarante forty
quart *m.* quarter; **— d'heure** moment
quartier *m.* district, quarter, section
quasi almost, nearly
quasiment almost
quatre four
quatre-vingt-dix-neuf ninety-nine
quatrième fourth
que whom, what, that, which, than, as, how; **ce —** what, that which; **qu'est-ce —** what; **qu'est-ce — c'est?** what is it?; **ne . . . —** only; **qu'il y en a!** how many there are!
quel, -le what, what a
quelconque whatever, some
quelque some, any, a few

quelque however
quelque chose something
quelquefois sometimes
quelqu'un someone, somebody
querelle *f.* quarrel
quérir to fetch
question *f.* question; **mettre en —** to question, to doubt; **il est encore moins —** it is still more out of the question
questionner to question
quêter to beg for alms, to canvass
queue *f.* tail, pig-tail, queue; **à la — leu leu** one after another, in a file
qui who, whom, that which; **ce —** what, that which; **qu'est-ce —** what
quiconque whosoever
quinzaine *f.* fortnight
quinze fifteen; **il y a — ans de cela** fifteen years have elapsed since then
quitte free; **vous voilà —** you need not have any fear, you are let off
quitter to leave; **se —** to leave one another
quoi what; **je ne sais — de** an indescribable something; **avoir de — ** to have sufficient, to have the means, to have enough, to be enough; **de —** the wherewithal, wherewith, enough; **savoir à — s'en tenir sur** to know how matters stand concerning
quoique although

R

rabat *m.* band (for the neck) worn by French priests
raccommodé, -e mended, repaired
raccommoder: se — to be reconciled, to make up again
race *f.* race, line
racine *f.* root
râcleur *m.* catgut scraper
raconter to tell, to relate

radieu-x, -se radiant
raffermir: se — to grow stronger, to improve
raffoler de to dote on, to be very fond of
rafraîchir to refresh, to cool
rafraîchissement *m.* cooling effect
ragaillardissant, -e enlivening
rage *f.* passion, mania
rager to be angry, to fume
raide stiff
raie *f.* line, streak
raillerie *f.* jesting, raillery
railleu-r, -se bantering, scoffing, mocking
raisin *m.* grape
raison *f.* sense, reason; **avoir —** to be right
raisonnable reasonable
raisonner to reason, to think out
raisonneur *m.* logician, arguer
ralenti, -e slower
râler to breathe one's last
rallié, -e rallied
ramasser to pick up
rame *f.* oar, stick
rameau *m.* branch
ramener to bring back
rancune *f.* rancor, grudge
rancuni-er, -ère rancorous, spiteful
rang *m.* rank; **tenir un —** to hold a position; **se mettre sur les —s** to come forward (as a candidate); **prendre nos —s** to get in line
rangée *f.* row
ranger to set, to arrange; **se —** to make room, to step aside
ranimé, -e refreshed
rapace rapacious, greedy
rapacité *f.* greed
rapetisser to make smaller, to belittle
rapide rapid, steep
rapidement rapidly, swiftly, quickly
rapidité *f.* swiftness, speed
rappel *m.* call, call to arms; **battre le —** to call to arms, to call up
rappeler to recall, remind; **se —** to remember

rapport *m.* report, information; **— à** on account of
rapporter to bring back
rare infrequent, rare
rareté *f.* rare thing
raser to shave; **rasé de frais** just shaven; **se —** to shave
rassembler to gather
rassurer to reassure, to comfort
rat *m.* rat
râteau *m.* rake
ratissé, -e raked
rattacher: se — to be linked up
rauque hoarse
ravager to lay waste, to ravage
ravi, -e delighted, overjoyed
ravin *m.* ravine
raviser: se — to change one's mind, to reverse one's decision
ravissant, -e delightful, charming
ravoir to get back, to have again
rayé, -e striped
rayon *m.* ray, beam
réaliser to realize
réalité *f.* reality
rebondir to rebound
rebord *m.* border, ledge
rébus *m.* rebus, conundrum, pun
receleur *m.* receiver of stolen goods
récent, -e recent
réception *f.* reception
receveur *m.* collector (of taxes)
recevoir to receive
réchapper to escape
réchauffer to warm up again
recherche *f.* search
recherché, -e choice, affected
récidiviste *m.* old offender, habitual criminal
récif *m.* ledge, ridge
récit *m.* story, narrative, telling
réciter to recite
réclamer to claim, to demand back again, to protest
récolte *f.* crop, harvest
récolter to gather in, to harvest
recommandation *f.* recommendation, suggestion, warning
recommander to intrust, to request

recommencer to begin again
récompense f. reward, recompense
récompenser to reward
réconcilier: se — to be reconciled
reconduire to accompany, to lead back
réconforté, -e comforted
reconnaissable recognizable
reconnaissance f. recognition, reconnoitering
reconnaître to recognize, to find out, to acknowledge; **se —** to come to oneself
reconquérir to reconquer, to win over again
recopier to copy again
recoudre to sew up again
recourbé, -e bent
recours m. recourse, resort
récréation f. recreation, amusement, play, recess; **heure de —** playtime
recteur m. rector, pastor of a parish in Brittany
recueil m. collection
recueilli, -e meditative, collected, absorbed in thought, gathered, picked up, received
recueillir: se — to collect one's thoughts
reculer to go backward, to draw back, to fall back
redescendre to come down again
redevenir to become again
rédiger to draw up, to compose
redingote f. frock coat
redire to repeat
redonner to revive, to renew
redoublement m. redoubling
redoubler to do again
redoutable dangerous, somebody to be feared
redoute f. redoubt, fortification
redresser to straighten, to straighten up, to raise
réduire to reduce
réel, -le real, true
réellement really, truly
refaire to do again

réfectoire m. refectory, dining room
refermer to close again
réfléchi, -e reflected; **pensée —e** reflexion
réfléchir to reflect; **se —** to be reflected
reflet m. reflection, thought
réflexion f. reflection, thought
reflux m. ebb, reflux
refrain m. refrain
refroidir to cool, chill; **se —** to grow cold
refus m. refusal
refuser to refuse
regagner to go back
regard m. look, glance, eye, expression; **jeter un —** to cast a glance, to take a look; **tromper les —s** to be deceiving
regarder to look, to look at, to concern; **se —** to look at one another
régime m. diet, rule, reign, bunch
régiment m. regiment
régir to govern, to rule
règle f. rule
régler to settle, to decide, to pay for
régner to reign, to rule, to stand prominently
regret m. regret
regretter to regret
réguli-er, -ère regular, steady, even
rehausser to raise, to enhance
reine f. queen
reins m. pl. back; **coup de —** movement of the haunches
reître m. reiter (German soldier), tough, seasoned soldier
rejeter to reject, to throw back, to turn
rejoindre to rejoin, to meet again, to reach; **se —** to meet one another again
réjouir to gladden, to delight; **se —** to enjoy oneself, to make merry
relâche m. intermission, respite
relâcher to release
relancé, -e turned out again
relati-f, -ve relative

relativement relatively
relever to raise, to lift up again, to take up; **se —** to get up, rise
relief *m.* relief
religieu-x, -se religious
relier à to connect with
remanger to start to eat again
remarquable remarkable
remarque *f.* remark, observation
remarquer to notice, to observe
rembrunir: se — to become darker
remercier to thank
remettre to hand over, to give, to deliver, to put on again, to recover, to postpone; **se —** to recover, to be reconciled
remonter to go up again
remontrer to show again
remords *m.* remorse; **un — me prend** a remorse is getting hold of me
rempailleur *m.* chair-mender
rempart *m.* rampart
remplaçant *m.* substitute
remplacer to replace, to serve as a substitute
remplir to fill, to occupy
remuer to stir, to move, to shake; **se —** to bestir oneself
renaître to be born again
renard *m.* fox
rencontre *f.* meeting; **à ta, sa,** etc. **—** to meet you, him or her, etc.
rencontrer to meet
rendez-vous *m.* appointment, place of meeting
rendre to render, to make, to give back, to pay back, to return; **— un culte** to worship; **— la parole** to release one from one's promise; **— l'épée** to surrender; **se —** to go, to proceed; **se — amoureux** to fall in love; **se — compte** to realize; **se — justice** to do oneself justice
rendu, -e delivered, surrendered, made
renfort *m.* reinforcement
rengaîne *f.* refrain

renifler to sniff
renom *m.* fame, renown
renoncer to give up, to renounce
renseigner to inform
renseignement *m.* information; **envoyé aux —s** sent to get information
rentier *m.* person living on income, independent gentleman
rentré, -e sunk in, pressed in
rentrer to return, to re-enter, to take back, to take back in, to return home
renverse: à la — backwards
renverser to upset, to overthrow, to throw back, to rout
renvoyer to send away, to dismiss
répandre to scatter; **se —** to be scattered, to burst out, to indulge in
reparaître to reappear, to come back
repas *m.* meal
repasser to pass again, to review, to pass on
repentir: se — to repent
repentir *m.* repentance
répercuter to echo
répéter to repeat
replier: se — to writhe, to retreat
répliquer to reply, to answer
répondre to answer
réponse *f.* answer; **pour toute —** his only answer was to
reporter to carry back again
repos *m.* rest, pause
reposer to lay, to place again; **se —** to rest
repoussant, -e repulsive
repousser to repulse, to spurn, to grow back again
reprendre to take up again, to take back, to reply, to continue, to regain, to catch again; **— connaissance** to regain consciousness; **— l'empire** to regain control; **se —** to correct oneself
représentant *m.* representative
représentation *f.* performance, show, display

représenter to represent, to mean
réprimer to repress, to restrain
repris, -e caught again
reprise *f.* resumption
reproche *m.* reproach; **adresser des —s** to make reproaches
reprocher to reproach; **se —** to reproach oneself
reproduire: se — to show oneself again
repu, -e well fed, satisfied
républicain, -e republican
république *f.* republic
répugnance *f.* repugnance
répugner to be repugnant
réputation *f.* reputation
réserve *f.* reserve
réserver to reserve; **se —** to reserve for oneself
résignation *f.* resignation
résigné, -e resigned
résigner: se — to resign oneself
résistance *f.* opposition, obstacle, resistance
résister to resist
résolu, -e resolved
résolument resolutely
résolution *f.* resolution
résonner to resound, to echo
résoudre to solve
respect *m.* respect; **par —** out of respect
respecter to respect; **se —** to respect oneself, to have self-respect
respiration *f.* respiration, breathing, breath
respirer to breathe, to inhale
resplendissant, -e glittering, resplendent
ressaisir: se — to regain control of oneself
ressaut *m.* abrupt fall, dip, rise and fall
ressemblance *f.* resemblance
ressembler to resemble, to be like; **se —** to look alike
ressentir to feel, to experience
ressort *m.* spring
ressortir to go out again, to stand

out; **faire —** to show off, to set off in relief
ressource *f.* resource; **il y a de la —** he is resourceful
ressusciter to revive, to resuscitate
reste *m.* rest, remainder; **au —** besides; **du —** moreover
rester to remain
résultat *m.* result
retardataire belated, late
retenir to detain, to withhold, to keep, to hold back
retentir to ring, to resound
retirer to withdraw, to take away, to derive; **se —** to retire from, to withdraw
retomber to fall again, to drop
retour *m.* return, coming back, reminder; **au —** on one's return
retourner to return, to turn over; **se —** to turn around; **s'en —** to go back
retracer to retrace
retraite *f.* retreat, retirement, hiding place, withdrawal
retrousser to tie up, to turn up, to turn back; **se —** to tuck up one's gown
retrouver to find again, to recover; **se —** to find one's way again
réunion *f.* reunion, gathering
réunir to bring together, to combine; **se —** to assemble, to gather
réussir to succeed; **— à** to succeed in, to succeed with
rêve *m.* dream
réveil *m.* awakening; **au —** upon reawakening
réveiller to awaken; **se —** to wake up
révéler to reveal, to disclose
revendre to sell again
revenir to come back, to come to, to return
revenu, -e recovered; **— à lui** having recovered
rêver to dream
réverbération *f.* reverberation

révérence *f.* bow
revêtir to put on
rêverie *f.* dream, revery
revêtu, -e covered, lined
rêveu-r, -se dreamy
rêveur *m.* dreamer
revoir to see again; **au —** goodbye
révolte *f.* revolt
révolter to stir up, to rouse; **se —** to revolt
révolution *f.* revolution
revolver *m.* revolver
révoquer to revoke, to dismiss
rez-de-chaussée *m.* ground floor
rhume *m.* cold
riant, -e laughing
ribambelle *f.* string, long line
ricaner to chuckle, to sneer
riche rich
richement richly
richesse *f.* wealth
ridé, -e wrinkled
ride *f.* wrinkle
rideau *m.* curtain
ridicule ridiculous
rien nothing; **ne . . . —** nothing, not anything; **— autre chose** nothing else; **— que** only just
rien *m.* nothing
rieu-r, -se laughing
rigoler to laugh (familiar)
rigueur *f.* severity; **tenir —** not to forgive, to hold something against someone, to be pitiless
rime *f.* rhyme
rimé, -e rhymed
riposter to reply, to return (in fencing)
rire to laugh; **— au nez** to laugh in one's face
rire *m.* laughter, laugh
risque *m.* risk, hazard
risquer to risk; **se —** to risk oneself
rivage *m.* shore
rival, -e rival
rivaliser to rival, to vie
rive *f.* bank
rivé, -e attached, riveted to

rivière *f.* river
robe *f.* dress, gown, robe, cassock
robuste strong, vigorous, robust
roche *f.* rock; **de — vive** cut out of rock
rocher *m.* rock, crag
rôder to wander about, roam
roi *m.* king
roide stiff
rôle *m.* character, role
romain, -e Roman
roman *m.* novel, tale, fiction
romance *f.* ballad, song
rompre to break
rond, -e round
rond *m.* ring, circle
ronde *f.* form of dance (in a ring); **jouer à la —** to play ring around a rosie
ronflement *m.* rumbling, humming
ronfler to snore, to sound, to hum
rose pink, rosy; **— de flamme** rosy flame color
rose *f.* rose
rosé, -e rosy, roseate
roseau *m.* reed
rosier *m.* rose bush
rosse *f.* miserable hack (horse)
rossignol *m.* nightingale
roué *m.* profligate
rouge red, blush
rougeâtre reddish
rougeur *f.* blush, redness, red spot
rougir to blush
rouillé, -e rusty
roulement *m.* rolling, rumbling
rouler to roll; **se —** to roll oneself, to tumble
route *f.* road, way; **grand'—** highway; **faire —** to travel; **se mettre en —** to set out; **en —!** forward! be off!; **continuer sa —** to go on one's way
routine *f.* routine, habit
rouvrir: se — to open again
rou-x, -sse reddish, brown
royal, -e regal, royal
ruade *f.* kick
ruban *m.* ribbon

rubis *m.* ruby
ruche *f.* beehive
rude rough, harsh, bitter, severe, very good (darn good)
rudement roughly
rudesse *f.* harshness
rue *f.* street
ruer: se — to rush upon
ruine *f.* ruin
ruiné, -e ruined
ruisseau *m.* stream, brook
rumeur *f.* rumor, report; en — in an uproar
ruminer to chew a cud
rural, -e from the country, pertaining to the country
ruse *f.* artifice, trick, ruse
Russe *m.* Russian
rythmé, -e rhythmic

S

sable *m.* sand
sablonneu-x, -se sandy
sabot *m.* hoof, wooden shoe; —s de derrière hind hoofs
sabre *m.* saber
sac *m.* bag, sack
sachant knowing
sachez imperative of savoir
sacre *m.* coronation
sacrebleu! by Jove! confound it
sacrer: se — to consecrate oneself
sacrifier: se — to sacrifice oneself
sacristain *m.* sexton
safran *m.* saffron; de — yellow
sage wise, well-behaved
sagesse *f.* wisdom, sense
saignant, -e bleeding
saigner to bleed, to make bloody
saillir to jut out, to stand out
sain, -e sound, healthy
sainfoin *m.* sainfoin, timothy grass
saint, -e holy, saintly; le Saint-Père Holy Father (the pope)
saint *m.* saint
saintement sacredly
sainte-nitouche *f.* sanctimonious person, dissembler, hypocrite

Sa Sainteté *f.* His Holiness (the pope)
saisir to seize, to grasp, to strike, to take hold of, to catch
saison *f.* season, weather
salade *f.* salad
salaire *m.* pay
sale dirty
salle *f.* room, large room; — d'armes fencing school; — à manger dining room
salon *m.* drawing room, parlor, reception hall
salpêtre *m.* saltpeter
saltimbanque *m.* clown
saluer to bow to, to greet, to salute
salut *m.* bow, salute
salut! greetings!, good day
samedi Saturday
sandale *f.* sandal
sang *m.* blood; pur — real, thoroughbred; pleurer du — to weep bitterly; pensez que le — me montait think how my blood boiled
sang-froid *m.* coolness, composure
sanglant, -e bloody
sangle *f.* strap
sanglé, -e strapped
sanglier *m.* wild boar
sanglot *m.* sob
sangloter to sob
sanguin, -e hearty
sans without
santé *f.* health; maison de — private hospital
saoul, -e drunk
sarabande *f.* saraband (dance)
sarcasme *m.* sarcasm
sarment *m.* wine twig
sarrasin *m.* buckwheat
satisfaction *f.* satisfaction
satisfaire to satisfy
satisfaisant, -e satisfactory
satisfait, -e satisfied
sauce *f.* sauce; à la — rousse with a reddish brown sauce
saucisse *f.* sausage
sauf except

saumâtre brackish, briny
saumure *f.* brine
sauter to jump, to blow up; **faire — ** to toss, to cause to jump, to blow up
sauterie *f.* dancing party
sautillant, -e hopping, skipping
sauvage wild
sauver to save; **se — ** to run away
sauvetage *m.* rescue
savamment cleverly
savane *f.* savannah
savant, -e clever, learned
saveur *f.* savor, taste, flavor
savoir to know, to know how, to find out; **en — gré** to be grateful to; **un je ne sais quoi de** an indescribable something
scandaleusement scandalously
scandaleu-x, -se scandalous
scandaliser to shock, to scandalize
scélérat *m.* villain, scoundrel
scène *f.* scene, stage
sceptique *m.* skeptic
schako *m.* shako (military hat)
scie *f.* saw
science *f.* science, knowledge
scintiller to sparkle, to scintillate
scrupule *m.* scruple
scrupuleu-x, -se scrupulous
sculpté, -e sculptured
sculpteur *m.* sculptor
se himself, to himself, herself, to herself, oneself, to oneself, each other, to each other, itself, to itself, themselves, to themselves
sec, sèche dry, clean, sharp
sécher to dry
sécheresse *f.* dryness
second, -e second
seconde *f.* second
secouer to shake, to jolt, to toss
secourir to help, to aid
secours *m.* help, aid, assistance; **au —!** help!
secousse *f.* toss, jerk
secr-et, -ète secret
secret *m.* secret
secrétaire *m.* or *f.* secretary

secteur *m.* section
sédentaire sedentary
séduisant, -e seductive, tempting, fascinating
séduit, -e fascinated, captivated
seigneur *m.* lord
séjour *m.* stay, sojourn
séjourner to stay, sojourn
sel *m.* salt; **gros — ** coarse salt
sélam *m.* emblematic nosegay
selle *f.* saddle
selon according to
semailles *f. pl.* sowing
semaine *f.* week; **en — ** during the week
semaison *f.* sowing season
semblable similar
semblable *m.* equal, fellow man
semblant *m.* appearance; **faire — ** to pretend
sembler to seem, to appear
semer to sow, to spread, to sprinkle, to strew
sens *m.* sense; **— commun** common sense; **bon — ** common sense
sensation *f.* sensation
sensibilité *f.* sensitiveness
sensible sensitive, moved
sensiblement deeply, considerably, noticeably
sentence *f.* maxim
sentier *m.* path
sentiment *m.* feeling, sentiment
sentimental, -e sentimental
sentir to feel, to smell, to savor of, to smack of; **se — ** to feel
séparer to separate; **se — ** to separate from one another
sept seven
septembre *m.* September
sérail *m.* palace, harem
serein, -e serene, calm
série *f.* succession
sergent *m.* sergeant; **— de ville** policeman
sérieusement seriously
sérieu-x, -se serious; **au — ** seriously
serpenter to wind

serré, -e tight, compact, set
serrer to squeeze, to grip, to clasp, to tighten, to grit (teeth); se — to crowd, to press each other, to stand close
serrure f. lock; trou de la — keyhole
servante f. servant
service m. service; au — de in the service of; hors de — out of service, useless; faire le — to do duty, military service
serviette f. napkin, towel, brief case
servir to serve; se — de to make use of
serviteur m. servant
seuil m. threshold
seul, -e one, only, alone, mere, single
seulement only; ne — not even
sévère stern, severe
sexe m. sex
si if, whether, suppose, so, so much; — bien que so that; — ... que as ... as
siècle m. century
siège m. seat
siéger to sit, to hold assembly
sien, -ne his, hers; les —s his, her family
sieste f. siesta, afternoon nap
sieur m. mister, Mr.
sifflement m. whistling
siffler to whistle
signe m. sign, nod; faire — to beckon, to make signs
signer to sign; se — to cross oneself
significati-f, -ve significant
signor sir (Italian)
silence m. silence; en — silently
silencieusement silently
silencieu-x, -se silent
silhouette f. silhouette, outline
sillonné, -e streaked
simagrée f. grimace
simple simple, plain, simple-minded
simple m. simple (medicinal plant)
simplement simply

simplicité f. simplicity
simulacre m. sham, imitation
sincère sincere
singe m. monkey
singuli-er, -ère strange, singular
singulièrement singularly
sinistre sinister
sinon if not
sire m. sir (lord), sire
site m. site
sitôt so soon, as soon; — dit — fait no sooner said than done
situation f. situation
situer to situate, to locate
six six
sixième sixth; au — on the sixth floor
sobre sober, temperate
société f. society
sœur f. sister
soi oneself, self, itself
soie f. silk
soieries f. pl. silk goods
soigner to attend, to nurse, to care for
soigneusement carefully
soin m. care; prendre — to take care
soir m. evening; hier — last night
soirée f. evening, evening party
soit so be it, all right, either; — ... — either ... or; tant — peu ever so little
soixante sixty
sol m. ground, soil
soldat m. soldier; simple — private
soleil m. sun; au — in the sun; le — couchant the setting sun; en plein — in bright sunshine; au grand — in bright sunshine; par le grand — at midday, in bright sunshine; prendre le — to sun oneself; poussière de — golden haze
solennel, -le solemn
solennellement solemnly
solidaire solidarity
solide solid

solidement solidly
solitude *f.* solitude
solliciter to solicit
sombre dark, gloomy, sad, ominous
somme *m.* nap
somme *f.* sum, amount; **en —** finally, on the whole, after all
sommeil *m.* sleep
sommeiller to slumber, to doze
sommer to summon
sommet *m.* summit
somnoler to doze, to slumber
son, sa, ses his, hers, its
son *m.* sound
songer to think; **songe donc** just think
sonnaille *f.* bell (attached to neck of cattle or horses)
sonner to sound, to ring
sorbet *m.* sherbet
sorcier *m.* magician, sorcerer; **ce n'est pas —** it is not such a difficult job
sort *m.* fate, fortune, position; **coquin de —** devilish luck!
sorte *f.* sort, kind, way; **en — que** so that; **de la —** thus, in that way
sortie *f.* exit, leaving, departure, end; **à la —** at the close
sortilège *m.* spell
sot, -te foolish, silly
sot *m.* fool
sottement foolishly
sottise *f.* silliness, folly, foolish thing
sou cent (5 centime piece)
souche *f.* stump, base of a tree or vine
souci *m.* care, anxiety, worry
soucier: se — to worry, care
soucoupe *f.* saucer
soudain sudden, suddenly
souffle *m.* breath, puff (of wind)
souffler to blow, to breathe, to whisper
souffleté, -e buffeted
souffrance *f.* suffering
souffrant, -e ill, suffering
souffrir to suffer

souhaiter to wish
soulager to relieve
soulever to raise, to lift, to carry, to inspire; **se —** to raise oneself
soulier *m.* shoe
soumettre to subdue
soumis, -e subdued, subjugated
soumission *f.* submission, submissiveness
soupçon *m.* suspicion
soupçonner to suspect
soupçonneu-x, -se suspicious, suspicious person; **elle faisait la —se** she pretended to be suspicious
soupe *f.* soup
soupente *f.* garret
souper to eat supper
souper *m.* supper, dinner
soupeur *m.* supper guest
soupir *m.* sigh; **pousser un —** to heave a sigh; **jeter un —** to heave a sigh
soupirer to sigh, to play music softly
souple supple, pliant
souplesse *f.* suppleness, flexibility, facility
source *f.* spring, fountain
sourcil *m.* eyebrow; **froncer le —** to frown
sourd, -e deaf, dull, muffled
sourd *m.* deaf person
souriant, -e smiling
sourire to smile; **se —** to smile at one another
sourire *m.* smile
sournois, -e sly, foxy
sous under, underneath; **sous-pieds** boot straps
souscription *f.* subscription
souscrit, -e subscribed to, agreed to
sous-préfet *m.* administrative head of a **sous-préfecture**, division of a **département**
soutenir to support
souterrain, -e subterranean
souvenance *f.* recollection
souvenir *m.* memory, remembrance
souvenir: se — de to remember

souvent often
spécial, -e special
spectacle *m.* spectacle, scene
spectateur *m.* spectator; en — as a spectator
spectre *m.* ghost
spirituel, -le witty
splendeur *f.* splendor
splendide splendid
spontanément spontaneously
squelette *m.* skeleton
stalactite *f.* stalactite
standard *m.* switchboard
station *f.* stop, station
stationnaire motionless
stationner to stand, to stop
statue *f.* statue
stature *f.* height, stature
stoïque stoic
store *m.* shade
stratégie *f.* strategy
strictement strictly
structure *f.* form
stupéfait, -e stupefied, astonished, dumbfounded
stupeur *f.* stupor
stupide stupid
style *m.* manner, style
suaire *m.* shroud
subalterne assistant, subordinate
subir to undergo, to suffer
subit, -e sudden
subitement suddenly
sublime sublime
subordonné, -e subordinate
subordonner to subordinate
subsister to subsist, to last
subvenir to provide, to help, to pay
succéder to succeed, to follow
succès *m.* success; mauvais — lack of success
succinctement briefly
succulence *f.* tastiness
succulent, -e succulent, juicy, tasty
sucre *m.* sugar
sud *m.* south
suer to sweat
sueur *f.* sweat, perspiration; perlé de — covered with perspiration

suffire to suffice, to be enough
suffisant, -e sufficient
suggestion *f.* suggestion
suicide *m.* suicide
suif *m.* tallow, candle-grease
suisse *m.* church attendant
suite *f.* series, sequel; de — one after another; tout de — immediately; plus de — more cohesion
suivant, -e following
suivre to follow; se — to follow one another
sujet *m.* subject, cause
sultan *m.* sultan; Sultan name of a horse
sultane *f.* sultana
superbe splendid, superb
supérieur, -e superior, greater
superstitieu-x, -se superstitious
supérstition *f.* superstition
supplément: de — extra
supplémentaire supplementary
suppliant, -e beseeching, entreating
supplice *m.* torture
supplier to beg, to entreat
supporter to endure
supposer to suppose
supprimer to suppress
suprême supreme, highest
sur on, upon, against, by; un — sept one out of seven
sûr, -e sure, certain, safe; bien — of course; il aurait la main plus —e his hand would be more accurate
surcharger to overload, to overburden
sûrement surely
sûreté *f.*: en — in safe keeping
surface *f.* surface
surgir to arise, to grow up, to appear
surlendemain *m.* the second day after
surmonter to overcome
surnaturel, -le supernatural
surnuméraire *m.* supernumerary, apprentice
surpasser to excel, to surpass
surplus *m.* surplus; au — furthermore

surprenant, -e surprising
surprendre to surprise, to discover, to catch
surpris, -e surprised
surprise *f.* surprise, amazement, surprise attack
sursaut *m.* start, shock; **en —** with a start
surtout especially
surveillance *f.* supervision, watch
surveillant *m.* overseer, proctor
surveiller to watch, to superintend
survenir to happen unexpectedly, to arrive
survivant *m.* survivor
suspect, -e suspicious
suspendre to hang, to suspend
syllabe *f.* syllable
symbole *m.* symbol
symétriquement symmetrically
sympathie *f.* sympathy
sympathisant, -e sympathetic
système *m.* system; **fusil à —** old-fashioned gun

T

tabac *m.* tobacco
table *f.* table; **à —** sit down to eat; **— d'harmonie** soundboard, lute; **— de nuit** night table
tableau *m.* picture; **— noir** blackboard
tablette *f.* shelf
tablier *m.* apron
tache *f.* spot
tâcher de to try to
tacite tacit, implied
taciturne silent, taciturn
taille *f.* height, size, waist, form, caliber, stature; **panier de —** good size basket; **d'une — élevée** tall
taillé, -e cut, carved, trimmed
taire to quiet; **faire —** to keep quiet, suppress; **se —** to be silent, to stop talking; **tais-toi** be silent
talent *m.* talent

talon *m.* heel
talonner to pursue closely
talus *m.* slope, mound, embankment
tambour *m.* drum
tambourin *m.* tambourine
tambouriner to beat a drum, to drum
tamponner to stop up, to cover up
tandis que while, whereas
tant so much, so many; **— mieux** so much the better; **— pis** so much the worse; **— soit peu** ever so little; **— que** as long as, until; **— à —** so much so, even; **— bien que mal** as well as possible; **— et — que** so much so that; **— que vous êtes** all of you
tante *f.* aunt
tantôt presently; **sur le —** in the afternoon, shortly
tapage *m.* noise, uproar
tape *f.* slap, tap
taper to strike, to hit, to knock
tapis *m.* carpet
tapissé, -e papered, covered
tarabuca *f.* kind of tambourine (used in text as name of an Arabic air)
tarasconnais, -e person from Tarascon
tard late
tarder to delay, to be long in, to long to; **il lui tardait de** he was anxious to
tarir to let up, to exhaust, to stop talking about something
tarte *f.* tart
tas *m.* pile, heap
tâter to feel, to touch
tatouer to tattoo
taupe *f.* mole
te you, to you, yourself, to yourself
teint *m.* complexion
teinte *f.* tinge
tel, -le such, such a, just as; **un —** so and so
tellement so much, to such a degree
téméraire rash, reckless

témérité *f.* rashness, temerity
témoin *m.* witness
tempe *f.* temple
tempête *f.* storm
temps *m.* time, weather; **dans le —** formerly; **du — de** at the time of; **de — à autre** from one time to another, now and then; **autre —** formerly; **en même —** at the same time; **du — des** in the days of; **comme au beau —** as in the good old days; **son — fait** having served his sentence; **avoir le —** to have the time
tenable tenable, bearable
tenace tenacious
tendre tender, affectionate, delicate
tendre to hold out, to extend
tendrement tenderly
tendresse *f.* tenderness, affection
tendu, -e bent, strained
ténèbres *f. pl.* darkness
ténébreu-x, -se underhand, gloomy, obscure, shady
tenir to hold, to keep, to own, to have, to retain, to hold on; **— à** to stick to, be anxious to, to bear; **— parole** to keep one's words; **se — les côtes** to hold one's sides (with laughter); **— bon** to hold out, to resist; **— chaud** to keep warm; **— compagnie** to keep company; **— lieu de** to do instead of; **— un rang** to hold a position; **— rigueur** to be pitiless, not to forgive; **se —** to stand, to remain, to be, to hold oneself; **se — debout** to keep standing; **s'en — à** to rely on, to stick to; **tenez!** look! look here!
tentative *f.* attempt
tenté, -e tempted
tenue *f.* full dress, uniform
terme *m.* expression; **— de bord** sea expression
terminer to end, to conclude, to bound
terrain *m.* ground, field
terrasse *f.* terrace

terre *f.* ground, earth, territory, land; **par —** on the ground; **pomme de —** potato; **— blanche** white clay
terrer: se — to burrow, to hide underground
terrestre earthly
terreur *f.* terror
terrible terrible, fearless; **le —** the terrible thing
terrifier: se — to terrify one another
testament *m.* will
tête *f.* head; **en —** in front, ahead; **— à —** private conversation; **avoir la — dure** to be thick headed; **monter la — to get** excited; **perdre la —** to lose one's head; **— en l'air** impractical, dreaming
têtu, -e stubborn
théâtre *m.* theatre, scene
théologie *f.* theology
théorie *f.* theory
théorique theoretical
tiare *f.* tiara
tic tac *m.* ticking, ticktack
tiède soft, lukewarm, mild, cool
tien, -ne yours, thine
tiens! look! look here! well!
tiers *m.* third person, third; **en —** as a third person
tignasse *m.* mop, shock (of air)
timbre *m.* ring, tone
timide timid, shy
timidement timidly
tirailleur *m.* sharpshooter, skirmisher
tiré: — à quatre épingles all dressed up
tirer to draw, to pull, to take, to extricate, to shoot; **— les lots** to draw lots; **s'en —** to get along; **— au mur** to practice kicking against the wall; **— vengeance** to avenge oneself
tireur *m.* person who draws or pulls out, picker, shooter
tisser to weave
titre *m.* title

titré, -e titled
toast *m.* toast
toi thee, you
toile *f.* canvass, cloth, sail, web (of a spider)
toilette *f.* dress (of women), attire; **faire si grande —** to dress up
toise *f.* fathom, toise (measurement)
toiser to measure, to eye
toit *m.* roof, chimney in roof
tolérer to tolerate
tombe *f.* tomb, grave
tombeau *m.* tomb, grave
Tombeki *m.* a kind of tobacco smoked in Persia
tomber to fall, to grow dark, to knock down; **— à la renverse** to fall backwards; **laisser —** to let drop
ton, ta, tes thy, yours
ton *m.* accent, tone
tonnant, -e thundering
tonnelle *f.* green arbor
tonner to thunder
tonnerre *m.* thunder
torpiller to torpedo, to mine
torride torrid
tort *m.* wrong, offense, mistake; **avoir des —s envers** to wrong someone; **avoir —** to be wrong
tortiller to twist, to wriggle
torture *f.* torture
tôturer to torture
tôt soon, early, quickly; **plus —** sooner; **si — que cela** as early as that
total, -e whole; **au —** on the whole
touchant, -e moving, pathetic
toucher to touch, to affect
touffu, -e bushy, leafy
toujours always, still, ever
tour *m.* walk, trick, turn, lathe; **faire le — de** to go around; **— à —** by turns; **à son —** in his turn; **en un — de main** in a twinkling; **fermer à double —** to double lock, to lock securely; **jouer des —s** to play tricks; **faire un —** to

take a walk; **fit deux fois le —** went twice around
tour *f.* tower
tourbillon *m.* whirlwind
tourdre *f.* thrush
tourment *m.* anguish, torture
tourmenter to torment, to worry
tournant *m.* bend, turn
tourner to turn, to go around, to make a flanking movement; **— le dos** to turn one's back on; **se —** to turn around, to turn; **— en** to result in; **— à** to turn into; **faire —** to turn
tournoyer to turn around
tourterelle *f.* turtledove
tout, -e (**tous** *m. pl.*) all, every, entire; **tous deux** both; **— à coup** suddenly, at once; **— de suite** immediately; **pas du —** not at all; **— à l'heure** presently, not long ago; **— au plus** at the most; **— en** while; **le —** of all, of all that
tout quite, rather
tout *m.* everything, all
tout-puissant all-powerful
tracas *m.* bother, annoyance, worry
trace *f.* trace, mark
tracer to sketch, to lay out, to draw, to trace
tradition *f.*: **de —** traditionally
traditionnel, -le traditional
traduire to translate; **se —** to be expressed, to be conveyed
tragediante tragedian (Italian)
tragédien *m.* tragedian
tragique tragic
trahir to betray; **se —** to betray oneself
trahison *f.* treason, betrayal
train *m.* train, rate, bustle; **être en — de** to be in the act of; **aller son —** to continue along, keep going; **— des fêtes** succession of holy days; **— de bois** float of wood, lumber; **mettre en —** to set going, to start; **à fond de —** at full speed; **— de vie** way of living

traînée *f.* trail, train
traîner to drag; se — to drag one-self
trait *m.* trait, feature, shaft; — de lumière flash of light; partir comme un — to dart off
traiter to treat; — de to call (a name)
traître *m.* traitor
traîtrise *f.* treachery
trajet *m.* journey
tranchée *f.* trench
trancher to cut off
tranquille quiet, still; d'un pas — slowly
tranquillement quietly, calmly, simply
tranquillité *f.* quiet, peace, tranquillity
transcrire to transcribe
transcrit, -e transcribed, copied
transe *f.* fright, scare, fear
transfigurer to transfigure
transi, -e made numb, benumbed
transition *f.* transition
transparent, -e transparent
transpiration *f.* transpiration
transport *m.* rapture, ecstasy, conveyance
transporter to carry, to transport
trappe *f.* trapdoor
traquer to ferret out
travail *m.* work, labor, toil, job
travailler to work, to torment; se — to torment oneself; travaillé à jour open-worked
travailleur *m.* worker
travailliste *m.* laborite (political party in England)
travaux forcés *m. pl.* penal servitude, hard labor
travers: à — across, through; au de through; de — crooked, awry
traverse *f.* crossbar, short cut
traversée *f.* passage, crossing
traverser to cross
treillis *m.* trellis, lattice
tremblant, -e trembling
tremblement *m.* trembling

trembler to tremble
tremblotant, -e quivering
trémousser: se — to skip about, to bustle about
trempé, -e soaked
tremper to soak
trentaine *f.* about thirty
trente thirty
très very
trésor *m.* treasure
tressaillement *m.* start, tremor
tressaillir to startle, to tremble
tribu *f.* tribe
tribunal *m.* court of justice
tricher to cheat
tricorne *m.* three-cornered hat
trimballer to carry (colloq.)
triomphe *m.* triumph
triple triple
trique *f.* cudgel, stick
triste sad
tristesse *f.* sadness, sorrow
triumvir *m.* triumvir
trivial, -e trivial, trite
trois three
troisième third
trompe-l'œil *m.* illusion, deception
tromper to deceive; se — to be mistaken
tromperie *f.* deception
trompeu-r, -se deceiving, deceitful
tronc *m.* trunk
trône *m.* throne
tronquette *f.* snip
trop too much, too many, too
trophée *m.* trophy
troquer to exchange
trot *m.* trot; au grand — at a fast trot
trotter to trot, to run about
trotteur *m.* trotter
trottoir *m.* sidewalk
trou *m.* hole; — de la serrure keyhole
trouble *m.* confusion, disturbance, agitation
troubler to disturb, to trouble, to confuse; se — to be disturbed, to be confused

troué, -e full of holes
trouée *f.* opening, gap
troupe *f.* troop, band, crew, the army
troupeau *m.* flock, herd
trousses *f. pl.:* **avoir aux —** to have on one's heels
trouver to find, to like, to think, to consider; **se —** to be, to find oneself, to happen
truisses de chênes *f. pl.* cluster of trees
tu you, thou
tuer to kill; **se —** to kill oneself; **se faire —** to let oneself be killed
tueur *m.* killer
tuile *f.* tile
tuméfié, -e swollen and bruised
tumultueu-x, -se tumultuous, riotous
tunique *f.* tunic
tutoiement *m.* act of addressing a person as **tu**
tutoyer to address as **tu**
tuyau *m.* tube, type
type *m.* model, type

U

uhlan *m.* Uhlan (German lancer)
ultérieur, -e later
un, une a, an, one; **l'— et l'autre** both; **— à —** one by one
uniforme *m.* uniform; **en grand —** in full-dress uniform
unique only, sole, unique
uniquement solely
unité *f.* unity
urgent, -e urgent
usage *m.* custom, practice, habit, use
usé, -e worn out
usine *f.* factory
ustensile *m.* tool, utensil, instrument; **— de cuisine** pots and pans, cooking utensils
usurier *m.* usurer
usurper to usurp
utile useful

V

va! believe me! indeed! I tell you; **ça —** it's still going well with; **ça — pour** agreed
vacances *f. pl.* vacation, holiday
vacarme *m.* noise, hubbub, uproar
vache *f.* cow
va-et-vient *m.* coming and going
vagabond *m.* vagrant, vagabond
vagabondage *m.* vagrancy
vague indistinct, vague
vaguement vaguely
vaillant, -e brave, valiant
vain, -e vain, conceited
vaincre to overcome
vaisseau *m.* ship
vaisselle *f.* dishes
valet *m.:* **— de chambre** valet; **— de cœur** jack of hearts
valeur *f.* value, worth
valise *f.* valise
vallée *f.* valley
valoir to be worth, to bring, to procure; **— la peine** to be worth the trouble; **— mieux** to be preferable, to be better
valser to waltz
vanité *f.* vanity
vanter: se — to extol oneself, to boast
vapeur *f.* vapor, steam; **— de lumière** bright mist
variation *f.* variation
varice *f.* varicose vein
vase *m.* vase
vaste vast, spacious
vaurien *m.* good-for-nothing
vécu, -e lived
végétation *f.* vegetation
véhémence *f.* vehemence, force
veille *f.* day before, eve
veillée *f.* evening party, evening (in company), sitting up; **faire la —** to spend the evening
veiller to sit up, to be awake, to take care
veine *f.* vein
velours *m.* velvet

velouté, -e velvety
vendange *f.* grape gathering
vendre to sell; **se —** to be sold
vénérable revered, venerable
vengeance *f.* vengeance; **tirer —** to avenge oneself
venger to avenge, to revenge; **se —** to avenge oneself
vengeu-r, -se avenging
venir to come; **— de** to have just; **faire —** to send for; **vouloir en —** to aim at
vent *m.* wind, breeze; **au —** in the wind, unfurled
ventre *m.* stomach, belly, body
venu, -e come; **nouveau —** newcomer; **premier —** first-comer, almost anyone
vêpres *f. pl.* vespers, afternoon service
verdâtre greenish
verdure *f.* green color
verger *m.* orchard
vérifier to verify, to examine, to check up
véritable true, genuine, real
vérité *f.* truth; **en —** truthfully, really
ver *m.* worm; **— à soie** silk-worm
vermisseau *m.* small worm
vernis *m.* polish
verre *m.* glass
vers toward
vers *m.* verses (given to be copied as punishment)
verser to pour, to shed (tears)
verset *m.* verse
vert, -e green
vertige *m.* dizziness
vertu *f.* virtue
veste *f.* jacket, coat
vestige *m.* mark, vestige, remains
vêtement *m.* clothes, garment; **—s de travail** working clothes
vêtu, -e dressed
veuillez imperative of **vouloir** will you please
veuve *f.* widow
vexé, -e annoyed

viande *f.* meat
vibrant, -e vibrating, resounding
vice *m.* vice
vicomte *m.* viscount
victime *f.* victim, sufferer
victoire *f.* victory
victorieusement victoriously
victorieu-x, -se victorious
vide empty, vacant
vide *m.* void, emptiness, vacuum
vider to empty
vie *f.* life, living; **gagner sa —** to earn one's living; **train de —** way of living
vieillard *m.* old man
vieille *f.* old lady
Vierge *f.* Virgin; **— de** innocent from, free from
vieux *m.* old man
vieux, vieille old
vi-f, -ve lively, ardent, bright, eager, piercing, brisk, alive; **brûler —** to burn alive
vigne *f.* vine, grapes
vigoureu-x, -se energetic, vigorous
viguier *m.* magistrate in the south of France, provost
vilain, -e ugly, nasty, vile, mean
village *m.* village
villageois, -e *m.* or *f.* villager, inhabitant of a village
ville *f.* city; **dîner en —** to dine out; **maison de —** city hall; **— forte** fortified town
vin *m.* wine; **— cuit** mulled wine; **— du cru** vintage wine, local wine
vinaigré, -e seasoned with vinegar, bitter
vindicati-f, -ve vindictive
vingt twenty
vingtaine *f.* about twenty
vingtième *m.* twentieth
violemment violently
violence *f.* violence
violent, -e violent
violer to break, to violate
violet, -te violet-colored, purple
vipère *f.* viper, adder

virer to turn
vis *f.* screw
visage *m.* face
vis-à-vis vis-a-vis, toward
visible visible, noticeable
vision *f.* vision
visite *f.* visit
visiter to visit
vitalité *f.* vitality
vite quickly
vitré, -e with glass-sides, glass roof, glass walls
vitre *f.* windowpane
vivacité *f.* animation
vivant, -e living, alive; **de mon —** in my lifetime, while I live; **bon —** jolly companion, high liver
vivat *m.* hurrah
vive long live
vivement quickly, spiritedly
vivier *m.* fish pond
vivoter to live poorly, to live from hand to mouth
vivre to live
vivres *f. pl.* provisions, victuals
vizir *m.* vizier
vocation *f.* vocation, inclination, talent, calling
vociférant, -e vociferating
vociférer to shout, to call out
vœu *m.* vow, wish; **former le —** to vow
voici here is, here are
voie *f.* way; **— lactée** Milky Way
voilà there is, there are, that is; **—que** then, thus, it happened that
voilé, -e veiled, hidden, dim, shrouded
voile *m.* veil
voiler to veil, to cover, to cloud; **se —** to be veiled, to be covered, to be hidden
voir to see; **faire —** to show; **laisser —** to reveal; **se —** to be seen, to see oneself; **se — du champ** to see clear space ahead
voisin, -e neighboring; **— du désespoir** akin to despair
voisin, -e *m.* or *f.* neighbor

voiture *f.* carriage, conveyance, car
voix *f.* voice; **à haute —** in a loud voice, aloud; **à — basse** in a low voice; **— grasse** thick, coarse voice; **— haute** in a high tone of voice; **à mi —** in a low tone of voice; **— de basse** bass voice; **sans —** speechless
vol *m.* robbery, theft, flight
volant, -e loose, flying
volcan *m.* volcano
voler to fly, to rob, to steal
volet *m.* shutter
voleur *m.* thief, robber
volontaire volunteer
volontairement willingly
volonté *f.* will; **les bonnes —s** good will, people of good will
volontiers willingly, gladly
voltiger to hover over
volubilité *f.* rapidity, volubility
volume *m.* volume
volupté *f.* pleasure, delight
voluptueu-x, -se voluptuous
voracité *f.* ravenousness, great hunger
vos your
votre your
vôtre *m.* or *f.* yours
voué, -e devoted, consecrated
vouloir to wish, to want, to will; **en — à** to have a grudge against; **— dire** to mean; **— en venir** to drive at, to aim at
voulu, -e wanted
vous you
voûte *f.* vault, arch, ceiling
voyage *m.* journey, trip; **faire un —** to take a trip
vrai, -e true, genuine, right, regular; **être dans le —** to be in the right
vraiment truly
vraisemblable likely, probable
vu, -e seen, considering
vue *f.* sight, view; **au point de —** from the point of view; **à première —** at first sight; **perdre de —** to lose sight of; **ma —** the sight of me

vulgaire common, vulgar
vulgarité *f.* vulgarity

Y

y there, in it, at it, on it, to it; **il —
a** there is, there are, ago (expression of time)

yatagan *m.* yataghan (dagger-like
  saber)
yeux *m. pl.* eyes

Z

zébecs *pl.* attendants
zèle *m.* zeal

Set in Monotype Times New Roman
Format by Faith Nelson
Published by Harper & Row, New York